LA ESCUELA DE LA VIDA

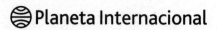 Planeta Internacional

LAURA BALDINI

LA ESCUELA DE LA VIDA

Traducción de Albert Vitó i Godina

 Planeta

Título original: *Lehrerin einer neuen Zeit*

© Piper Verlag GmbH, München, 2020
© por la traducción, Albert Vitó i Godina, 2021
© Editorial Planeta, S. A., 2021
Avda. Diagonal, 662-664, 08034 Barcelona (España)
www.editorial.planeta.es
www.planetadelibros.com

Primera edición: junio de 2021
ISBN: 978-84-08-24393-9
Depósito legal: B. 6.359-2021
Composición: Realización Planeta
Impresión y encuadernación: Liberdúplex
Printed in Spain - Impreso en España

HOSPITAL PSIQUIÁTRICO DE OSTIA,
CERCA DE ROMA, 1894

Las campanas de la basílica de Santa Áurea anunciaron la misa vespertina. El sonido grave y metálico resonó entre las casas y traspasó los gruesos muros del viejo edificio que en otros tiempos había sido un monasterio. Las campanadas tenían un efecto tranquilizador, transmitían una sensación de familiaridad y despertaban vagos recuerdos de una vida libre, de risas y de juegos, de una finca donde las gallinas andaban sueltas y los niños corrían tras ellas para atraparlas, de un taller bañado por el sol y del aroma de la madera recién cepillada. Sin embargo, en cuanto las campanas dejaban de sonar, esas imágenes agradables de tiempos pasados desaparecían.

Luigi estaba acuclillado sobre un colchón duro. Lo habían confinado de nuevo a aquella celda minúscula en la que no había más que una cama simple de estructura de acero. A través de una ventanilla cuadrada que había en la parte superior del muro divisaba un fragmento de cielo. El azul cada vez más oscuro anunciaba la puesta del sol. Luigi ni siquiera recordaba por qué lo habían encerrado en esa ocasión. El hecho de que volviera a estar en la celda debía de tener algo que ver con la mancha de color marrón rojizo que parecía acusarlo desde la pared gris que tenía delante.

La mancha le recordaba a un animal cuyo nombre había olvidado, del mismo modo que había olvidado todas las imágenes y nombres que tenían que ver con su pasado. Pensó que esa mancha de color óxido podía ser de su propia sangre y se propuso seguir manchando la pared hasta que decidieran repintar la celda. Seguramente necesitaría muchos años, puesto que el dinero escaseaba y era evidente que los reclusos les importaban a las autoridades menos incluso que los desperdicios acumulados en las calles de los barrios más pobres de Roma. A la institución iban a parar los enfermos mentales y los lisiados de la zona portuaria de Ostia, con el objetivo de proteger al resto de la sociedad de las conductas impredecibles de los internos. A pesar de tener solo ocho años, Luigi no era ni mucho menos el residente más joven de la institución. En la gran sala contigua había niños que apenas habían aprendido a andar. No obstante, en lugar de alegrarse por haber dado sus primeros pasos y caminar tropezando por todas partes, se acuclillaban en sus camas con la mirada perdida en el techo.

¿Por qué Luigi no estaba con ellos? ¿Había vuelto a morder a alguien? Uno de los guardias lo había definido como un monstruo peligroso, un salvaje que no había aprendido las reglas de la vida en sociedad. Luigi recordaba vagamente el sabor de la sangre. ¿La de la mancha era suya? Al fin y al cabo, su boca era su única arma. Con ella se defendía de los mayores que pretendían obligarlo, con sus fuertes manos, a quitarse la ropa para ducharlo con agua helada, para que no apestara como un animal. Era un procedimiento humillante y angustioso que se repetía una vez por semana. Había muchas probabilidades de que hubiera sido una mordedura el motivo por el que lo habían enfundado en aquella chaqueta de tela áspera y maloliente, con las mangas larguísimas atadas a la espalda. Luigi apenas podía moverse. ¿Y la mancha de sangre? Parpadeó. En las largas pestañas tenía diminutas gotas oscuras, ya secas, y notaba palpitaciones en la sien derecha. Parecía evidente que se había golpeado contra la pared. Inclinó la cabeza con cuidado hacia abajo para mirarse. También tenía la chaqueta manchada de sangre. Cuando frunció el ceño, notó tensión en la piel que le envolvía el ojo derecho, y el escozor de una herida. Satisfecho, recibió el dolor como a un buen amigo, puesto que le indicaba que seguía vivo. Mientras continuara sintiéndolo, tenía la certeza de que todavía no había muerto. Cualquier cosa era mejor que el terrible vacío que lo acompañaba día tras día, un vacío que solo conseguía llenar forcejeando con los guardas de un modo desesperado.

Luigi deseó que las campanas de la iglesia repicaran de nuevo para recuperar otra vez los recuerdos agradables de una vida pretérita, una vida por la que valía la pena luchar. Pero cada día que pasaba allí las imágenes empalidecían más y más. Luigi no temía nada tanto como el momento en el que acabaran desapareciendo del todo. Si se resignaba por completo, terminaría como los demás niños, aceptando su destino. Apoyó la cabeza en las rodillas y aguzó el oído. El silencio era sombrío y amenazador, como un hoyo en el suelo en el que se iba hundiendo poco a poco. Esperó a que sonaran las campanadas. Tarde o temprano volverían a llamar a los creyentes a la oración y durante unos breves instantes podría huir de ese vacío.

ROMA, OTOÑO DE 1894

—¿Dónde está papá?

Nerviosa, Maria no paraba de andar de un lado a otro del comedor. Cada vez que oía el ruido que anunciaba el paso de un carruaje, se pegaba a la ventana que daba a la calle y miraba hacia abajo.

—Llegará enseguida —dijo Renilde Montessori para tranquilizar a su hija. Levantó los ojos de su bordado, un pañito con el que pensaba decorar la oscura cómoda de madera de cerezo, para que las visitas pudieran ver que era una mujer pulcra y mañosa—. Tu padre sabe que debe acompañarte hoy a la universidad.

—A veces tengo la impresión de que papá llega tarde a propósito para complicarme todavía más la carrera. Como si no fuera ya lo suficientemente difícil. Cada día tengo que imponerme a la envidia de mis compañeros y a la ignorancia de unos profesores que no soportan ver a una mujer en sus respetables aulas.

Maria se apartó de la mesa y se dejó caer de forma nada elegante sobre una de las sillas. Empezó a tamborilear con sus largos y delgados dedos sobre la superficie de madera.

—Tonterías. Seguro que tu padre llega pronto. Sabe

perfectamente que no puedes ir sola al Instituto de Anatomía. Y en este caso no basta con que yo o cualquier otra mujer nos sentemos en el carruaje contigo. Para lo que te propones no basta la compañía de una simple dama, necesitas que te acompañe un hombre —le recordó Renilde. Acto seguido, frunció el ceño y le lanzó una mirada reprobatoria a Maria—. Para de una vez con los golpecitos.

Maria retiró la mano y la posó sobre el regazo con gesto culpable. A pesar de tener ya veinticuatro años, cuando estaba en presencia de su madre en ocasiones se sentía de nuevo como una chiquilla a la que era necesario reprender por su comportamiento impetuoso. Y eso que era una de las primeras mujeres de Italia que había conseguido estudiar Medicina. El mes anterior incluso había tenido el honor de que le concedieran el anhelado premio Rolli, que otorgaba una impresionante beca estatal de mil liras. Desde entonces, Maria ya no dependía económicamente de sus padres.

—Si fuera cualquier otro seminario o clase, me daría igual llegar tarde —dijo Maria. Estaba acostumbrada, por el hecho de ser mujer, a no entrar en el aula hasta que todos sus compañeros masculinos estuvieran ya sentados. Puesto que algunos tenían por costumbre retrasarse, a menudo le tocaba esperar y nunca conseguía escuchar las primeras frases de los ponentes—. Pero a mi primera hora en la sala de disecciones, y encima siendo una clase particular, sería muy inapropiado no llegar puntual. El profesor Bartolotti no se lo tomaría nada bien.

—Ya lo sé, Maria. Y tu padre también, créeme.

Desde hacía unos días, en casa de los Montessori no se

hablaba de otra cosa. Maria no desaprovechaba ninguna oportunidad de contar a su familia lo que la angustiaba. El aula en la que se diseccionaban cadáveres le parecía un lugar terrorífico que de buena gana habría evitado pisar, pero sin las horas de anatomía no podría licenciarse, por lo que se veía obligada a superar sus miedos.

Renilde dejó su labor de bordado sobre la mesita y miró a su hija con aire alentador.

—Ya has llegado hasta aquí; conseguirás superar también esta parte.

Al contrario que su marido, el funcionario de Hacienda Alessandro Montessori, a Renilde la había fascinado desde el principio el itinerario profesional que había elegido su hija, por lo que había apoyado en todo momento y de forma incondicional su propósito de convertirse en una de las primeras médicas de Italia. Para Renilde, la decisión de Maria no había sido ninguna sorpresa. Tras los seis años de escuela primaria, su hija había estudiado la secundaria en un instituto técnico y luego se había especializado durante dos años en ciencias naturales. Por eso el hecho de que eligiera Medicina le había parecido casi una consecuencia lógica. Alessandro Montessori lo veía de otro modo, pero Renilde estaba realmente orgullosa de su hija. Quizás ese orgullo se mezclaba incluso con cierta envidia, puesto que la madre también tenía una mente despierta y compartía el interés de la hija por las ciencias naturales. Por desgracia, le habían prohibido cumplir su deseo de estudiar. Era un privilegio por el que apenas empezaban a luchar entonces las mujeres del Reino de Italia.

—Podrías aprovechar la espera para recogerte de nuevo el pelo —le propuso Renilde—. Se te ha soltado un mechón, lo que no solo ofrece una imagen descuidada, sino también frívola. No puedes permitirte que circulen chismes sobre ti.

Maria frunció los labios. Estaba acostumbrada a que su madre criticara su aspecto. Renilde Montessori, cuyo apellido de soltera era Stoppani, procedía de una familia de latifundistas de Chiaravalle, una pequeña población ubicada cerca de Ancona. Como tantos otros italianos, estaba convencida de que la Iglesia católica no solo ofrecía a la gente el único credo verdadero, sino también una serie de reglas que había que respetar a lo largo de la vida. La decencia le parecía, por tanto, una de las mayores virtudes.

Justo cuando Maria se disponía a cumplir con lo que su madre le había sugerido, oyó como se abría la puerta en el piso de abajo.

—¡Por fin! —exclamó, poniéndose en pie de un salto. De repente, los mechones sueltos quedaron olvidados.

Maria cogió la cartera de cuero en la que llevaba los libros, los apuntes y el estuche para los lápices y bajó la escalera a toda prisa. Para no tener que cargar con todo el peso, había dividido los libros en cuadernos de menor tamaño, de manera que se llevaba solo los que necesitaba. Se había propuesto volver a unir los cuadernillos en un solo libro en cuanto hubiera superado los exámenes. A pesar de todo, la cartera pesaba unos cuantos kilos.

—¡Maria!

—¿Sí? —respondió, volviéndose hacia su madre.

—¿Llegarás para la hora de cenar?

—No lo sé.

—Ayer Flavia preparó pasta fresca. Esta noche nos la servirá con mantequilla y hojas de salvia. Es uno de tus platos preferidos.

—Suena genial, mamá, pero por desgracia no puedo decirte a ciencia cierta cuánto tiempo pasaremos en la sala de disecciones.

Por un momento, Renilde pareció decepcionada. La idea de tener que esperar más de lo habitual a que su hija regresara no le gustaba nada. Las conversaciones que mantenía por las noches con Maria eran el momento más deseado de su monótona rutina diaria. Desde hacía años estaba al corriente hasta de los detalles más insignificantes de la vida de su hija, y no quería renunciar a ello en el futuro.

—Te esperaré.

—¡Hasta luego! —exclamó Maria antes de lanzarle un beso con la mano a su madre. Acto seguido, echó a correr de una forma nada femenina por el pasillo que llevaba hasta el vestíbulo, recogiéndose la falda para no tropezar con el dobladillo. El gran reloj dorado que llevaba colgado de una cadenilla alrededor del cuello se balanceaba de un lado a otro.

En el vestíbulo de la entrada, su padre la esperaba junto a la puerta. Le había pasado el portafolios a Flavia, la criada, pero se había dejado puesto el sombrero y todavía tenía el bastón en la mano enguantada. Alessandro Montessori era un hombre de una estatura imponente que cuidaba su aspecto con un esmero especial.

—Si sigues corriendo de ese modo, tropezarás con tus propios pies —dijo.

Aun así, Maria se alegró de que su padre volviera a hablarle. Después de que dos años antes ella le hubiera dicho que quería ser médica, él había pasado varias semanas sin dirigirle la palabra, ignorándola sin tapujos cuando le preguntaba qué pensaba al respecto. Comer en su presencia se había convertido en una verdadera tortura. Por suerte, aquella fase ya había quedado atrás. Dos acontecimientos importantes habían contribuido a ello. Por un lado, la beca del premio Rolli, y por otro, el honor que había tenido Maria dos años atrás, con motivo de la fiesta de las flores en la Villa Borghese, de entregarle a la reina Margarita una bandera y un ramo de flores en nombre de la universidad. Posteriormente, en los periódicos había aparecido una fotografía de Maria y de la monarca, y los reporteros no solo habían elogiado la belleza de Margarita, sino también la gracia y la elegancia de la joven estudiante de Medicina.

Aunque Alessandro podía volver a sentirse orgulloso de su hija, los días en los que solía profesarle un afecto cálido e incondicional parecían haber quedado para siempre en el pasado. La decisión de Maria de estudiar Medicina en contra de su voluntad seguía siendo una desilusión para el padre, y a la hija no le había quedado más remedio que conformarse con esa nueva actitud.

—Dentro de una hora debo estar en la sala de anatomía —dijo ella, nerviosa.

—No es un lugar adecuado para una joven como tú —se quejó su padre.

—Te agradezco mucho que me acompañes —contestó Maria, imperturbable.

En lugar de responder, su padre abrió la puerta de entrada y la dejó pasar delante. Maria aceptó el guardapolvo que le tendía Flavia. La criada llevaba un año trabajando para la familia Montessori. La anterior, Silvia, se había quedado embarazada sin haberse casado, motivo por el que abandonó la casa el mismo día que confesó su estado. Renilde Montessori no toleraba los deslices morales. Por muy adelantada a su tiempo que pudiera ser en cuanto a la educación de su hija, se mostraba muy conservadora respecto a las relaciones entre hombres y mujeres. Maria no se puso el abrigo, sino que se limitó a echárselo por encima de los hombros. No tenía frío. Todo lo contrario: debido a la agitación del momento tenía las sienes repletas de finas gotas de sudor. El corazón le latía a toda prisa, y su respiración también era más rápida y superficial que de costumbre. Quizás debería haberse aflojado un poco el corsé antes de salir. Sin embargo, sabía de primera mano que su apariencia podía influir en las miradas de sus colegas masculinos. Cuanto más estrecha era su cintura y más femenino su aspecto, más se acercaba a conseguir que la admiración venciera a la hostilidad cuando se encontraba con ellos por los lóbregos pasillos de la universidad.

Maria bajó la amplia escalera de caracol delante de su padre hasta llegar a la planta baja. Frente a la casa aguardaba ya un carruaje oscuro. Alessandro Montessori acababa de llegar del Ministerio de Hacienda, donde trabajaba como primer inspector. En condiciones normales regresaba a casa andando por el paseo que transcurría junto al Tíber. El hecho de que hubiera pedido un coche de plaza le demostró a Maria que no lo había estado esperando en vano, y de inmediato la invadió una sensación de gratitud.

Nada más ver a Maria, el conductor bajó de un salto y le abrió la puerta con galantería.

—*Grazie mille!* —exclamó ella mientras accedía al interior. Su padre ocupó el asiento de tapicería roja opuesto al sentido de la marcha. Apenas se hubieron sentado, el coche se puso en marcha con una sacudida y empezó a avanzar por la calle adoquinada.

La Universidad de La Sapienza, fundada en 1303 como una universidad papal, se encontraba relativamente cerca de la Santa Sede. Entretanto se había convertido en una universidad estatal y constaba de cuatro facultades: la de Teología, la de Filosofía, la de Derecho y la de Medicina. Ese día, Maria y su padre atravesaron Roma, lo que implicaba pasar junto a varios grandes monumentos.

Cualquier otro día Maria habría disfrutado de lo lindo con las vistas que ofrecía el trayecto, le encantaba aquella ciudad tan llena de vida, cuyos edificios contaban historias de tiempos pasados en los que el Vaticano se había disputado la supremacía con dirigentes laicos. Había sido a raíz de la unificación de Italia que Roma se había convertido en una capital moderna, en la que los enfrentamientos bélicos ya no figuraban en el orden del día. Como si de un gran museo al aire libre se tratara, las obras de arte estaban expuestas una tras otra. Sin embargo, ese día Maria no fue capaz de prestar la debida atención al Coliseo, el Foro Romano, el Mausoleo de Adriano o el Panteón. Mientras cruzaban el Tíber, ni siquiera le echó un vistazo al río. Nerviosa, se retorcía las manos sobre el regazo contemplando con preocupación las manchas rojizas que le quedaban en la piel.

—No tienes por qué realizar esa práctica —le dijo su padre en voz baja—. Sería comprensible que decidieras abandonar los estudios. No supondría ninguna vergüenza que te decidieras por otro oficio.

—¡De ninguna manera! —respondió ella con vehemencia, aunque enseguida se esmeró en suavizar la voz—. No pienso abandonar por lo que me espera hoy. Dentro de dos años saldré de la universidad siendo doctora.

Preocupado, Alessandro Montessori arrugó la frente. Esa inquietud se sumó a su enfado.

—No está bien que una joven se dedique a cortar cuerpos humanos desnudos.

—¡Vamos, papá! —exclamó Maria, poniendo los ojos en blanco—. Hemos hablado muchas veces de esto. ¿Por qué te parece tan normal que los hombres diseccionen cadáveres y tan escandaloso que lo haga una joven?

—¡Porque es indecoroso! No quiero imaginarme lo que debes de llegar a ver ahí.

Maria se limitó a negar con la cabeza sin responder nada. Estaba harta de esas discusiones que nunca terminaban bien. Abrir en canal un cadáver humano le parecía horrible tanto si lo hacía un hombre como una mujer. Maria sabía que tenía que enfrentarse a la sala de disecciones completamente sola, puesto que no se consideraba adecuado exigir a los estudiantes varones que examinaran cadáveres desnudos en presencia de una mujer. Asimismo, los profesores creían poco conveniente que una joven estudiante viera cuerpos desnudos, pero que encima los viera en presencia de hombres les parecía, además, obsceno. Por ese motivo Maria tuvo que recibir clases teóricas privadas, para luego poder ejecutar los ejercicios correspondientes sola en la sala de disecciones. Solo podía acceder a la sala cuando el resto de los estudiantes hubieran terminado sus tareas, de manera que cuando sus compañeros por fin salían del aula y le autorizaban el acceso, el sol ya se había puesto.

El cochero se detuvo frente al edificio de cuatro plantas de la Facultad de Medicina. Una amplia escalera conducía hasta la entrada, que a su vez estaba flanqueada a derecha e izquierda por grandes aulas. Maria saltó del carruaje seguida por su padre.

—¿Crees que debería acompañarte hasta la sala?

Maria miró a su alrededor. En la plaza de delante del edificio de la universidad no había casi nadie. Una madre tiraba de un chiquillo que no paraba de llorar al otro lado de la calle, mientras un muchacho empujaba con mucho empeño una pesada carretilla llena hasta los topes de piezas de acero dobladas. Nadie reparó en ella. Maria levantó la vista hacia la fachada. Tras uno de los ventanales del primer piso reconoció a un profesor suyo, que comprobaba que no llegara sola. Aquello bastaba para cumplir con los requisitos de decencia.

—No, no es necesario. ¡Muchas gracias!

—¿Cuándo tengo que volver a recogerte?

—Bastará con que me mandes un carruaje hacia las diez —dijo Maria—. No creo que a esas horas nadie se moleste en asegurarse de que estás sentado en él.

—¿A las diez? —repitió su padre, indignado.

Sin embargo, antes de que pudiera protestar, Maria se despidió y salió corriendo hacia la escalera de la entrada.

—¡Tengo que darme prisa! —exclamó mientras le decía adiós con la mano.

En el interior del edificio hacía frío, por lo que se arropó más con el abrigo. Durante el verano, los gruesos muros se encargaban de dejar fuera el calor insoportable de la ciudad, mientras que en invierno la temperatura era algo más agradable. En primavera y otoño, en cambio, el ambiente era inesperadamente fresco. Frente a la entrada había un reloj gigantesco que confería al vestíbulo la imagen impersonal de una estación de tren cualquiera. No encajaba en absoluto con el lujoso mobiliario barroco de las salas. Aquella parte de la universidad estaba alojada en un antiguo palacio episcopal. Debido a la falta de espacio, las cuatro facultades repartían sus instalaciones entre varios edificios de Roma, y el palacio que acogía la Facultad de Medicina era una de las ubicaciones más distinguidas. Las guirnaldas de flores de los pasamanos de la barandilla de la escalera y los angelitos mofletudos en los nichos de las ventanas daban testimonio de la riqueza de los que habían habitado el palacio en tiempos pasados. A pesar de que en algunos lugares los dorados de los relieves empezaban a desconcharse, todavía permitían imaginar lo impresionantes que debían de haber sido las recepciones y fiestas que se habían celebrado allí. Durante la época de Maria, no obstante, estudiantes más o menos motivados recorrían los pasillos angostos y de elevados techos y se atrincheraban tras puertas pintadas de blanco para estudiar.

Maria siempre subía los escalones de dos en dos para acceder al entresuelo, donde encontraba al conserje del instituto sentado tras una luna de cristal. Maurizio era un tipo bajito y desaliñado que había perdido un brazo durante la guerra contra los Habsburgo. Se pasaba el día entero encerrado en su diminuta cabina de madera, leyendo el periódico o comiéndose el bocadillo de salami que su mujer le preparaba cada día. Maurizio no se fijó en Maria cuando esta pasó por su lado para acceder a la segunda planta, en la que se encontraba el aula de anatomía. Por el pasillo que permitía llegar a la sala en cuestión se cruzó con dos estudiantes. Andrea Testoni y Marco Balfano procedían de sendas familias burguesas acomodadas y habían empezado la carrera con ella. No obstante, a diferencia de Maria, no habían aprobado ni la mitad de los exámenes debido al estilo de vida desenfrenado que llevaban. Preferían pasar las noches en los bares y cafés de la ciudad, acudiendo a fiestas y bailes en lugar de estudiar. Trataban a Maria con condescendencia y en los últimos dos años no solo no la habían saludado ni una vez, sino que encima aprovechaban cualquier ocasión para hacerle la vida imposible. Nada más verla, Andrea Testoni esbozó una sonrisa maliciosa. Se volvió hacia Marco Balfano, que le sacaba una cabeza, y en voz alta, para que ella pudiera oírlo, dijo:

—Hoy esa bruja engreída recibirá la lección que lleva esperando desde hace tiempo.

Balfano soltó una carcajada como única respuesta. Aunque Maria ya estaba acostumbrada al odio que le profesaban esos dos compañeros de clase, el comentario le sentó muy mal.

Al fin y al cabo, no les había hecho nada. El mero hecho de ser una mujer bastaba para herir el honor de aquellos hombres. Maria se tragó la ira y pasó por su lado con la cabeza bien alta. Los tacones de los botines atados hasta los tobillos resonaron con fuerza en el suelo pulido. Maria se concentró en ese ruido para intentar ignorar las risas malintencionadas de los dos tipos. Al final del pasillo, se detuvo y aguzó el oído. Tras la puerta se oían voces. Los compañeros de clase todavía no habían terminado los ejercicios. Eso significaba que le tocaba esperar. Nerviosa, se acercó a una de las ventanas y se apoyó sobre el alféizar de mármol. La espera se le hizo eterna hasta que por fin se abrió la puerta y dos estudiantes salieron al pasillo. Pasaron junto a Maria en silencio, sin hacerle caso, como si no fuera más que aire. Parecían afectados y estaban pálidos. Poco después, la puerta se abrió de nuevo. Esa vez, quien salió al pasillo fue el profesor Bartolotti.

—Ah, ahí está —dijo.

Bartolotti era un hombre bajo y enjuto, con la espalda encorvada. En la punta de la nariz llevaba unas gafas de montura metálica muy estrechas, y por encima de ellas lanzaba miradas severas a sus alumnos con sus ojos pequeños y oscuros. Era uno de los pocos profesores que sentía simpatía por Maria, aunque no había sido así desde el principio. Había cambiado de opinión al ver que su única alumna se presentaba puntual a todos los ejercicios, cumplía con las tareas de un modo escrupuloso y estudiaba todas las lecturas propuestas. Entretanto, Bartolotti había llegado a apreciar a Maria y, contrario a la opinión del resto de los docentes, sobre todo del doctor Sergi, se había asegurado de que pudiera participar en la clase de anatomía, aunque tuviera que hacerlo sin la compañía de los demás estudiantes.

—Entre, *signorina* Montessori, entre antes de que oscurezca del todo —la invitó, abriendo la puerta de par en par y haciéndole señas con la mano. Por encima del traje oscuro llevaba puesta una bata de médico manchada de sangre y otros restos. Maria intentó no fijarse demasiado en aquellos lamparones.

Era la primera vez que entraba en la sala de anatomía. Hasta el momento solo había oído historias escalofriantes acerca del inventario de la sala, de manera que se había formado una imagen de lo más fantasiosa al respecto. Titubeante, siguió al menudo profesor por la sala alargada, cuyo techo era aún más alto que el del pasillo y estaba decorado con pinturas policromas. Diosas romanas medio desnudas, sentadas en carros suntuosos de los que tiraban criaturas fantásticas. Aun así, la atención de Maria no recayó tanto en aquellos frescos centenarios como en los altos armarios que había a ambos lados y que recubrían las paredes por completo. En los estantes había un sinfín de tarros de tamaños diversos. El contenido de los recipientes le provocó escalofríos, puesto que eran miembros de cadáveres: falanges, manos, órganos internos e incluso el cuerpo entero de un nonato. A Maria se le revolvió el estómago. El almuerzo que había tomado hacía varias horas amenazó con salir por donde había entrado. Los tarros desprendían un olor nauseabundo a amoníaco y descomposición.

—Ahí detrás puede quitarse el abrigo y ponerse una de las batas para no mancharse innecesariamente el vestido —le sugirió el profesor Bartolotti, señalándole con el brazo extendido un perchero en la parte posterior de la

22

sala, que quedaba separada del resto de la estancia por un arco.

Maria se dirigió hacia allí enseguida, intentando no mirar a los lados. ¿Era moralmente aceptable que hubiera fragmentos de cadáveres flotando en aquellos tarros para siempre en lugar de estar descomponiéndose bajo tierra? Cuando llegó al perchero, colgó su guardapolvo y cogió una de las batas. El dobladillo estaba húmedo y pegajoso. Con un sobresalto, volvió a dejarla donde la había encontrado. Se apresuró a recuperar su abrigo del perchero, lo dobló con esmero y se lo guardó dentro del bolso que llevaba colgado del hombro. Sin duda su madre se quejaría, pero sería mejor lidiar con unas cuantas arrugas que llegar a casa con restos de cadáveres. Con la punta de los dedos rebuscó entre las batas hasta que encontró una que, a pesar de las manchas de sangre y otros restos, parecía completamente seca. Sobreponiéndose al asco que sentía, se enfundó la bata y regresó con el profesor. Bartolotti se había plantado frente a una mesa y había encendido una lámpara de petróleo. La luz parpadeante arrojaba sombras horripilantes sobre la mesa sucia.

—No nos hemos tomado la molestia de limpiar la mesa. Se volverá a ensuciar enseguida de todos modos —explicó el profesor sin darle importancia.

Maria se limitó a asentir, prefiriendo no tener que abrir la boca por miedo a vomitar.

—Hoy empezará examinando por primera vez los órganos —dijo Bartolotti—. Hemos preparado las vísceras de manera que pueda estudiarlas con detenimiento. El objetivo es que sepa reconocer por dónde transcurren los vasos sanguíneos principales y cuál es el tamaño y la consistencia de los órganos sanos en comparación con los que se ven afectados por una enfermedad. Quiero que explique detalladamente y por escrito todo lo que le llame la atención. Más adelante, durante el semestre, se le mostrarán partes del cuerpo. Entonces tendrá que avanzar capa a capa hasta llegar al hueso, e ir exponiendo los tendones y los músculos. Al finalizar el semestre debería ser capaz de nombrar hasta la parte más insignificante del cuerpo humano, incluso durmiendo o con los ojos vendados —explicó, e hizo una pausa antes de continuar—. Los resultados de estas tareas determinarán la nota del semestre.

Maria asintió de nuevo y se quedó mirando la palangana que había sobre el tablero de la mesa. El agua que contenía estaba completamente teñida de rojo debido a la sangre que habían tenido que recoger los estudiantes que habían estado allí antes que ella. Al lado había una toalla sucia y arrugada.

—¿Le importa si le cambio el agua?

—¿Cómo dice? —preguntó Bartolotti, algo desconcertado, mirándola por encima de la montura de las gafas.

—Digo que me gustaría rellenar la palangana con agua limpia.

—Eso sería una pérdida de tiempo innecesaria. Es tarde, y quiero regresar a casa. Mi esposa debe de estar esperándome con la cena preparada.

Con solo pensar en comida, fuera cual fuera, el estómago de Maria protestó de nuevo.

—Entonces ¿usted no se quedará aquí? —preguntó Maria, intentando que su voz no revelara el miedo que le recorrió el espinazo y se instaló en su nuca, obligándola a encogerse de hombros.

—Por supuesto que no. ¿Qué quiere que haga yo aquí? ¿Contemplar cómo corta en finas rodajas el hígado de un borracho?

Maria empezó a marearse. Se armó de valor y respiró de forma controlada para no perder el conocimiento. El hedor era espantoso.

Se preguntó si los vapores que emanaban del cuerpo no serían nocivos para su salud.

—Le mostraré cómo debe asir el escalpelo para no hacerse daño, y luego el conserje le traerá los órganos que le hemos preparado. Para el resto tendrá que arreglárselas sola. ¿Ha traído sus libros?

—Sí —respondió Maria en voz baja.

—Muy bien. Comencemos, pues.

De un recipiente metálico con forma de riñón que estaba en un extremo de la mesa, Bartolotti eligió varios instrumentos afilados y los colocó en fila sobre la mesa sucia. Con determinación, cogió el primer escalpelo y lo sostuvo en la mano con una soltura fruto de los años de práctica. A continuación le mostró a Maria cómo tenía que agarrarlo correctamente y luego se lo tendió, esperando que lo imitara. Procedió del mismo modo con el resto de los instrumentos y al cabo de pocos minutos dio por terminada la clase privada.

—Bueno, pues ya está —sentenció el profesor con satisfacción—. Le he traído una lámpara para que no tenga que confiar solo en el tacto y el olor para reconocer los órganos —dijo riéndose de sus propias palabras, como si le parecieran un chiste de lo más gracioso—. En menos de una hora ya no podrá verse ni las manos. El sol ya se ha puesto.

A Maria, las rodillas amenazaban con fallarle. ¿Por qué no había ni una sola silla en toda la sala, o al menos un taburete en el que poder descansar un poco? Bartolotti volvió a guardar los instrumentos en el recipiente metálico y se limpió las manos en la bata. En ese mismo instante, llamaron a la puerta. Antes de que él pudiera gritar «¡Adelante!», la puerta de madera se abrió con un chirrido y Maurizio entró en la sala. Maria se preguntó si habría abierto la puerta con la barbilla, puesto que en la mano que le quedaba llevaba un gran recipiente, parecido al que Flavia había utilizado pocas semanas antes para hornear el tradicional *panettone* de adviento. Aunque en ese caso no le llegó el delicioso aroma a vainilla, pasas, levadura y piel de limón, sino un hedor tremendo que parecía haber surgido directamente del infierno.

Con un fuerte estrépito, Maurizio dejó el contenedor sobre la mesa. Dentro había una masa oscura y viscosa que llegaba casi hasta el borde. Sin mediar palabra, el conserje arrastró sus pasos de nuevo hacia la puerta.

—Maurizio la esperará el tiempo que haga falta hasta que haya terminado. Tómese el tiempo que necesite, trabaje con calma para examinar todo lo que crea necesario.

El conserje murmuró alguna ordinariez que se perdió en la espesura de la poblada barba que le llegaba hasta el pecho y luego salió dando un sonoro portazo.

—¿Tiene alguna pregunta?

Maria tenía la cabeza repleta de preguntas, pero no se

atrevía a formularlas. Bartolotti parecía impaciente, y de hecho sacó su reloj de oro y lo abrió para consultar la hora. Era evidente que se moría de ganas de marcharse a casa y disfrutar de la merecida cena que le debía de haber preparado su esposa. Se quitó la bata y la colgó en el perchero. Cuando regresó, Maria aún no se había atrevido a mirar qué había dentro del recipiente.

—Ahí tiene unos cuantos objetos de estudio excelentes —la avisó Bartolotti—. Me interesa ver qué anota al respecto. Aprenderá mucho, querida, ya lo verá.

Maria dudaba del éxito de su aprendizaje, puesto que todavía no sabía siquiera qué hacer para evitar desmayarse.

—¡Que le vaya muy bien! —exclamó Bartolotti. Se volvía ya para marcharse cuando se le ocurrió una última cosa—. Por favor, no olvide llevarse la lámpara cuando salga de la sala. Maurizio se encargará de recoger el resto. Y los órganos seccionados puede simplemente tirarlos al cubo que tiene bajo la mesa. La mujer de la limpieza lo vaciará mañana.

Maria se despidió del profesor y, en cuanto este hubo abandonado la sala, se puso a buscar el cubo que había mencionado. Nada más verlo, a punto estuvo de soltar un grito de terror. En el cubo sin tapa había fragmentos de carne de diferentes tamaños y formas. Maria se tambaleó hasta una ventana y abrió las dos hojas de par en par. A continuación, asomó la cabeza y se agarró con fuerza al alféizar. Aspiró con avidez para llenarse los pulmones del aire nocturno otoñal. Nunca le había resultado tan agradable el olor de las bostas de los caballos, del pan tostado y del humo de las incontables chimeneas como en ese instante.

Cerró los ojos un momento. El corazón le latía a toda prisa y notaba las palpitaciones por todo el cuerpo. En cuanto el hedor hubo desaparecido por completo de su nariz, volvió a abrir los ojos poco a poco y miró hacia abajo. Un coche de plaza avanzaba por el piso desigual de la calle, una mujer cargaba con una pesada cesta llena hasta los topes de tomates y pepinos pasados. Llevaba ropa harapienta y parecía cansada. Sin duda había comprado las hortalizas más baratas que había podido encontrar. Tras ella iban dos damas mayores ataviadas con abrigos elegantes. Una de ellas llevaba una sombrilla cerrada en la mano y la utilizaba como bastón. Las mujeres caminaban por la acera recién construida que solo llegaba hasta el próximo cruce.

Maria miró a las damas acomodadas con la misma envidia que a la mujer cansada y desaliñada, pensando que de buena gana cambiaría su situación por la de cualquiera de ellas. En esos instantes, todo le parecía mejor que hallarse en aquella sala. Habría preferido cargar con un cesto de verduras podridas por toda la ciudad antes que dedicarse a estudiar el repugnante contenido del recipiente que tenía sobre la mesa. ¿Qué mal había cometido para merecer semejante castigo? ¿Estaba pagando por su arrogancia, quizás? Las dos damas que pasaban por la calle parecían más que satisfechas con sus vidas. Charlaban y reían. ¿Por qué Maria no podía contentarse con una vida anodina? ¿Por qué tenía que demostrar al mundo que una mujer era capaz de ejercer la medicina tan bien como cualquier hombre? Acto seguido, cerró los puños con fuerza.

—Porque es la verdad —se dijo a sí misma con obstinación.

Por una estrecha calle lateral apareció un farolero. En un brazo llevaba asida una escalera y en la otra mano, una linterna pequeña. Se acercó a una de las farolas de la calle, abrió la escalera, trepó hasta arriba y encendió la luz. El sol ya se había puesto y faltaba menos de media hora para que la oscuridad fuera absoluta. Maria se apartó de la ventana y se volvió de nuevo hacia la sala, pensando que sería mejor que se pusiera manos a la obra enseguida. Le llegó a la nariz una vez más el hedor dulzón de la putrefacción. Intentó respirar de la forma más superficial posible, con la esperanza de que le entrara la menor cantidad de aire posible en los pulmones, y regresó a la mesa con determinación. Era una suerte que el profesor Bartolotti hubiera pensado en encender ya la lámpara. Aparte de esa única fuente de luz, el resto de la sala quedó sumida en la más profunda oscuridad. La llama parpadeante arrojaba sombras tenebrosas en las paredes y parecía llenar de vida el contenido de los tarros de cristal. Daba la impresión de que aquellos miembros deformados estuvieran danzando dentro del líquido turbio que los preservaba. Maria se obligó a no mirarlos. En lugar de eso, se centró en el recipiente y en su horripilante contenido. Arriba del todo descubrió una masa oscura y brillante que desprendía un olor tan infame como el aliento del mismísimo diablo. Maria se sobrepuso a las náuseas y lo cogió. El órgano era resbaladizo y estaba frío. Con las puntas de los dedos, Maria sacó el hígado del recipiente y lo dejó sobre la mesa, donde se desparramó en todas las direcciones, como si quisiera huir de

Maria. Agarró uno de los escalpelos de la cubeta con forma de riñón y procedió a practicar el primer corte mientras tarareaba la melodía de una canción infantil para distraerse. Incluso su propia voz le sonó fantasmal en ese escenario.

—*Lucciola, lucciola, vien da me, ti darò il pan del re, pan del re e della regina...*

En ese preciso instante, tal como rezaba la cancioncilla, Maria habría dado de buena gana a las luciérnagas el pan del rey y de la reina con tal de no estar sola. Intentó no pensar en lo que estaba haciendo. Hasta hacía poco, aquel hígado había sido de una persona, pero en aquellos momentos lo tenía en un recipiente sobre una mesa sucia. «¡Piensa en algo bonito!», se reprendió mentalmente.

Cada vez que tenía que asirlo era una tortura; cada corte, un verdadero suplicio. Grandes gotas de sudor frío le caían desde la frente hasta la mesa, pero Maria prosiguió con el trabajo de todos modos, anotando en su cuaderno todo lo que iba observando. Cada vez que dejaba el escalpelo, se limpiaba las manos con la toalla sucia para poder agarrar el lápiz, pero aun así tenía la sensación de estar arruinando los utensilios de escritura. A medida que fue avanzando, fueron quedando cada vez menos órganos en el recipiente, mientras las partes diseccionadas iban llenando más y más el cubo. Aquella actividad le recordaba al proceso que seguía Flavia para preparar los escalopes los domingos, solo que ella no estaba cortando carne de cerdo, sino el hígado de un cadáver humano.

Maria se sobresaltaba cada vez que oía un ruido procedente de la calle. Incluso el tictac del reloj de oro que llevaba colgado alrededor del cuello le resultaba estruendoso. Tras lo que le pareció una eternidad, acabó vaciando el recipiente. Maria echó un vistazo al interior. En el fondo solo quedaban secreciones espesas. Aliviada, pasó el trapo sucio por la superficie de la mesa para dejarla algo presentable. Luego sacó el recipiente de agua al pasillo para vaciarlo en el fregadero. Para ello tendría que sostener la lámpara con una mano, pero Maria no veía el momento de deshacerse de aquel caldo inmundo. Corrió tanto que el líquido sobrepasó el borde del recipiente en dos ocasiones. De nuevo en la sala de disecciones, se quitó por fin la bata sucia, volvió a colgarla con las demás en el perchero y salió a toda prisa. Bajó la escalera apresuradamente hasta el entresuelo, donde encontró a Maurizio durmiendo en su cabina. Cuando Maria lo despertó, al conserje le costó bastante recobrar las fuerzas para levantarse.

—La próxima vez no la esperaré tanto rato —se quejó con hosquedad mientras le quitaba la lámpara a Maria, lo que la obligó a bajar el último tramo de escaleras casi a ciegas. Por suerte, la luz de las farolas de la calle entraba por el ventanal del vestíbulo.

Maria salió del edificio y tomó una buena bocanada de aire fresco. Junto a la farola de gas le esperaba ya el coche de plaza que su padre había encargado para ella. De buena gana habría regresado a pie, pero por supuesto era impensable que pudiera vagar por la ciudad sola de noche. Nada más verla, el cochero saltó del carruaje. Aquel hombre flaco llevaba el sombrero calado hasta la frente y el abrigo bien ceñido alrededor del cuerpo. Era evidente que tenía frío.

—Llevo una hora esperándola —gruñó—. Tendré que cobrarle este tiempo extra, me habría dado tiempo a hacer tres trayectos más.

Maria estaba demasiado cansada para enzarzarse en una discusión con aquel tipo por el dinero. Agotada, se subió al carruaje y miró por la ventanilla mientras el coche se ponía en marcha. Tenía la mente en blanco, lo único que deseaba era agua caliente y jabón aromático para quitarse los restos de sangre de las manos. Cuando el coche de plaza por fin se detuvo frente a la casa de sus padres, Maria bajó y pagó sin rechistar la suma exageradamente elevada que le reclamó el cochero. Mientras contaba las monedas que iba dejando sobre la mano del conductor, se dio cuenta de que, muy a su pesar, esa clase de noches se repetirían con cierta frecuencia. Pronto tendría que diseccionar no solo órganos, sino también miembros y, en algún momento, incluso un cadáver entero. Y no podría realizar aquellas prácticas en grupo, como el resto de los estudiantes, sino completamente sola.

La idea le robó a Maria las últimas fuerzas que le quedaban. Las lágrimas empezaron a recorrerle las mejillas; lo único que quería era acostarse de una vez. Hizo caso omiso a la mirada de estupefacción del cochero y se despidió de él sin mediar palabra. Salió corriendo hacia la puerta de casa, entró y subió por la escalera de caracol hasta la primera planta. Flavia debía de estar aguardándola, porque nada más llamar a la puerta se la abrió de inmediato.

—Llega muy tarde —constató la criada. Flavia también parecía cansada. En condiciones normales, a esas horas llevaría ya rato acostada, puesto que era la primera en levantarse cada día para encender el fuego y preparar el desayuno para la familia—. Su madre la espera en el comedor.

A Maria no le apetecía nada charlar con su madre, pero eludirla simplemente no era una opción, puesto que Renilde había oído entrar a su hija y ya había salido al pasillo.

—Ven, antes de que se te enfríe del todo la comida —le dijo, haciéndole señas para que entrara en el comedor.

—Es que no tengo hambre.

—Tonterías. No has comido nada en todo el día. Debes comer algo en condiciones.

—¿Ha olvidado usted su abrigo en el carro? —le preguntó Flavia, mirando detrás de ella como si lo llevara escondido ahí.

Agotada, Maria abrió la cartera de cuero y sacó el abrigo arrugado.

—¡Oh! —exclamó Flavia con la frente arrugada.

—Lo siento —se disculpó Maria—. Me temo que tendrás que planchármelo. Mañana lo necesitaré de nuevo.

Flavia asintió, pero Maria se dio cuenta de que no le había hecho la más mínima gracia. Y era comprensible, puesto que eso le robaría al menos media hora más de sueño.

Renilde Montessori se quedó esperando en el marco de la puerta del comedor. A pesar de lo tarde que era, todavía llevaba puesto un vestido oscuro encorsetado con un delicado cuello de encaje, y aún tenía el pelo pulcramente recogido con varias horquillas. Sin duda, su marido ya hacía horas que había cambiado su traje por un batín más cómodo y estaba sentado tranquilamente, fumando un cigarro y bebiendo una copa de chianti en el salón para clausurar el día de forma plácida.

—Vamos, Maria, ven de una vez —le ordenó Renilde.

Rendida, Maria arrastró sus pasos por el pasillo.

—¿Has estado llorando? —preguntó Renilde mientras examinaba el rostro de su hija.

—No pasa nada —contestó Maria—. Pero antes de comer tengo que ir al baño. Por favor, discúlpame.

Mientras se dirigía hacia el lavabo pudo notar la mirada de preocupación de su madre clavada en su espalda. Desde que alcanzaba a recordar, Renilde siempre se había esforzado en reducir los miedos e inquietudes de su hija. Cuando Maria había sido la única chica que asistía a clases en la Regia Scuola Tecnica Michelangelo Buonarroti, había sido Renilde quien cada tarde la había tranquilizado tras la enésima trifulca con los compañeros. Y más adelante, cuando Maria estudiaba Ciencias Naturales en el Regio Istituto Tecnico Leonardo da Vinci, una vez más había sido Renilde quien la había escuchado, armada de paciencia, y la había animado a seguir estudiando a pesar de que las notas de vez en cuando no habían sido tan brillantes como habría cabido esperar. En todas esas conversaciones no solo había descubierto cosas interesantes acerca de las ciencias naturales, sino que también había participado en la vida de su hija, hasta el punto de tener la sensación de formar parte ella también de ese mundo dominado por hombres.

Normalmente, Maria apreciaba el interés que demostraba su madre y la sensación de seguridad que le transmitía. Sin embargo, ese día no quería compartirlo con ella. Antes de poder hablar acerca de lo que había experimentado en la sala de disecciones, debía aclararse ella misma sobre cómo procedería a continuación. ¿Tendría que pasar más noches sola en la sala de anatomía?

Maria entró en el cuarto de baño y se inclinó sobre el lavamanos. Accionó la palanca de latón y enseguida empezó a salir agua fría del grifo. En el hogar de los Montessori había agua corriente, tanto fría como caliente, un lujo que pocas familias de Roma podían permitirse por aquel entonces. El padre de Maria se ganaba bien la vida como alto funcionario de Hacienda, y la dote de su esposa no había sido nada despreciable. Maria dejó fluir el agua por sus manos hasta que se le pusieron coloradas y ya no pudo soportar más el frío. Cogió el jabón blanco, se frotó cada uno de los dedos con esmero y disfrutó de la suave fragancia a lirio de los valles. De vez en cuando se acercaba las manos a la nariz, donde le quedaban rastros de espuma. Luego se enjabonó también las mejillas y se lavó la cara con el agua fría.

—¡Maria! —Su madre llamó a la puerta del baño, y la hoja de vidrio opalino reveló su inconfundible silueta—. Sal de una vez del cuarto de baño. La pasta se enfriará.

—¡Enseguida, mamá! —Maria se enjuagó la cara para eliminar los restos de espuma. Por fin había conseguido eliminar los vestigios de ese hedor a putrefacción.

Con una toalla suave se secó las manos y la cara. Después se colocó los mechones húmedos que le habían quedado sueltos detrás de las orejas, se alisó la falda y echó un vistazo al espejo ovalado de marco dorado. La joven que le devolvió la mirada desde el reflejo, a pesar del agotamiento, le pareció especialmente atractiva. Tenía los labios gruesos y sensuales, los ojos grandes y oscuros, envueltos por unas pestañas tupidas. Sin embargo, Maria echó de menos la determinación que solían irradiar sus ojos.

Renilde llamó a la puerta con impaciencia una vez más y Maria la abrió.

—¿Qué hacías tanto rato en el cuarto de baño?

—Lavarme.

Renilde frunció los labios en señal de desaprobación.

—Vamos al comedor.

—De verdad, no tengo hambre.

—Entonces come al menos un poco de pan —le ordenó Renilde, inflexible.

Maria se resignó y siguió a su madre. Para su sorpresa, no encontró a su padre sentado en el salón, sino que se había instalado también en la mesa para leer el periódico. Cuando Maria entró en la estancia, el padre levantó la vista un instante. En el centro de la mesa redonda se encontraba una fuente de porcelana con tapa. Junto a un plato plano había una servilleta doblada con pulcritud, unos pesados cubiertos de plata y un vaso de agua de cristal tallado en el que se reflejaba la luz de la lámpara de petróleo del techo.

—¿Estás segura de que no quieres comer nada?

Renilde se inclinó sobre la mesa y levantó la tapa de la fuente. De inmediato, el aroma a salvia, mantequilla y ajo se extendió por la habitación.

A Maria le sonaron las tripas.

—Bueno, tal vez pruebe un poquito.

Renilde asintió con satisfacción. Cogió el cucharón y le

sirvió una buena ración de pasta en el plato. Luego tomó un cuenquito de parmesano rallado muy fino y se lo dejó junto a la pasta.

—Aquí tienes.

Con aquel olor tan delicioso, las imágenes horripilantes de la sala de disecciones se desvanecieron de repente.

—Y ahora, cuéntame. ¿Cómo te ha ido la primera clase en el Instituto de Anatomía?

—¡Enseguida, mamá! —exclamó Maria, levantando las manos en actitud defensiva.

Aspiró la fragancia de la salvia y en su mente apareció la imagen de la planta de flores lilas, lo que tuvo un efecto apaciguador. Se liberó de la tensión de las últimas horas como si se hubiera quitado una pesada coraza de los hombros.

—Déjala comer en paz primero —la regañó Alessandro desde detrás del periódico.

Maria removió la pasta con el tenedor, tomó un bocado y disfrutó del aroma que se extendió por su boca. La pasta tenía un sabor familiar que le transmitía seguridad y confianza.

Impaciente, Renilde siguió observando cómo su hija cenaba, y cuando vio que Maria ya tenía el plato casi vacío, no pudo seguir reprimiéndose.

—¿Qué has aprendido hoy?

Maria dobló la servilleta y se limpió la mantequilla de los labios.

—He aprendido que algunos hombres pueden llegar a tener mucha imaginación cuando se trata de hacerle la vida imposible a una mujer en la universidad.

Renilde cruzó las manos sobre la mesa.

—¿No podrías explicarte con un poco más de claridad?

El padre de Maria también asomó la cabeza por encima del periódico.

—Lo que supuestamente era una clase privada ha terminado siendo una breve demostración acerca de cómo debo asir el escalpelo. Luego me han dejado sola y, casi a oscuras, he tenido que cortar a trocitos los órganos de un cuerpo humano... rodeada además de repugnantes partes de cadáveres que nadaban en un líquido de olor nauseabundo.

Alessandro colocó el periódico sobre la mesa.

—Pues no tienes por qué hacerlo, Maria. Puedes dar por terminados tus estudios y llevar una vida completamente normal.

—Pero ¿qué es una vida normal? —preguntó Maria, levantando la voz. Fue como si el cansancio hubiera desaparecido de repente—. ¿Me estás diciendo que me case y tenga hijos? ¿Para eso recurriste a tus contactos en el Ministerio de Educación y a otros altos funcionarios con tal de que me permitieran estudiar en la universidad?

—No es necesario que me lo recuerdes —respondió su padre con la mirada ensombrecida. Tras incontables discusiones con su esposa y su hija, había terminado cediendo a las presiones y había intercedido para que Maria fuera aceptada en la Facultad de Medicina, cuando él habría preferido que su hija se hubiera decidido por un camino distinto. Malhumorado, se levantó y se acercó a la mesita que había bajo la ventana. Abrió el cajoncito y sacó la caja de madera en la que guardaba los cigarros.

—En el comedor no, por favor —le pidió Renilde en tono de reprimenda—. Después el olor queda impregnado durante días y la comida acaba sabiendo a tabaco.

Alessandro frunció los labios, sacó un cigarro de la caja y se lo guardó en el bolsillo del batín.

—Pues me voy al salón.

Renilde le dedicó una sonrisa de agradecimiento a su marido.

—Papá, cuando fumas, ¿puedes oler algo más aparte del tabaco? —preguntó Maria.

—¿Cómo dices? —dijo Alessandro, sorprendido.

—¿Me dejarías probar uno de tus cigarros?

—¡Maria, no me digas que ahora piensas empezar a fumar! —exclamó Renilde, indignada.

—Creía que te disgustaba el olor a tabaco —le contestó Alessandro a Maria. Al contrario que a su esposa, la idea de que su hija fumara no le pareció nada mal. No era nada extraño que las damas modernas fumaran cigarrillos. En determinados círculos sociales incluso estaba considerado de buen gusto. Cuanto más adineradas eran las damas, más caro era el tabaco que consumían.

—El olor sigue pareciéndome molesto —dijo Maria—, pero seguro que será más soportable que el hedor de la sala de disecciones.

—No tengo ni idea de a qué huele ahí dentro, pero normalmente mientras fumas es difícil apreciar los otros olores —le explicó su padre.

De golpe, no solo había desaparecido el agotamiento de Maria, sino también su abatimiento. Tenía un plan y pensaba ponerlo en práctica desde buena mañana.

—¿Me das uno de tus cigarros, papá?

A regañadientes, Alessandro Montessori regresó a la mesita en cuyo cajón guardaba el tabaco.

—Pero si alguien te pregunta quién te lo ha dado, no quiero que se mencione mi nombre.

—¡Prometido! —exclamó Maria, levantándose de un salto para acercarse a su padre y plantarle un beso en la mejilla antes de que él pudiera protestar. Llevaba dos años reprimiendo esa clase de demostraciones de afecto, porque estaba convencida de que Alessandro no las recibiría de buena gana.

Aunque tampoco se dio cuenta de la mirada conmovida de su padre, porque una vez más en su mente solo había lugar para la sala de disecciones. El hecho de pensar que también lograría superar aquel obstáculo le dio alas. Satisfecha, se llevó el cigarro a la nariz y aspiró el aroma del tabaco refinado.

«Funcionará», se dijo a sí misma, segura de su triunfo. Acto seguido, le dio las gracias a su madre por la exquisita cena y se dispuso a marcharse.

—¡Buenas noches, mamá! He de acostarme. Mañana me espera un día muy duro.

Renilde no pudo objetar nada al respecto, por mucho que le hubiera gustado que su hija compartiera con ella las vivencias de aquel primer día. De momento, no le quedaba más remedio que tener paciencia.

ROMA, OTOÑO DE 1895

—¡*Signorina* Montessori, por favor, venga a mi despacho después de la clase!

Sin levantar la mirada de su carpeta, el profesor Bartolotti prosiguió con su explicación acerca de la higiene. La atención de los estudiantes, entretanto, se había centrado en Maria, que, como de costumbre, se sentaba en la última fila y no había entrado en el aula hasta que el resto de los alumnos se hubieron sentado. Unos cuantos volvieron la cabeza hacia ella y se pusieron a cuchichear con la mano delante de la boca. Testoni y Balfano, que estaban sentados en la misma fila que Maria, ni siquiera se tomaron la molestia de bajar la voz, de manera que Maria pudo oír las palabras *empollona asquerosa* y *marimacho*.

—Testoni, ¿cree necesario añadir algo valioso a lo que estoy diciendo?

El rostro del alumno aludido se puso colorado como un pimiento. Testoni negó con la cabeza, avergonzado.

—Entonces haga el favor de mantener la boca cerrada durante los cincuenta minutos siguientes. Por el bien de todos.

Alguien en la primera fila soltó una risita maliciosa.

Durante las pausas, Testoni se dedicaba a dar grandes discursos, pero en clase se mostraba más bien reservado, puesto que apenas estudiaba, nunca superaba los exámenes en la primera convocatoria y sus notas eran bastante pobres. Era de esperar que no llegara a ejercer jamás de médico. Como tantos otros jóvenes procedentes de familias ricas de Roma, asistía a la universidad como mero pasatiempo hasta el momento de tener acceso a su herencia. Se suponía que tarde o temprano acabaría ocupando una posición influyente dentro del mundo de la política, igual que su padre, que era miembro del gobierno municipal y por consiguiente tenía poder de decisión sobre la aplicación del dinero recaudado con los impuestos de los menos privilegiados.

Maria solo pudo seguir el resto de la explicación a medias. No paraba de preguntarse qué debía de querer de ella Bartolotti. ¿Le encargaría más ejercicios en la sala de anatomía? No podía ser eso. Con la ayuda inestimable de los cigarros de su padre había conseguido superar el semestre. Cada ejercicio había sido una tortura, pero solo había llegado al extremo de vomitar en una ocasión. Tras la última sesión había jurado no volver a poner los pies sola en aquella sala, así como salir inmediatamente de cualquier estancia en la que hubiera más de dos personas fumando al mismo tiempo.

Mientras Bartolotti les hablaba de la propagación de las epidemias y explicaba cómo podían protegerse los médicos para no contagiarse, Maria se dedicó a dibujar espirales y círculos en su cuaderno de apuntes, algo que solía hacer desde la escuela primaria. En cuanto se ponía nerviosa o tenía que afrontar problemas de concentración, dejaba que su lápiz vagara por el papel sin rumbo fijo. En ocasiones aparecían patrones agradables para la vista, otras veces solo líneas sin orden ni concierto. Cuando el profesor por fin terminó con la explicación, Maria tenía la hoja repleta de garabatos. Cerró enseguida el cuaderno y se lo colocó bajo el brazo antes de ponerse de pie para salir del aula. No solo tenía que ser la última en entrar, sino también la primera en salir. Al inicio de la carrera había temido esas situaciones. Los compañeros se conchababan para ocupar todos los sitios excepto el que quedaba justo enfrente del púlpito del profesor, de manera que Maria se veía obligada a cruzar el aula a la vista de todos para salir. Sin embargo, a esas alturas ya no rehuía la atención que despertaba su presencia. Además, en la mayoría de los casos conseguía encontrar algún lugar libre en la fila de atrás.

Nada más salir, se dirigió con presteza al despacho del profesor. Se plantó frente a la alta puerta de madera pulida y esperó. Al cabo de pocos minutos llegó Bartolotti, caminando con calma. Bajo el brazo llevaba la carpeta con la lección que acababa de impartir.

—Entre, querida —le dijo con cortesía mientras abría la puerta.

No era la primera vez que el profesor convocaba a Maria a su despacho. En una pequeña antesala, el secretario de Bartolotti estaba sentado tras un escritorio en el que tenía un montón de papeles apilados. Aquel hombre enjuto llevaba manguitos sobre la camisa gris y tenía el rostro de un color muy parecido.

—Por favor, tráiganos una jarra de café —le pidió Bartolotti.

El secretario se puso en pie enseguida y salió del despacho como si el café fuera un elemento imprescindible para la supervivencia.

El profesor abrió una segunda puerta, la sostuvo para dejar pasar a Maria y accedieron a su despacho de verdad. Bartolotti había amueblado la sala para que fuera cómoda, puesto que le había servido también como consulta privada. En las paredes había altas estanterías llenas de libros, frente a una ventana estrecha se encontraba el pesado escritorio de madera oscura de cerezo con un sinfín de cajones y compartimentos, y delante de este, a un lado, había también un cómodo sofá y dos butacas a juego al más puro estilo Belle Époque italiano.

—Tome asiento, *signorina* Montessori —le ofreció Bartolotti, señalándole el sofá.

Mientras Maria se acomodaba, él cogió una silla para colocarse frente a ella. En una mesita había revistas especializadas, unas gafas de lectura y un cuenco con *torrone*, el delicioso praliné con nueces blancas y pistachos.

Al ver la mirada inquieta de Maria, Bartolotti sonrió satisfecho.

—Sírvase.

—Gracias, mejor no.

A Maria le encantaban los dulces y de buena gana se habría zampado tres de aquellas exquisiteces azucaradas, pero sabía que se le instalarían en las caderas antes incluso de que hubiera terminado de tragarlas. La semana anterior se había comprado un corsé nuevo; el anterior ya no podía abrochárselo. La belleza femenina se medía en función de la cintura, y aunque Maria miraba con desaprobación a las mujeres que se definían exclusivamente por su apariencia, ella tampoco estaba a salvo de la vanidad. La vida le había enseñado que las personas bien parecidas accedían con mayor facilidad a un buen número de cosas.

—Bueno, ¿y un café? —le propuso Bartolotti después de morder, él sí, un pedazo de praliné—. Tengo que hablar con usted sobre un asunto muy importante. Se trata de...

Se quedó callado de nuevo cuando su secretario abrió la puerta con una bandeja plateada en una mano. Con la otra, cerró la puerta a su espalda. Se acercó a la mesa cuidadosamente y, con una lentitud increíble, colocó la cafetera de porcelana blanca, dos tazas, una jarrita de leche y un azucarero. Maria se lo quedó mirando con impaciencia, deseando poder ayudarlo y arrebatarle las tazas de las manos para acelerar el proceso. Cuando el secretario se dispuso a servir el café, no pudo seguir reprimiéndose.

—Muchas gracias —se apresuró a decir, cogiendo ella misma la cafetera—. Ya lo serviré yo.

El secretario asintió con obediencia y salió del despacho. Cuando apenas hubo cerrado la puerta de nuevo, Maria sirvió el café, le preguntó al profesor si quería leche y azúcar y removió la taza para mezclarlos.

—¿Por dónde iba? —preguntó Bartolotti.

—Me hablaba de un asunto muy importante que quería comentarme.

—Ah, sí —dijo Bartolotti con el rostro iluminado de repente—. Se trata de dos puestos como médica residente, en el hospital Santo Spirito y en el hospital San Salvatore de Laterano.

Maria arqueó las cejas. ¿Había dicho «médica»?

—La he recomendado para los dos puestos.

Maria sintió que el corazón le daba un vuelco. Era un gran honor, siendo todavía estudiante, tener la posibilidad de trabajar en un hospital. Muy pocos alumnos eran dignos de ese privilegio.

—Es muy generoso por su parte —replicó ella en voz baja.

—No se trata de una cuestión de generosidad, sino de objetividad. Es usted con diferencia la mejor estudiante de la promoción. ¿A quién si no debería ofrecer los puestos?

Maria se puso colorada.

—Son para usted. Los dos —prosiguió Bartolotti.

Durante unos instantes, Maria se quedó sin habla.

—No creo que constituya ningún problema para usted, puesto que solo es para unas horas en cada caso. Pero eso le permitirá aprender muchísimo, ganar algo de dinero y contribuir a formarse una reputación como médica y cirujana.

Se sintió halagada por la naturalidad con la que le hablaba Bartolotti.

—Puede empezar la semana que viene —añadió el profesor—. La esperan con mucha alegría y gran expectación. La precede su buena fama.

Maria cogió una de las piezas de praliné blanco y se la metió en la boca. El sabor a vainilla y azúcar le aplacó los nervios.

—¿Qué me dice?

46

En ese momento fue incapaz de mediar palabra, puesto que el praliné se le había pegado en los dientes. Tomó un sorbo de café para ayudarse a tragar el dulce.

—Que me alegro muchísimo —respondió ella, al fin—. ¡Muchas gracias, de todo corazón!

—Si rinde usted como espero, puede que en el semestre siguiente le ofrezcan una plaza en una clínica psiquiátrica. Si mal no recuerdo, deseaba usted realizar su trabajo final sobre algo relacionado con la psiquiatría. Sin duda alguna ese puesto le vendrá de perlas. Le permitiría enriquecer el trabajo con una experiencia práctica.

Fue sorprendente que Bartolotti no solo hubiera intercedido en favor de Maria, sino que además recordara el tema al que tenía previsto dedicar la tesis. ¿De veras estaba sentado frente a ella el hombre que al principio había puesto todas las pegas posibles a que una joven asistiera su clase? Según le habían contado, incluso había llegado a escribir al mismo ministro de Educación para dejar claras sus objeciones, aunque por suerte no las habían tenido en cuenta. Desde entonces, su opinión sobre Maria había cambiado completamente.

—Estoy seguro de que honrará a nuestra universidad —dijo Bartolotti con pleno convencimiento—. Esperamos impacientes el día en el que acuda a defender su tesis ante el tribunal.

Con ese «esperamos», ¿Bartolotti se refería a él y a sus colegas? Sus palabras no podían interpretarse más que como un halago, pero solo consiguieron sumir a Maria en un estado de nerviosismo y ansiedad. Ya se estaba hablando sobre el día de su graduación, a pesar de que aún quedaban varios meses.

Se tomó el café y dejó la taza en el platito sin calcular bien la distancia. El tintineo de la porcelana sonó inquietante, pero Bartolotti no pareció inmutarse por ello. Se puso en pie, fue hacia su escritorio y empezó a rebuscar entre las pilas de papeles que tenía acumuladas encima. Encontró lo que buscaba debajo de un libro.

—Ah, aquí está —dijo, satisfecho, y acto seguido le tendió a Maria dos sobres—. Son sus entradas para el mundo laboral. Aunque todavía no sea una *dottoressa* licenciada, me atrevo a pronosticar que aportará muchas ideas nuevas a nuestro mundo académico.

Poco después, Maria detuvo a un coche de plaza y se subió a él para acudir a la Piazza di Spagna y encontrarse con su vieja amiga Anna Salieri en el famoso Caffè Greco. A principios de siglo, el local había sido el lugar en el que se reunían poetas y pintores de toda Europa para intercambiar ideas. A esas alturas, el local se beneficiaba de las historias que todavía se contaban acerca de los artistas de antaño. Según se decía, algunos de ellos salían del café a altas horas de la noche, buscaban una habitación para dormir unas horas y luego volvían para seguir trabajando.

Cuando Maria entró en la sala estrecha y alargada, la recibió el olor a judías asadas y *cornetti* recién horneados. Miró a su alrededor y, en una mesa situada en un rincón, encontró a su amiga Anna. En realidad se consideraba indecoroso que una mujer acudiera sola a un café. En verano era habitual que las damas visitaran los jardines de esos locales en las calles de Roma, donde, acompañadas por una amiga, un pariente o incluso una simple criada, disfrutaban de un vasito de helado, una especialidad del sur del país. Sin embargo, cuando las temperaturas bajaban y empezaba a hacer demasiado frío para sentarse al aire libre, las mujeres solían mantenerse alejadas de los cafés. Anna Salieri constituía una excepción. No se regía por esa clase de normas y estaba plenamente convencida de que solo existían para desobedecerlas. Los camareros del Caffè Greco habían aprendido a tratarla con cordialidad, y entretanto se había convertido en una clienta habitual a la que servían con la máxima cortesía.

Ese día, Anna había elegido un lugar frente a una de las ventanas que daban a la Via Condotti, una animada calle comercial en la que tenían sus talleres y tiendas los sombrereros, zapateros, orfebres y guanteros. Maria quedó muy satisfecha con la elección de Anna. Le encantaba contemplar toda aquella animación sin tener que formar parte de ella. Damas bien vestidas y caballeros distinguidos ataviados con trajes oscuros paseaban por la calle examinando con anhelo los escaparates. Los recaderos pasaban corriendo por su lado, los artesanos y comerciantes tiraban de carros repletos de artículos, y los coches de plaza circulaban junto a la gente. Siempre había algo por descubrir.

Anna no prestaba la más mínima atención a la actividad que reinaba en la calle. Hojeaba una revista de moda y no levantó la mirada hasta que Maria se plantó justo a su lado.

—Has vuelto a llegar con retraso —comentó, molesta, mientras cerraba la revista.

—¡Yo también espero que estés pasando una buena

tarde! —replicó Maria con un humor excepcional. El reproche de Anna no podía afectarle de ningún modo. Se quitó el abrigo y se lo tendió al camarero, que procedió a llevárselo al guardarropa. Maria se inclinó sobre Anna y la besó en las mejillas—. Después de la clase he tenido que ir a ver al profesor Bartolotti.

—¿Ese no es el profesor que te dejaba sola en aquella sala de disecciones tan horripilante?

—Exacto, ese mismo.

Anna y Maria llevaban muchos años siendo no solo amigas, sino también confidentes. Se habían conocido hacía casi veinte años en casa de los abuelos de Maria, cuando la familia de Anna vivía en el mismo vecindario que los Stoppani. A pesar de haberse mudado varias veces, nunca habían perdido el contacto desde entonces. Ni siquiera durante la época en la que Anna había vivido en Londres o en París, puesto que habían seguido escribiéndose cartas. Desde que Anna se había establecido de nuevo en Roma, se veían con cierta regularidad.

—Suerte que he traído algo para leer —dijo Anna, lanzándole la revista a Maria—. Ahora ya sé con todo lujo de detalles cómo visten las estadounidenses más elegantes.

Maria le echó un vistazo a la revista. Era un ejemplar de *Woman's Home Companion* que mostraba el retrato de una joven con un sombrero de grandes dimensiones, atado con un fino pañuelo verde bajo la barbilla. La mujer tenía los pómulos altos, unos ojos azules inmensos y la barbilla estrecha. Incluso en la nariz se parecía a la amiga de Maria, que la tenía pequeña y redonda.

—No sé inglés. ¿De qué va la revista? —preguntó Maria.

—Consejos para las amas de casa modernas, para que aprendan a gestionar su hogar de forma cuidadosa y eficiente. Figúrate, en Estados Unidos las mujeres tienen unos aparatos que aspiran el polvo de las habitaciones.

—¡Madre mía! ¿Para qué los quieren? ¿No tienen escobas en el Nuevo Mundo? —bromeó Maria, y acto seguido se sentó riendo y empezó a hojear la revista. Una ilustración mostraba a una mujer junto a un aparato en forma de cubo del que salía una especie de manguera.

—Imagino que el aparato debe de ahorrarles mucho tiempo —opinó Anna—. Así las mujeres pueden limpiar en un momento y luego dedicarse a cosas más interesantes.

—A mí no me molestan las tareas del hogar —dijo Maria—. Lavar los platos me parece una actividad casi contemplativa. Me sirve para ordenar los pensamientos.

—¡Por favor, Maria! —exclamó Anna, rechazando el comentario con un gesto de la mano y riendo—. Hay mil cosas más que sirven para reflexionar sin necesidad de lidiar con suciedad. Además, en casa tenéis una criada. ¿No es Flavia quien se encarga de la cocina?

A decir verdad, habían pasado ya varias semanas desde la última vez que Maria había fregado la vajilla por última vez, y había sido durante un fin de semana que Flavia se había tomado libre para visitar a su madre enferma en Florencia. Maria le devolvió la revista a Anna. Las dos amigas no solo procedían de clases sociales distintas, sino que en otros aspectos también eran muy diferentes. Mientras que el padre de Maria era un alto funcionario, el de Anna poseía varias grandes extensiones de terreno en África y desempeñaba funciones diplomáticas. Era inglés, por lo que Anna hablaba perfectamente ese idioma, aunque también dominaba el francés y, por supuesto, el italiano. Había vivido unos años en París, donde había recibido clases de pintura. Como ella misma afirmaba, se dedicaba exclusivamente a las cosas bellas de la vida. Maria envidiaba el talento para los idiomas de su amiga, así como su formación artística. Ella solo comprendía su idioma materno y le resultaba difícil pronunciar correctamente los extranjerismos, por no mencionar que cuando tenía que dibujar un caballo en el mejor de los casos terminaba pareciendo más bien un perro. Su punto fuerte sin duda alguna eran las ciencias naturales, aunque, aparte de eso, también tenía talento para persuadir a las personas con su oratoria.

El camarero regresó y les preguntó qué deseaban tomar.

—A mí me apetece una buena taza de chocolate caliente —dijo Anna. Frente a ella había ya una taza vacía, y un plato con restos de chocolate que había dejado una ración de profiteroles, el postre preferido de Anna.

Maria suspiró. Anna podía comer lo que quisiera y en cantidad sin engordar. Era tan delicada que un hombre con las manos grandes podría abarcar su cintura sin problemas.

—Yo también quiero una taza —dijo Maria, pensando que al fin y al cabo se había limitado a tomar un único trozo de praliné blanco.

—Cuéntame cómo ha ido tu conversación con el profesor —le pidió Anna.

—A partir de la semana que viene trabajaré en dos hospitales distintos —dijo Maria con orgullo.

A continuación procedió a explicarle a Anna las dos ofertas que había recibido y lo excepcional que era poder adquirir experiencia trabajando como médica residente siendo todavía estudiante. Para su gran asombro, Anna no compartió su entusiasmo. Todo lo contrario: parecía más bien horrorizada.

—Maria —dijo en tono severo—, te has pasado los últimos años encerrada con tus libros, sin participar en la vida social o artística de Roma. Si ahora empiezas a trabajar en dos hospitales, te quedará aún menos tiempo para disfrutar. Te dedicarás solo a trabajar, trabajar y trabajar... y un día te levantarás y te preguntarás por qué no has gozado también de algo de diversión.

—Pero es que a mí estudiar me divierte —respondió Maria—. ¿Qué quieres que haga yo en un salón cultural? Ni siquiera sabría de qué hablar.

—¡Ahí es donde te equivocas! —la interrumpió Anna—. Eres una mujer joven. Tu vida comienza de verdad ahora. Deberías salir y relacionarte con otros jóvenes. Ir a bailar, asistir a conciertos o al teatro... ¿Acaso no te apetece conocer a gente interesante?

Maria se quedó callada y Anna la escrutó con los ojos entrecerrados.

—¿O es que has conocido a alguien en la universidad con quien pasas el tiempo y no me has contado nada sobre ello?

—No te imaginas cuánto me alegra no tener que ver a ningún estudiante durante mi tiempo libre —replicó Maria con un resoplido—. La mayoría me hacen la vida imposible. Se burlan de mí porque no comprenden que me tome en serio los estudios y que quiera aprender. En cuanto les doy la espalda, empiezan a cuchichear insultos que solo demuestran cómo les corroe la envidia.

Decepcionada, Anna se reclinó en su asiento y se cruzó de brazos.

—Es que casi puedo comprender a esos pobres jóvenes. Eres una mujer atractiva que cuando se pone a estudiar demuestra ser mejor que todos ellos juntos. Deben de sentirse unos perdedores a tu lado. Seguro que les das miedo.

—Si se esforzaran un poco más, sacarían tan buenas notas como yo. La mayoría de ellos simplemente son unos holgazanes. Creen que les basta con ser hombres y con tener dinero para conseguir una licenciatura universitaria.

—¿Y es cierto? —preguntó Anna, medio en broma.

—Por desgracia, algo sí —respondió Maria con aire sombrío.

—Eres demasiado exigente contigo misma y con los demás.

—Si quiero terminar la carrera, tengo que darlo todo. Los profesores esperan de mí que rinda el doble que los demás. Los ojos de toda la facultad están posados sobre mí, y solo por el hecho de ser una mujer. A veces me gustaría haber nacido hombre. Muchas cosas habrían sido más sencillas.

—¡Por el amor de Dios! —exclamó Anna—. Tendrías que llevar esos trajes tan aburridos todos los días.

Maria negó con la cabeza, desconcertada.

—¿Los vestidos bonitos son lo único que te gusta de ser mujer?

Anna reaccionó como si la hubieran insultado.

—¿Me tomas por una simplona?

—No.

—Lo de los trajes era una broma, Maria. Por supuesto que los hombres lo tienen más fácil en muchos ámbitos de la vida, pero aun así por nada del mundo querría cambiar el hecho de ser mujer. Estoy contenta y orgullosa de serlo.

El camarero llegó con una bandeja cargada con una jarra y dos tazas vacías. El tentador aroma del cacao llegó a la nariz de Maria mientras se lo servía.

—Deberías acompañarme mañana a la casa de Rina Faccio. Hace poco que ha fundado una revista feminista. Estoy segura de que le caerás bien. Es inteligente y muy aguda. Además, habrá otras personalidades interesantes, como por ejemplo la escritora sueca Ellen Key y la actriz Giacinta Pezzana.

—¿Es una reunión solo para mujeres? —preguntó Maria antes de llevarse la cuchara a la boca y degustar el delicioso chocolate caliente, que resultó saber tan bien como olía.

—Ni hablar, ¿qué te has creído? Por supuesto, también habrá hombres —le aclaró Anna—. Pero no serán ni mucho menos tan interesantes como las mujeres.

Maria le lanzó a su amiga una mirada divertida.

—No lo sé —dijo en voz baja—. En realidad, mañana debería quedarme estudiando para mi próximo examen.

—O también podrías hacerlo después —repuso Anna—. Insisto en que me acompañes y por una vez no dediques la noche a hablar sobre enfermedades, medicamentos y trozos de cadáveres.

La referencia a las clases de anatomía despertó recuerdos indeseados en Maria. Sin querer, frunció la boca con asco y se apartó.

—De acuerdo. Te acompañaré.

—¡Fantástico! —exclamó Anna, aplaudiendo—. Pasaré a recogerte mañana hacia las siete con un coche de plaza.

—¿Qué me pongo?

—Uno de tus vestidos más bonitos —respondió Anna con un guiño—. Al fin y al cabo, eres una mujer —bromeó, aunque enseguida se puso seria de nuevo—. Pronto serás una de las primeras *dottoresse* de Italia. Toda Europa hablará sobre ti. Podré presumir de tener una amiga famosa.

Maria recibió ese entusiasmo sincero como un halago. Acompañaría a su amiga al salón cultural y después estudiaría para el examen. Unas horas de conversación relajada seguro que no le harían ningún daño. Tal vez luego se pondría a estudiar con el doble de motivación.

HOSPITAL PSIQUIÁTRICO DE OSTIA, CERCA DE ROMA, 1895

Por fin cesaron los gritos, aunque el silencio también resultaba opresivo. Luigi volvía a estar en la gran sala con el resto de los niños de la institución, todos acuclillados en sus camas. Algunos se sentaban en ellas por voluntad propia, mientras que a otros los tenían que colocar en cunas de las que no podían escapar sin ayuda externa. Y aunque nadie se atrevía a decir ni pío, los ruidos de las últimas horas seguían resonando en los oídos de Luigi. Chillidos de miedo y de sufrimiento. Quejidos, llantos y súplicas, peticiones de clemencia. Pero la respuesta siempre había sido la misma: más golpes.

No eran golpes propinados con la mano abierta o con la ayuda de un látigo, sino con cables y alambres conectados a una silla. Los guardas y los médicos tenían un nombre para ese tratamiento: «terapia de electroshock». Luigi había podido echar un vistazo fugaz a la sala de terapias cuando lo habían sacado de la celda individual para llevarlo de nuevo al dormitorio comunitario. Al pasar, la puerta estaba abierta y Luigi quedó horrorizado al ver lo que había dentro. Una silla de madera con correas de cuero para amarrar a la persona que se sentara en ella. Junto a la silla había un conjunto de aparatos modernos que Luigi no sabía para qué servían. Esa sala estaba destinada a los pacientes especialmente inquietos, los que se arañaban hasta sangrar o se golpeaban la cabeza contra los muros. Los que no paraban de gritar o de correr en círculos, los que no permitían que los guardas les pusieran la mano encima y se resistían a cualquier contacto físico.

La noche anterior, la guarda rolliza que les servía la comida dos veces al día le había dicho a Luigi: «Como sigas comportándote como un salvaje, tú también acabarás ahí dentro. Ya verás cómo esa silla te arregla el cerebro». Con la mano había señalado hacia la puerta, refiriéndose a la sala que había al otro lado del pasillo. Luigi se había callado de golpe. Era uno de los innumerables niños de padres desconocidos. Incluso en un lugar como ese, él valía menos que los demás. Tras la amenaza, se había sentado en la cama y desde entonces no había vuelto a moverse. Ese día tampoco protestaría cuando fueran a buscarlo para rociarlo con agua fría. Era sábado, tocaba «baño», de manera que en el día del Señor todos los niños estuvieran limpios. Luigi se quedaría en cueros y soportaría tanto la vergüenza como el chorro de agua helada sin quejarse. Luego se sentaría otra vez en su cama y esperaría a que repicaran las campanas de la basílica. Con un poco de suerte, volvería a ver el escarabajo de San Juan que había visto recorrer la pared poco antes. El caparazón pardo a rayas y las características antenas le habían recordado vagamente y por unos instantes a una soleada tarde que había pasado con total despreocupación. Pero el recuerdo se esfumó enseguida.

A Luigi ya no le funcionaba bien el cerebro. El miedo

continuo en el que vivía sumido lo había malogrado. Pronto acabaría olvidando todos sus recuerdos para siempre, dejaría de ser capaz de pensar y se terminarían sus miedos. Seguramente la muerte debía de ser algo parecido. Era una locura, pero la idea casi le parecía un consuelo.

ROMA, 1895

A las siete en punto de la tarde, el coche de plaza se detuvo frente a la casa de la familia Montessori. Anna abrió la puerta del carruaje y le hizo señas a su amiga para invitarla a subir. Maria había tenido que apresurarse para estar lista a la hora acordada. Había dedicado demasiado tiempo a sus apuntes del hospital. Desde que había recibido la plaza como médica residente, se había esforzado en anotar todo lo que le había parecido que valía la pena dejar por escrito. El día anterior se había enfrentado a tres erupciones cutáneas infantiles distintas y había aprendido la manera correcta de tratarlas. Había una diferencia sustancial si un niño llegaba con granos irritados porque no se lavaba lo suficiente, porque sufría una patología pediátrica o porque no toleraba ciertos alimentos. La mayoría de las irritaciones de la piel se explicaban por la falta de higiene. Era alarmante el poco valor que algunos padres daban al aseo personal. Cuando su madre había llamado a la puerta de su habitación para recordarle que tenía una cita con Anna, Maria se había puesto en pie de un salto para buscar un vestido adecuado y su broche de lapislázuli.

—No necesitas ningún broche —le había dicho Renilde—. La única joya que le conviene a una joven respetable es la cruz de Cristo. Lo mejor es que la lleves colgando de una cadena de oro alrededor del cuello.

Por consiguiente, Maria acabó renunciando al broche y salió ataviada con un vestido verde esmeralda, con una randa negra en las mangas, y la cadena dorada alrededor del cuello, que había aceptado sin rechistar. Lo que sí se puso a pesar de las críticas de su madre fue el pasador para el pelo en forma de mariposa con cristales tallados.

Maria se alegró mucho al ver que su amiga se fijaba de inmediato en el pasador.

—Qué joya tan bonita —le dijo Anna—. Deberías ponértela más a menudo, te queda muy bien.

—¡Gracias!

En cuanto Maria se hubo sentado junto a Anna, el coche de plaza se puso en marcha. Anna le tomó la mano a su amiga.

—Me alegro mucho de que me acompañes —dijo con una amplia sonrisa—. ¿Cuánto tiempo hace que no pasamos una velada juntas?

Maria tuvo que esforzarse para recordar la última vez.

—Me temo que mucho. No veo el momento de empezar a cenar —comentó, y su estómago se quejó de inmediato para confirmarlo.

—Oh, cuánto lo siento —contestó Anna—. Me equivoqué cuando te dije que íbamos a una cena. En realidad, es un concierto de música de cámara.

A Maria le volvieron a sonar las tripas, esa vez tan fuerte que incluso Anna pudo oírlo.

—Aunque seguro que se servirán *antipasti* y bebidas

—añadió para consolarla. Sin embargo, Maria no contaba con saciarse con tan poca cosa.

El carruaje siguió la ribera del Tíber y luego giró en dirección a la Villa Borghese. La casa de Rina Faccio quedaba detrás de un amplio parterre. El conductor entró en un patio interior cuadrado y, por fin, detuvo el coche. Mientras Anna le pagaba la carrera, Maria miró a su alrededor. En el centro del patio había un pozo, mientras que varios naranjos dispuestos a su alrededor se encargaban de proporcionar sombra en verano. Anna tomó la delantera por una estrecha escalera de madera que las condujo hasta la planta superior del edificio. Desde la ventana inclinada de una casa les llegó el olor de carne asada y a Maria se le hizo la boca agua. Por desgracia, Anna pasó de largo aquella vivienda y continuó andando hasta el final del pasillo. Antes de que pudiera llamar, la puerta se abrió de par en par. Un joven apareció frente a ella y le dio la bienvenida. Era alto y ancho de espalda, exhibía un bigote muy elegante y vestía ropa cara. Se había quitado la chaqueta, lo que demostraba que se trataba de una reunión informal y que los invitados eran modernos. Sobre la camisa blanca arremangada solo llevaba el chaleco negro del traje.

—Buenas tardes —dijo con simpatía. Sus ojos de color pardo oscuro se fijaron primero en Anna y luego se clavaron en Maria.

—Giuseppe, ¿se puede saber dónde has dejado el abrebotellas?

El joven miró en dirección a la voz femenina que lo llamaba desde el interior del domicilio.

—Enseguida voy a buscarlo —gritó él. A continuación,

se volvió de nuevo hacia Anna y Maria—. Entren, por favor —les dijo, abriendo todavía más la puerta y haciéndose a un lado.

En ese instante, una criada salió a su encuentro.

—Ah, ya ha abierto usted —constató, avergonzada.

—No se preocupe, estaba justo al lado de la puerta —la disculpó el joven.

—¡Giuseppe! —gritó la misma voz de antes con más urgencia.

—Perdónenme —dijo el joven con una reverencia—. Espero que más tarde tengamos la ocasión de charlar y conocernos un poco.

Dicho esto, recorrió el pasillo y entró en la última estancia.

Maria lo siguió con la mirada, algo desconcertada. No estaba nada acostumbrada a asistir a encuentros sociales de ese tipo. ¿Llevaba un vestido demasiado elegante? Insegura, bajó la mirada para examinarse la ropa.

—¿Quiere quitarse el abrigo? —le preguntó la criada con los brazos extendidos.

Anna ya se había quitado la prenda y se la había tendido a la chica. Maria se fijó en su amiga con curiosidad. Llevaba un vestido de noche deslumbrante decorado con encaje blanco en varias partes. A su lado, el vestido de Maria parecía de lo más sencillo. Aliviada, se quitó el abrigo y se lo entregó a la criada.

—Los señores están en el salón. ¿Quieren que las acompañe?

—No es necesario —dijo Anna—. Ya conocemos el camino.

Dicho esto, cogió a Maria de la mano y tiró de ella por el estrecho y oscuro pasillo. A ambos lados había colgados retratos de personas a las que Maria no conocía. Sin embargo, había también pinturas de paisajes de estilo moderno, y le pareció encontrar en ellos similitudes con los impresionistas franceses. ¿Era posible que aquella marina fuera de Claude Monet? Ante el cuadro siguiente, Maria bajó la mirada, avergonzada. Mostraba a una mujer fabulosa, ataviada con un vestido desenfadado, tendida en posición lasciva sobre un canapé. La retratada tenía un parecido asombroso con una actriz famosa cuyo nombre Maria no conseguía recordar. Era un cuadro más adecuado para un dormitorio, tal vez incluso para un salón, pero sin duda no era nada apropiado para decorar un pasillo que quedaba a la vista de cualquier visita. ¿En qué clase de casa se había metido?

Pareció como si Anna le hubiera leído el pensamiento, porque de repente se detuvo y se volvió hacia ella.

—No pongas esa cara de miedo. Es la Duse —le susurró al oído.

—¿Eleonora Duse? —preguntó Maria, emocionada. De niña había adorado a la actriz, que ya había debutado a la tierna edad de cuatro años interpretando a Cosette en *Los miserables* de Victor Hugo. Maria había pasado muchos años convencida de que quería ser actriz, aunque en esos momentos se alegró de que ese sueño no hubiera pasado de ser un antojo propio de la infancia.

—Vamos, Maria —dijo Anna, tirando de ella de nuevo—. Eres una mujer moderna. En muchos aspectos eres más avanzada que todos los presentes, y eso que no paran de dar grandes discursos sobre los derechos de la mujer. No te presentes como más conservadora de lo que eres en realidad.

Procedentes de la sala que había al final del pasillo, les llegaron voces y risas. Cuando Anna y Maria entraron en la estancia, al principio pareció como si nadie reparara en su presencia. Por encima de la gente había un espeso nubarrón de humo de tabaco. Maria conocía bien ese olor, que además le despertaba recuerdos infaustos de la sala de anatomía, por lo que estuvo a punto de dar media vuelta. Había unas veinte personas en aquel elegante salón, todas sentadas en sillas tapizadas y sofás, o charlando de pie en grupos reducidos, con copas con vino espumoso en la mano. En una mesa alargada que había frente a una fachada de vidrio que daba a los jardines de la Villa Borghese, unas gigantescas bandejas plateadas ofrecían una buena variedad de manjares deliciosos. Maria quiso abordar la comida sin rodeos, pero una dama con un vestido de lo más llamativo y una pluma en la cabeza se acercó a ellas.

—¡Anna, querida mía! —exclamó con una alegría exuberante—. *It's nice seeing you again*. Me alegro de que hayas traído a tu amiga. Supongo que es usted la *dottoressa*, ¿no es así? —preguntó la dama en dirección a Maria mientras le tendía la mano—. Me llamo Vivian Sforzi. Encantada de conocerla.

—Lo mismo digo. Yo soy Maria Montessori —se presentó mientras le estrechaba la mano.

—Ya lo sé, querida. Anna nos ha contado muchas cosas sobre usted. Nos moríamos de ganas de conocerla.

Mientras la *signora* Sforzi se volvía hacia Anna para

guiñarle un ojo, Maria le lanzó una mirada de reproche a su amiga. ¿Qué clase de historias debía de haber contado?

—Espero que solo les haya contado cosas buenas —dijo con cautela.

—¡Por supuesto! —exclamó Vivian Sforzi riendo, y como si conociera a Maria desde hacía años, le puso una mano en el antebrazo—. ¿O acaso hay secretos oscuros que no se pueden saber? —preguntó bajando la voz con complicidad—. Yo sería la primera en querer oírlos.

—No, por supuesto que no —replicó Maria, horrorizada.

—Qué lástima —dijo Sforzi con un suspiro—. Pero que no pueda ser ahora no significa que no pueda ser en el futuro —añadió antes de darle la espalda a Maria y regresar con el grupo con el que había estado charlando.

Desconcertada, Maria se quedó atrás.

—Ven conmigo, ahí detrás está Rina Faccio, la anfitriona. Tengo que presentártela —le dijo Anna antes de llevar a su amiga hasta el sofá en el que estaba sentada una joven vestida con ropa de aire masculino.

Llevaba una falda oscura y una blusa clara, abotonada hasta el cuello y rematada con una amplia corbata. Maria conocía ese estilo de ropa, lo había visto en las revistas de moda. Las inglesas que luchaban por los derechos de las mujeres, las llamadas «sufragistas», vestían de un modo muy parecido. Sin embargo, en aquella joven la ropa contrastaba con una apariencia indudablemente femenina. Tenía unos ojos sensuales, los labios gruesos y un cuerpo delicado, de apariencia casi etérea. A Maria le recordó a los cuentos de hadas que leía cuando era niña. Nada más ver a

Anna, la joven se puso en pie, y entonces Maria se dio cuenta de que la anfitriona llevaba un cigarrillo en la mano.

—Me alegro de que hayas podido venir, Anna —dijo Rina Faccio—. Y usted debe de ser la joven médica —añadió, demostrando que ella también estaba al corriente de los estudios que cursaba Maria.

—Todavía tengo que escribir la tesis doctoral y defenderla frente al tribunal —explicó Maria, algo incómoda por el hecho de que todos se dirigieran a ella como si ya fuera doctora en medicina.

—No sea tan modesta —replicó Rina Faccio—. Es uno de los mayores errores de las mujeres, y lo cometemos continuamente. Nos presentamos como menos importantes de lo que somos en realidad. A un hombre no se le ocurriría jamás minimizar sus logros. Todo lo contrario, en la mayoría de los casos se dedican a exagerar nimiedades, y aun así consiguen inflarlas hasta que parecen elefantes.

—Yo no reduzco lo que hago —se defendió Maria—. Tan solo me ciño a la verdad.

—A juzgar por lo que nos ha contado Anna, es usted muy destacable. Ha conseguido abrirse paso en un mundo de hombres. Pasará a la historia de Italia como una de las primeras médicas del país. La felicito.

Maria se quedó cortada. Dicho por aquella mujer, sonaba como si lo que estaba haciendo fuera toda una heroicidad.

—No tiene por qué sonrojarse —prosiguió Rina Faccio—. Todos estamos muy orgullosos de usted.

Maria se preguntó si con ese «todos» la *signorina* Faccio se refería a la gente que se había congregado en aquel salón. ¿Sabían más cosas acerca de su carrera? Se volvió hacia Anna en busca de ayuda, pero su amiga ya estaba charlando con un joven muy atractivo y se dirigía hacia el bufé.

—¿Le ha comentado Anna que acabo de fundar una revista feminista? —le dijo Rina Faccio.

—Sí —respondió Maria.

—Ya va siendo hora de que en Italia se dé importancia al tema de los derechos de las mujeres. Cada vez que vuelvo de un viaje a Inglaterra o a Francia, tengo la impresión de llegar a un país sumido en la más oscura Edad Media.

Aquellas palabras sonaron teatrales y exageradamente impostadas, pero Maria sabía que Rina Faccio tenía razón. Por si fuera poco, Roma era la ciudad más avanzada del país. En el sur había regiones en las que la gente estaba convencida de que las mujeres nacían única y exclusivamente para servir a los hombres, por lo que vivían como esclavas, sometidas y sin derechos.

—Vamos, querida, siéntese —le ofreció Rina Faccio.

A regañadientes, Maria tomó asiento al lado de la anfitriona, en el sofá. Se quedó mirando a Anna con envidia, puesto que su amiga ya tenía una *bruschetta* en la boca.

—Avíseme cuando tenga que presentar la tesis frente al tribunal. Las defensas están abiertas al público, ¿verdad?

—Sí, por supuesto. Como todas las tesis doctorales, luego también será accesible para cualquier persona interesada —respondió. Era algo que Maria no había puesto en duda en ningún momento, todo lo contrario. Era consciente de que su tesis despertaría mucho interés, sobre todo entre unos cuantos hombres que ya esperaban poder hacerla añicos frase por frase, buscando hasta el más mínimo elemento criticable.

—Fantástico. Tengo un amigo en la *Gazetta*. Le pediré que escriba un artículo sobre usted. Estoy segura de que para muchas mujeres italianas será usted un ejemplo iluminador —dijo antes de darle una calada a su cigarrillo. A continuación, apartó la cara de Maria y expulsó el humo—. Además, me gustaría entrevistarla para mi revista.

—Será un honor —dijo Maria, halagada.

—Usted abre camino, pero después la seguirán miles de mujeres más. Llegará un momento en el que en los hospitales de Roma trabajarán tantas mujeres como hombres.

A Maria esa profecía le pareció muy exagerada, pero el optimismo de Rina le resultó un soplo de aire fresco, algo muy distinto a las reacciones que tenía que soportar día tras día en la universidad.

—No le haga ni caso —dijo una voz grave al otro lado de Maria—. Es usted demasiado bonita para dejarse llevar por las ideas enfermizas de la *signorina* Faccio.

Maria tuvo que levantar la mirada para ver al hombre que acababa de hablar, que le sacaba al menos una cabeza. Le pareció que debía de rondar la treintena e irradiaba una autosuficiencia impresionante.

—*Signor* Roncalli, por mucho que le incomoden los derechos de las mujeres, tiene que saber que seguiremos luchando por ellos cueste lo que cueste. Las mujeres tenemos los mismos derechos que los hombres —comentó Rina Faccio sin dejarse amedrentar por la estatura del tipo.

Él se rio y los extremos del bigote le vibraron.

—¿Pretende convencerme de que las mujeres deberían

votar en las elecciones y de que su voto debería valer lo mismo que el de cualquier hombre?

—Por supuesto que sí —replicó la *signorina* Faccio con una seguridad impresionante. ¿De dónde sacaba esa chica con aspecto de hada tanta fuerza y seguridad en sí misma?

Un joven flaco que no debía de tener más de veinte años se les acercó, atraído por la risa de Roncalli. Él también quiso manifestar su opinión sobre el tema.

—Está científicamente demostrado que las mujeres son menos inteligentes que los hombres —explicó en tono engreído—. Si su voz cobrara tanta importancia como la de los hombres, correríamos el peligro de que la república se volviera loca. Las mujeres no son capaces de tomar decisiones sensatas.

—Puedo asegurarle que las mujeres somos capaces de rendir igual que los hombres desde el punto de vista intelectual —protestó Rina Faccio—. Y la joven que tengo a mi lado es la mejor prueba de ello. Está estudiando Medicina con tanto éxito que la han distinguido con el prestigioso premio Rolli.

Por un momento, los dos hombres guardaron silencio. Sin embargo, la paz no duró mucho.

—Una carrera no demuestra absolutamente nada —soltó Roncalli, indignado—. Hoy en día cualquier golfo puede hacerse pasar por estudiante. Las mujeres no son capaces de pensar de forma lógica, ni tampoco de razonar desde un punto de vista científico. Se dejan llevar demasiado por los sentimientos y las ensoñaciones.

Maria se aclaró la garganta.

—Durante el último semestre he pasado varias horas

en la sala de anatomía —dijo en voz baja—. He diseccionado cadáveres tanto de hombres como de mujeres.

Un murmullo se extendió por la estancia y más gente se fue acercando a ellos para atender al debate.

—En la mayoría de los casos, los huesos de los hombres son más pesados —prosiguió Maria, sin alterarse—. Lo mismo puede decirse acerca de la masa muscular. He visto hígados de bebedores y corazones que dejaron de latir de repente, he aprendido cómo funciona la circulación sanguínea y he estudiado el cerebro de varios cadáveres —explicó, e hizo una pausa dramática para observar las caras de asco que ponían los que la escuchaban—. Les puedo asegurar que la masa cerebral de los hombres y de las mujeres no se diferencia en nada: ni en peso ni en volumen.

—¿Qué quiere decir con eso? —le espetó el joven.

—El hecho de que no existan diferencias en la masa cerebral demuestra que los hombres y las mujeres comparten las mismas capacidades intelectuales. Los hombres no son más inteligentes que las mujeres.

Rina Faccio estalló en una carcajada triunfal.

—Mi querido *signor* Roncalli, tiene que admitir que no puede contradecir ese argumento.

—Es la tontería más grande que he oído en mi vida —farfulló Roncalli, aunque lo dijo en voz tan baja que solo las personas más próximas a él pudieron comprenderlo.

Maria levantó la mirada. Aquel pequeño debate había atraído a más personas todavía, y entre ellas se encontraba también el atractivo joven que les había abierto la puerta. Maria no fue capaz de descifrar la expresión de sus oscuros ojos. ¿Era interés, curiosidad o puro asombro?

Tampoco tuvo tiempo de descubrirlo, puesto que justo en ese instante la criada entró en la sala e hizo sonar un gong. Las conversaciones se fueron apagando y la atención de los congregados se centró en la sirvienta, que alzó la voz para dirigirse a los invitados.

—Han llegado los señores de la orquesta de cámara. Les esperan en la sala contigua —anunció.

De inmediato, unos cuantos invitados se levantaron y siguieron a la criada. Rina Faccio también se puso en pie. Maria esperó hasta que casi todos los presentes hubieron salido del salón para acercarse rápidamente al bufé, que ya había quedado casi vacío. Tan solo logró pescar un palito de pan y dos aceitunas que engulló deprisa antes de seguir al resto de los invitados. Al menos de ese modo podría calmar las quejas de su estómago durante el concierto.

Hacía un buen rato que había pasado ya la medianoche cuando Anna y Maria dieron por terminada la velada y regresaron juntas en un coche de plaza.

—¿Me acompañarás la próxima vez? —le preguntó Anna mientras se despedían. Se había tomado unas cuantas copas de prosecco y tenía las mejillas coloradas.

—Me lo pensaré —respondió Maria, que contra todo pronóstico había disfrutado mucho.

Tras el concierto vocal había estado charlando con una serie de personas de lo más interesantes. En secreto, había albergado la esperanza de volver a coincidir con aquel atractivo joven que la había escuchado con tanto interés mientras hablaba con Roncalli. Sin embargo, no había surgido la oportunidad. En dos ocasiones lo había divisado de reojo, deseando que se acercara a hablar con ella, pero cada vez se había encontrado con alguna persona que había terminado acaparando su atención. Maria se había sentido halagada por el hecho de que tantos invitados hubieran mostrado interés por ella. Era evidente que en los círculos intelectuales de Roma era más famosa de lo que habría podido imaginar.

—Bueno, al menos no me has dicho que no —constató Anna con satisfacción—. Me lo tomaré como un «quizás» o incluso como un «¡cuenta conmigo!».

Riendo, Maria le lanzó un beso con la mano y luego cerró la puerta del coche, que de inmediato se puso en marcha de nuevo.

A la luz de la farola de gas, Maria se puso a buscar dentro de su bolso la llave del portal de casa y tardó una eternidad en encontrarla. A continuación subió la escalera en penumbra hasta la primera planta y abrió también la puerta del piso, intentando hacer el menor ruido posible para no despertar a nadie. Caminando de puntillas por el vestíbulo a oscuras, colgó el abrigo en el perchero y siguió adelante con sumo cuidado. Recorrió el pasillo a ciegas, palpando la pared con la mano, y justo cuando pasaba por delante del dormitorio de sus padres se abrió la puerta. Maria se sobresaltó tanto que estuvo a punto de soltar un grito. Se hizo a un lado, chocó con una cómoda y por un pelo no se estrelló contra el suelo el gran jarrón chino que había encima. En el último momento consiguió agarrar el regalo que les había hecho su tía abuela, evitando así que ocurriera una desgracia.

—¡Santo cielo, Maria! —exclamó Renilde—. ¿Es que no llevabas reloj? ¿Has visto qué hora es? ¿Dónde has estado tanto tiempo?

Maria colocó el jarrón de nuevo en su lugar y alisó el tapete blanco que había debajo. Luego se inclinó contra la pared y se llevó la mano al corazón, que le latía a toda velocidad.

—Mamá, ya soy una mujer adulta.

—Permíteme que te corrija: eres una mujer adulta soltera que podría perder su buena reputación —dijo Renilde, indignada. Ni siquiera se había molestado en ponerse una bata por encima, solo llevaba puesto el camisón blanco abotonado hasta el cuello. Unos cuantos mechones grises le sobresalían del gorro de dormir rematado con blondas, y en la mano derecha tenía una lámpara de petróleo titilante.

—Mamá, no tienes por qué preocuparte tanto por mi reputación —intentó calmarla Maria—. Es impecable. Cuando la gente habla de mí, solo lo hace para destacar mi éxito como futura médica.

—Y así debe seguir siendo —le espetó Renilde con severidad—. Sería una lástima que pusieras tu carrera en peligro por un poco de diversión. Tantos años de fatigas podrían irse al traste en una sola noche.

—No he hecho nada malo —le aseguró Maria.

—¿Cómo quieres estar despejada mañana si trasnochas de este modo? La gente irá diciendo que la joven *dottoressa* ha perdido su buena reputación antes de haber entrado en el círculo académico.

—Ay, mamá... Mañana estaré tan fresca y vivaz como siempre. No tienes que preocuparte por nada.

75

El corazón de Maria había vuelto a la normalidad, por lo que dejó de apoyarse en la pared.

—Claro que me preocupo, me preocupo por ti —aclaró Renilde en un tono más suave—. Día tras día veo todas las cosas a las que has de enfrentarte para cumplir tu sueño. Piensa en todos los años de duro trabajo que tienes a tus espaldas. Me rompería el corazón que lo estropearas todo cuando estás tan cerca de conseguir tu objetivo.

Maria era consciente de que debía parte de su éxito a su madre. Con dulzura, le acarició el hombro y el rostro de Renilde se relajó al instante.

—No tienes motivos para preocuparte, te lo prometo. Y ahora debo acostarme. De lo contrario, mañana sí que no habrá manera de levantarme —dijo Maria antes de darle un beso en la frente a su madre y darse la vuelta—. Buenas noches.

—¡Maria!

—¿Sí?

—Me da miedo que pierdas de vista tu objetivo.

—¿De verdad?

Renilde tragó saliva con tanta vehemencia que Maria pudo oírlo en el silencio de la noche.

—Sí, y también me da miedo perderte. Hemos estado siempre tan unidas...

Maria se fijó en el rostro arrugado de su madre. Probablemente tuvo algo que ver la débil luz de la lámpara de petróleo, pero de repente le pareció mucho más vieja y frágil que de costumbre.

—No debes preocuparte por ninguna de esas dos cosas —le aseguró—. Buenas noches, mamá.

La sala de reconocimiento del hospital Santo Spirito olía a cal clorada y a fenol. Maria llevaba trabajando ahí desde buena mañana. El doctor Bianchi, el médico al que asistía, llevaba más de una hora en la pausa para el almuerzo, por lo que Maria se había quedado sola. Una madre con su hijo de ocho años entró en la sala. El chico era especialmente menudo para su edad, y estaba tan delgado que se le notaban las costillas bajo la delgada camisa raída que llevaba puesta.

—Lleva días tosiendo —le explicó la madre con preocupación. Hablaba en un dialecto que Maria apenas comprendía.

Según el historial clínico, la mujer no llegaba a los treinta años, y sin embargo parecía superar los cuarenta. Tenía la cara chupada, surcada por profundas arrugas y con unas oscuras ojeras alrededor de los ojos. Sus manos eran estrechas y estaban enrojecidas, y sobre sus sienes había una cicatriz de color rojizo oscuro que parecía reciente. Maria estimó que la mujer, que había declarado ser lavandera, estaba al menos diez kilos por debajo del peso que le correspondía. Tenía la piel de las yemas de los dedos y de los nudillos excoriada y sangrienta, lesiones típicas en una lavandera, puesto que aquellas mujeres trabajaban al aire libre, expuestas a las bajas temperaturas, y lavaban la ropa con lejía de ceniza, que era una sustancia corrosiva.

Nerviosa, la madre miró a su alrededor en la sala exenta de decoración. Maria tuvo la impresión de estar frente a un animal en peligro.

—¿Tendremos que esperar mucho al doctor? —preguntó en voz baja. Inquieta, no paraba de desplazar el peso de una pierna a otra. Su hijo se colocó tras ella, intentando esconderse.

—Me parece que el doctor Bianchi volverá dentro de un par de horas —dijo Maria. El día anterior había pasado tres horas ausente. Probablemente después de comer en su casa, se echaba a dormir la siesta para hacer la digestión. No obstante, Maria omitió esa información. La pobre mujer ya parecía lo bastante tensa.

—¡Ay, Dios! —exclamó con los ojos llenos de lágrimas—. No puedo esperar tanto tiempo. Si no vuelvo al trabajo dentro de una hora perderé el puesto. Me echarán a la calle. Hay al menos diez mujeres esperando poder ocupar mi lugar.

El chiquillo estaba tan pegado a su madre que casi resultaba invisible. Sin embargo, la tos seca y pertinaz revelaba su presencia. Parecía un perro ladrando. Poco después, la madre empezó a toser también con vehemencia. Al final acabó esputando una sustancia mocosa en un pañuelo sucio que se sacó del bolsillo de la falda.

—Siéntense —les propuso Maria, señalando dos sillas que estaban junto a la pared. Detrás de ellas había colgada una ilustración a todo color del esqueleto humano—. Si lo desea, puedo encargarme yo de examinarlo. Así no tendrán que esperar a que llegue el doctor Bianchi.

Incrédula, la lavandera abrió los ojos como platos.

—Pero si usted no es más que una...

—Sí, soy una mujer, pero estoy acabando el doctorado y en marzo tendré el título. ¿Confía lo suficiente en mí o prefiere esperar?

El chico seguía detrás de su madre y le lanzó una mirada de franca curiosidad a Maria.

—No tienes nada que temer —le dijo en un tono afable—. Te auscultaré los pulmones con este aparato —le explicó Maria, descolgándose el estetoscopio que llevaba colgado alrededor del cuello para mostrárselo al niño—. ¿Cómo te llamas?

—Vittorio.

—Yo me llamo Maria.

El chico se apartó por completo de la sombra de su madre y se acercó a Maria. Tenía la cara enrojecida, probablemente por la fiebre.

Maria se dirigió de nuevo a la madre.

—¿Puedo? —preguntó.

La mujer asintió.

Complaciente, el chiquillo se levantó la camisa raída y dejó que Maria lo auscultara. Concentrada, se colocó el estetoscopio en los oídos y se concentró en los sonidos que salían del pecho del niño. Era un crepitar audible, pero nada parecía indicar que pudiera sufrir una neumonía o una tuberculosis. No daba impresión de que tuviera agua en ninguno de los lóbulos pulmonares. Mientras Maria llevaba a cabo el examen médico, la madre del chico tosió de nuevo.

Maria levantó la cabeza y se la quedó mirando.

—¿Quiere que la ausculte también a usted?

Con verdadero terror en los ojos, la mujer negó con la cabeza.

—No es necesario —respondió, amedrentada.

—Como futura médica que soy, diría todo lo contrario.

—Estoy bien —aseguró la mujer, aunque acto seguido tosió de nuevo, y esa vez con tanta vehemencia que tuvo que encorvarse por completo.

Maria se puso de pie y se acercó a ella.

—Su hijo tiene un inicio de bronquitis. Es incómodo, pero si se tapa bien, bebe muchos líquidos, se toma un jarabe para la tos y descansa lo suficiente, enseguida recuperará la salud. Quien me preocupa de verdad es usted. ¿Es este su único hijo?

Abatida, la lavandera negó con la cabeza.

—Tengo seis más.

Maria sopesó bien sus opciones y al final decidió formular lo que tenía que decirle de un modo que sonara dramático.

—¿Y qué será de esos niños si su madre muere y los deja solos?

La mera mención de la muerte tuvo el efecto deseado. La mujer se sobresaltó enseguida.

—¿Me permite que la examine?

La mujer se quedó unos instantes en silencio, apretando los labios. Luego tosió de nuevo y, cuando recuperó el aliento, accedió.

—Está bien.

Se colocó delante de Maria, como si esperara que esta pudiera auscultarle los pulmones a través de la ropa.

—Tiene que desvestirse —le dijo Maria, señalando un biombo que había en el rincón, junto a la ventana.

La mujer tragó saliva, visiblemente avergonzada, y cruzó los brazos.

—Si no quiere que su hijo la vea desnuda, puedo auscultarla tras el biombo.

—No es eso... —dijo la mujer con el rostro sonrojado. Unas gotas de sudor aparecieron en su frente. Luego dio media vuelta, desapareció tras el biombo y salió poco después con el torso al descubierto.

Cuando Maria le vio la espalda, comprendió las reservas de la mujer.

—Santo cielo —susurró Maria—. ¿Quién se lo ha hecho?

La mujer tenía el pecho y la espalda repletos de cortes, quemaduras y magulladuras. Algunas heridas ya eran antiguas y habían sanado. Otras eran recientes y todavía sangraban, mientras que algunas más estaban infectadas y supuraban.

—Mi marido no tolera bien el vino —se limitó a responder. Se suponía que aquellas palabras constituían una explicación para la mujer, aunque a Maria le sonaron más bien como un grito de socorro.

—La golpea y la maltrata de un modo brutal —constató, desconcertada—. Si tratara a otro hombre de esa manera, ya estaría entre rejas hace tiempo.

Maria se volvió hacia el chico, que se había sentado de nuevo en la silla y estaba contemplando la ilustración del esqueleto. Parecía como si quisiera evitar ver a su madre y recordar aquellos espeluznantes momentos de violencia.

—¿Pega también a los niños? —quiso saber Maria.

—Si lo intenta, me pongo en medio —explicó la mujer con la cabeza gacha—. La mayoría de las veces basta con eso, pero no siempre.

Maria sintió una rabia sin límites creciendo en su interior. ¿Cómo era posible que no se pudiera hacer nada contra esa clase de violencia? La mujer estaba completamente desvalida ante los golpes de su marido. Lo único que podía hacer era coger a sus siete hijos y huir, pero eso implicaba quedarse en la calle y, en el peor de los casos, morir de hambre. El sueldo de una lavandera no bastaba para alimentar tantas bocas.

—¿Ahora me auscultará? —La mujer seguía medio desnuda frente a Maria, temblando de frío. Esa mañana, el doctor Bianchi se había olvidado de pedirle al criado del hospital que encendiera la estufa de cerámica.

—Sí, por supuesto —respondió Maria, que de inmediato procedió a la exploración. Por suerte, le pareció que la mujer tampoco sufría ninguna enfermedad grave, aunque las largas horas de trabajo con agua fría podían empeorar su estado de un modo dramático.

—Tanto usted como su hijo deberían guardar cama durante unos días —le dijo con seriedad.

La mujer soltó una risa amarga y negó con la cabeza mientras se disponía a vestirse de nuevo.

—Espere, por favor. Me gustaría curarle esas heridas. Si llegan a infectarse, las consecuencias podrían ser nefastas.

Maria se acercó al botiquín y sacó de él una tintura de yodo y material nuevo para vendajes.

El doctor Bianchi, que era especialista en el ámbito de la higiene, confiaba ciegamente en el uso de aquella tintura para desinfectar heridas. La semana anterior había instruido a Maria sobre sus efectos, por lo que no podía equivocarse utilizando aquel líquido. Lo único que tenía que hacer era no escatimar vendajes, de manera que a la mujer no le quedaran manchas oscuras en la ropa, ya que seguramente no tendría más que un único vestido.

Mientras Maria se ocupaba de las heridas, se atrevió a hacerle una pregunta.

—¿No hay nadie que pueda cuidar de usted y de su hijo durante los próximos días? Tal vez su madre, o una vecina o una cuñada... Da igual.

—Nadie —contestó la lavandera—. Donde vivo, cada cual debe velar por sí mismo.

—¿Dónde vive usted?

—En San Lorenzo.

Era uno de los barrios más pobres de la ciudad. Maria no había estado nunca allí, pero había oído historias terribles sobre la criminalidad que reinaba en las calles y lo ruinosas que estaban las casas, y también sobre familias de diez miembros que vivían hacinadas en pisos de una sola habitación.

Aunque Maria se esmeró en proceder con el máximo tiento, la mujer se estremecía cada vez que la tocaba. Otro ataque de tos violento sacudió su delgado cuerpo.

—Escúcheme bien —le advirtió Maria—. Tendrá que guardar cama unos días, beber mucho té y dormir hasta que se recupere. Luego recuperará las fuerzas y podrá ocuparse de sus hijos. —Por dentro, añadió: «Y tal vez así consiga separarse de su marido»—. De lo contrario —la avisó Maria, ya en voz alta—, se vendrá abajo y nadie podrá ayudarla.

—¿Y qué comerán mis hijos si no puedo ir a trabajar para traer dinero a casa? ¿Quién les preparará la comida? No puedo acostarme sin más. ¿Cómo voy a hacerlo, *signorina dottoressa*? Mi marido se bebe todo lo que gana. Lo único que aporta a la casa son azotes. Trabajo en la lavandería a cambio de unas pocas liras que apenas me alcanzan para comprar un poco de col, lentejas y aceite.

—En su estado, si va a trabajar no sobrevivirá ni un mes. ¿Quiere dejar a sus hijos huérfanos de madre?

La mujer se quedó callada, consternada, y las lágrimas aparecieron de nuevo en sus ojos.

—Ya puede vestirse —le dijo Maria. Acto seguido, fue hasta su escritorio, tomó un bloc de notas y un lápiz—. Dígame cuál es su nombre y su dirección exacta. Luego váyase a casa y acuéstese. Le prometo que yo me encargaré de que durante los tres días siguientes no le falte comida caliente. Con ese tiempo debería bastar para que al menos se recupere un poco.

La mujer abrió los ojos como platos, no comprendía nada.

—¿Cree que podrá conservar el empleo si solo se ausenta ese tiempo? —preguntó Maria.

La lavandera no reaccionó.

—¿Tres días? —insistió Maria.

La mujer asintió poco a poco.

—Bien, entonces prométame que seguirá mis recomendaciones. Además, tendrá que ir a comprar jarabe para la tos en la farmacia. Bastará con uno barato a base de azúcar, miel y tomillo. Tómese una buena cucharada sopera cada día. A su hijo le puede dar la mitad de la dosis. Acuéstense los dos e intenten descansar con calma durante tres días.

La mujer asintió de nuevo.

Maria escribió la composición de un jarabe para la tos en una hoja y se la tendió a la mujer.

—¿Su dirección?

—La calle en la que vivimos no tiene nombre.

—¿Cómo dice?

—Está en el límite del barrio de Esquilino, cerca de la estación de Termini.

—¿Y cómo podemos encontrar la casa en la que viven?

—Ya veo que no ha estado nunca en San Lorenzo —constató la mujer con amargura—. No vivimos en una casa, todo son chabolas, la mayoría construidas sin autorización del consistorio.

—Pero ¿puede darme alguna descripción del sitio en el que viven?

—Es un edificio torcido de color verde que hay junto a la verdulería de Federico —respondió el chico en lugar de su madre.

—Muy bien —dijo Maria con una sonrisa—. Creo que con eso bastará. ¿Y cuál es tu apellido, jovencito?

—Me llamo Vittorio Rana.

—Fantástico. La familia Rana, que vive en la casa que hay junto a la verdulería de Federico. Esto debería bastar para que la encuentren —convino Maria mientras anotaba la información.

La *signora* Rana ya se había vestido de nuevo.

—Vayan directamente a casa —les advirtió Maria.

—Primero tenemos que pasar por la iglesia de santa Bibiana.

Maria quiso protestar, pero la mujer hizo un gesto de rechazo con la mano.

—*Signorina dottoressa*, no puede impedir que acuda a darles las gracias a la Santa Madre de Dios y a todos los ángeles por que el doctor Bianchi se haya ausentado tanto tiempo para almorzar. Si el doctor no se tomara con calma los postres, nunca habríamos llegado a conocerla. Pero Dios nos la ha mandado directamente.

Con estas palabras, la *signora* Rana se despidió, cogió a su hijo de la mano y salió de la sala de reconocimiento.

—Maria, ¿es que has perdido el juicio? —exclamó Renilde. Horrorizada, dejó la pesada cuchara de plata junto al plato, y tanta era su agitación que golpeó sin querer el plato de porcelana decorada con filigranas. El tintineo sonó peligrosamente fuerte.

—Le he prometido a aquella mujer que durante tres días le haría llegar comida caliente. ¿Qué sería más adecuado que llevársela yo misma? De este modo podré comprobar su estado de salud y el de su hijo. Los dos me tienen bastante preocupada.

Maria no había contado con la reacción colérica de su madre. Renilde era una católica devota que predicaba el amor al prójimo y no solo iba a misa los domingos, sino que durante toda la semana acudía a la iglesia también para las oraciones vespertinas. Daba limosna con regularidad y condenaba a todo aquel que no se ciñera a los preceptos del Señor. ¿Cómo era posible que no aprobara lo que se proponía hacer Maria? Flavia simplemente tendría que cocinar un poco más durante unos días. Nadie esperaba que Maria llevara platos opulentos a San Lorenzo, con una comida sana con mucha verdura bastaría.

—Debe de ser culpa de toda esa gente que conociste en el salón cultural —se quejó Renilde—. Seguro que te han llenado la cabeza de ideas absurdas.

—Mi decisión solamente tiene que ver conmigo —se defendió Maria—. Aquella mujer me ha dado lástima y quiero ayudarla. Eso es todo.

—Sacrificando tu valioso tiempo, tu dinero y tu buena reputación. Si va contando por ahí que te dedicas a repartir comida por los barrios pobres de la ciudad, vendrán en masa y echarán la puerta abajo. O formarán largas colas frente a tu consulta, por no mencionar que no irá a visitarte ningún paciente bien situado.

Una vez licenciada, Maria tenía previsto continuar con las prácticas en los hospitales, pero también abrir una consulta privada. Su padre ya la estaba ayudando a encontrar un lugar adecuado, puesto que por desgracia el hogar de los Montessori era demasiado pequeño para ello.

Renilde siguió pintándole a su hija escenarios y situaciones horribles.

—Cuando el tribunal de la universidad se entere de todo esto, rechazarán tu tesis y no te concederán el título de médica.

Maria también dejó la cuchara junto al plato. De repente había perdido el apetito. Enfadada, se cruzó de brazos y se reclinó en su silla.

Para su gran sorpresa, su padre intervino en la discusión para aplacar los ánimos.

—Creo que lo que de verdad inquieta a tu madre es lo que podría llegar a ocurrirte en ese barrio tan pobre —dijo—. Aquello está lleno de chusma. Ladrones, golfos, mendigos, borrachos... la escoria de la sociedad. No serías la primera mujer que es víctima de un asalto en un lugar semejante.

—Mi paciente trabaja como lavandera y tiene que alimentar a siete hijos. ¿Cómo queréis que se las arregle si está en la cama con fiebre?

—¿Y qué hay del padre de esos niños? —quiso saber Renilde.

—Es un borracho que se bebe todo lo que gana y encima pega a toda la familia.

—¿Y tú piensas entrar en un hogar semejante? —preguntó su madre con indignación—. ¿Qué harás si le da por levantarte la mano también a ti? Ten un poco de sentido común, Maria. ¡No sigas por ese camino!

En lugar de responder, Maria mantuvo los labios apretados con rabia.

—Me gustaría ser médica para ayudar a la gente, no para poder decorar una consulta bonita en el centro de Roma —dijo, al fin—. Con prescribir unos medicamentos a esa pobre mujer no basta. Necesitará buena comida, un lecho cálido y tranquilidad para recuperarse. Tiene que estar segura de que a sus hijos no les faltará nada para quedarse descansando en la cama.

—No dudo que eso que dices sea cierto, pero son cosas que en cualquier caso no dependen de ti —objetó Renilde, aunque su tono de voz ya sonaba más calmado—. No se puede salvar a todo el mundo. Una médica en ciernes no bastará para cambiar las vidas de los habitantes de San Lorenzo.

—De momento se trata de una sola familia —dijo Maria con obstinación—. Y pienso llevarles comida caliente, tal como les he prometido. Mantendré mi palabra.

Maria recordó los ojos grandes y hambrientos de Vittorio. Decepcionarlo le pareció imperdonable.

—Al menos podrías mandar a un recadero —propuso Alessandro—. En cada esquina de la ciudad hay muchachos esperando recibir algún encargo. Cualquier joven fuerte puede llevar las comidas hasta San Lorenzo. El que nos trae los periódicos, por ejemplo, o el pequeño Giacomo, que se dedica a repartir cartas del ministerio por toda la ciudad.

—La idea es buena, papá —dijo Maria—. Sin embargo, un recadero no será capaz de examinar a la *signora* Rana y a su hijo.

Cuantos más argumentos intentaban encontrar sus padres, más determinación demostraba Maria. Por supuesto, ella comprendía que estuvieran tan preocupados, pero tampoco pretendía acudir sola hasta el barrio pobre. Alguien tendría que acompañarla y Maria sabía perfectamente quién sería. Su amiga Anna no se habría amilanado jamás ante una pequeña aventura como esa.

El interior del coche de plaza olía a ajo, tomate y albahaca. Flavia había preparado una olla enorme de polenta y Maria la llevaba sobre el regazo, intentando no verter nada, lo que no resultaba sencillo en absoluto, ya que el coche no hacía más que dar tumbos por una calle sin pavimentar repleta de baches. Junto a Maria había una cesta con pan recién horneado.

—No he estado jamás en San Lorenzo —admitió entonces Anna—. Pero he oído un montón de historias escalofriantes acerca del barrio. Tengo curiosidad por ver lo que encontraremos allí.

Maria había recuperado su vestido más viejo del fondo del armario y se había puesto un abrigo raído que no usaba desde hacía varios años. Su amiga, que solía ir siempre muy elegante, llevaba un vestido de volantes de aspecto exuberante que a principios de siglo en Inglaterra tal vez se habría considerado moderno. Le iba un poco grande, probablemente porque había pertenecido a su madre. Alrededor del cuello llevaba un chal de lana.

Anna se sentó muy cerca de la ventana para poder observar las chabolas que iban pasando frente a sus ojos. Maria quedó horrorizada. Una cosa era oír hablar de la miseria de la gente, y otra muy distinta era verla de cerca. Un grupo de niños que jugaban sin supervisión con desechos en la calle polvorienta empezaron a seguir al coche de plaza. Los insultos que les profirió el conductor a gritos no sirvieron para disuadirlos. Cuando el hombre incitó al caballo a aumentar el ritmo haciendo chasquear el látigo, los niños se quedaron atrás, riendo. Ni uno solo de ellos llevaba zapatos, y eso que estaban a mediados de noviembre y las temperaturas ya habían descendido de forma considerable. La semana anterior, una noche incluso había helado.

El coche de plaza traqueteó por calles estrechas de tierra compactada que la lluvia había convertido en casi intransitables. Algunas de las casas ni siquiera merecían esa denominación. Parecía como si alguien hubiera metido unas cuantas piedras y tablones dentro de un sombrero enorme, lo hubiera sacudido todo y luego hubiera vertido el contenido en la calle de cualquier manera. Algunas ventanas no tenían ni cristal, y otras estaban selladas con tablas de forma provisional. El aire estaba impregnado del hedor a hortalizas podridas, aguas residuales y heces. Entre las fachadas de las casas había cuerdas de ropa tensadas con prendas harapientas de diferentes tonos de gris secándose al aire. El coche se detuvo delante de un puesto de venta de ollas abolladas, cubiertos oxidados y coladores de pasta torcidos.

—Hasta aquí —gritó el conductor hacia el interior del coche—. La calle está en tan mal estado que si sigo podría arruinar las ruedas.

Maria asomó la cabeza por la ventana. El camino que tenían por delante estaba repleto de baches y agujeros. Comprendió la decisión del conductor perfectamente.

—¿Sabe usted dónde está la verdulería de un tal Federico?

—Está ahí, a la vuelta de la esquina. Justo delante —indicó el hombre, señalando una pequeña callejuela lateral, tan estrecha que un hombre de alta estatura podría haber tocado las dos fachadas extendiendo los brazos.

—Muchas gracias —dijo Maria—. ¿Sería tan amable de esperarnos aquí? Volveremos dentro de media hora.

—Por mí... —gruñó el cochero.

Maria y Anna salieron del carruaje cargadas con la olla de polenta.

—Cielo santo, esto parece la cima de un estercolero —comentó Maria.

—No lo parece, lo es —la corrigió Anna. Con la nariz arrugada, se levantó la falda para no ensuciársela.

Frente a uno de los oscuros portales había una mendiga acuclillada cuya edad Maria fue incapaz de determinar. La vida la había tratado mal, y junto a ella había también una chiquilla que no debía de tener más de tres años. Estaba muy concentrada en un trozo de papel de color rojo. Le daba vueltas, lo doblaba para darle forma de serpiente, lo volvía a desplegar y luego lo amontonaba en forma de pirámide. La niña estaba tan absorta en su juego que parecía completamente ajena a la tristeza de su madre y al perro callejero que pasó por su lado. Tampoco reparó en la presencia de Maria y Anna. Como una científica a punto de realizar un gran descubrimiento, estaba dedicada en cuerpo y alma a su trozo de papel. Maria se quedó mirando a la chiquilla con fascinación.

—Ten cuidado, a ver dónde pisas —le advirtió Anna con incomodidad—. Como derrames la polenta todo este esfuerzo será en vano.

Maria se fijó de nuevo en la calle, aunque sus pensamientos siguieron centrados en la niña que acababa de ver. A pesar de la atención con la que la había mirado, no había detectado ni el más mínimo rastro de tristeza en el rostro de la niña, y eso que no estaba ocupada con un juguete caro, sino con un retazo de papel sin valor alguno. No obstante, la criatura estaba tan absorta en su juego que había olvidado todo lo que tenía a su alrededor. Justo igual que Maria cuando se sumergía en un ejercicio complicado hasta el punto de olvidarse de comer.

—Esa debe de ser la verdulería —dijo Anna al fin.

Se plantaron delante de una tienda minúscula con unas cajas de madera llenas de cebollas frente a la puerta. A un lado había un cesto con repollos.

—¿No tienen nada más que cebollas y repollos aquí?

Maria sabía que su amiga no podía soportar ninguna de esas dos hortalizas.

—En esa caja de ahí detrás hay judías.

—Cielo santo —exclamó Anna—. Lo tendría realmente difícil si tuviera que elegir algo. Por suerte, mi verdulero de Campo dei Fiori tiene una oferta más amplia. Creo que me moriría de hambre si tuviera que comprar aquí.

Maria también agradeció no tener que aprovisionarse en un lugar semejante. El olor agrio que desprendían las cajas no auguraba nada bueno. Un hombrecillo orondo estaba de pie junto a las cebollas, con los brazos cruzados y mirando a las dos mujeres sin disimular su curiosidad.

—¿Podría decirnos si la familia Rana vive aquí? —preguntó Maria.

—Estaban en el primer piso —respondió el hombre, señalando con el pulgar hacia un edificio de aspecto tan desolado que Maria temió que pudiera derrumbarse en cuanto pusieran los pies en él.

—¿Qué quiere decir con «estaban»?

—La mujer no regresó a casa del trabajo anteayer. Sufrió un colapso en la lavandería.

Maria perdió la fuerza de los brazos de repente debido al susto. Por suerte, Anna reaccionó como un rayo y consiguió evitar que la olla cayera al suelo poniéndose de rodillas. De lo contrario, la polenta habría terminado en el suelo polvoriento.

—¿Está en un hospital? —preguntó Maria con la voz ronca.

—No. En el tanatorio de Santa Bibiana. Mañana la enterrarán en la fosa común.

El verdulero hablaba con una falta de emoción alarmante.

—¿Y qué ha sido de sus siete hijos? ¿Dónde están?

El hombre se encogió de hombros con una falta de interés evidente.

—Ni idea, ¿cómo quiere que lo sepa? Lo único que he visto es que el marido ha cogido a todos los hijos, los ha montado en un carro y se ha marchado. Probablemente se los haya llevado a algún lugar en el campo, para que ayuden en las cosechas. El viejo Rana no tiene dinero. No podría alimentarlos a los siete.

—Pero tampoco puede haberlos vendido sin más —intervino Anna.

El hombre frunció los labios para formar una mueca odiosa.

—*Signorina*, no sé dónde vive usted, pero le puedo asegurar que aquí en San Lorenzo librarse de los hijos es lo más normal del mundo. Es mejor que los niños trabajen en el campo, donde al menos les darán de comer y no se morirán de hambre. Ese Rana ha hecho lo único correcto que podía hacer.

—¿Y cree que el señor Rana regresará para estar presente en el entierro de su esposa?

—No lo creo —respondió el verdulero, negando con la cabeza—. Hoy mismo ha entrado a vivir en su casa un nuevo inquilino. Las cosas suceden rápido en este barrio. En cuanto queda un nido libre, llega otra alimaña para ocuparlo.

Maria tardó unos momentos en comprender que el verdulero en realidad estaba hablando de personas. Se sentía aturdida. ¿Había sido culpa suya que la mujer hubiera fallecido? Quizás no debería haber dejado que volviera a casa. Aunque ¿se habría quedado en el hospital la *signora* Rana? Maria cerró los ojos con fuerza y los abrió de nuevo con la esperanza de despertar al fin de una pesadilla. Pero no estaba durmiendo ni soñando, todo era completamente real. ¿Cómo era posible que en una ciudad como Roma se estuvieran vendiendo niños en un lado mientras en el otro extremo los burgueses acomodados, entre los que se contaba ella misma, vivieran en la abundancia?

—¿Y qué hacemos ahora con la polenta? —preguntó Anna, lo que arrancó a Maria de sus cavilaciones.

—¡La olla me la podrían dar a mí! —exclamó el verdulero con una sonrisa cargada de codicia.

—La llevaremos a la iglesia —decidió Maria—. Seguro que el párroco la hará llegar a quien la necesite.

—¿Al párroco quieren alimentar? Eso sí que es un desperdicio.

Sin dedicarle ni una mirada más al verdulero, Maria dio media vuelta y con un saludo escueto regresó con Anna por donde había llegado.

El párroco de Santa Bibiana no podía creer la suerte que le había caído encima.

Deshaciéndose en palabras de agradecimiento, aceptó la polenta y la vació en la olla que servía para alimentar a los pobres. Les prometió mencionar su generosidad en el sermón vespertino, pero Maria le pidió que no lo hiciera y que, en lugar de eso, celebrara una misa por la difunta *signora* Rana. Sacó un billete de su monedero y se lo tendió al clérigo.

—La mujer no lo tuvo nada fácil en esta vida. ¿Podría pedir también una oración por sus hijos?

—Por supuesto, *signorina*. Así lo haré —le aseguró el párroco.

Antes de que Maria y Anna pudieran salir de la iglesia, se presentaron cuatro mujeres hambrientas, acompañadas por sus hijos, en busca de una ración de polenta. La noticia de que se regalaba comida se extendió por el barrio tan deprisa como si en la parte de Roma en la que vivía Maria hubieran anunciado que se vendían sombreros de verano baratos.

Cuando llegaron de nuevo al coche de plaza, Anna no veía el momento de subir para huir de allí. Maria también se alegró de dejar atrás tanta tristeza, aunque estaba segura de que algún día acabaría regresando. Las injusticias clamaban al cielo. En aquel barrio hacían falta médicos para tratar a la gente, arquitectos para construir casas nuevas y maestras que se dedicaran a recoger a los niños de las calles para ofrecerles una nueva perspectiva ante la vida. Había mucho por hacer y Maria estaba decidida a jugársela por aquella gente. Consideró que era su deber luchar contra las desigualdades sociales.

ROMA, FINALES DE FEBRERO DE 1896

Maria levantó la mirada hacia la austera fachada de la clínica psiquiátrica. El edificio ofrecía una imagen poco seductora. Los barrotes de las ventanas del sótano le recordaron por unos breves instantes a una prisión, aunque enseguida cayó en la cuenta de que aquella medida de seguridad servía tanto para evitar que los ladrones escaparan de la cárcel como para evitar que entraran donde no debían. El día anterior, el profesor Bartolotti le había comunicado que había obtenido otra plaza como residente, en esa ocasión en una clínica psiquiátrica. Eso le daba la posibilidad de investigar el tema de su tesis no solo desde el punto de vista teórico, sino también desde el práctico. Maria quería escribir sobre las alucinaciones, por lo que deseaba descubrir más cosas acerca de las imágenes que veían los pacientes. Bartolotti se había mostrado entusiasmado por el tema y estaba impaciente por leer su trabajo. Un día después de hablar con el profesor, Maria tenía que empezar en su nuevo puesto.

El cochero que la llevó hasta el psiquiátrico le pidió una suma desvergonzadamente elevada por el mero hecho de ser una mujer joven que se permitía el lujo de moverse sola por la ciudad. Maria decidió no darle propina.

Subió los escalones de la entrada con determinación, abrió la puerta estrecha y alta y entró en la clínica. Le sorprendió el silencio que reinaba dentro. ¿Qué había anticipado? ¿Chillidos de los internos dementes? Con cautela, miró a su alrededor. En el sencillo vestíbulo había solo una escalera que permitía acceder al entresuelo, donde estaba la garita del portero. Maria subió los escalones y se plantó frente al bedel, que la recibió con simpatía y con una amplia sonrisa.

—Usted debe de ser la *signorina* Montessori —dijo el tipo.

—Exacto, así es —confirmó Maria, incapaz de ocultar la sorpresa que se llevó al comprobar que ya la estaban esperando.

—El profesor Sciamanna nos ha avisado de su llegada. Tiene que subir un piso más y seguir el pasillo hasta el fondo —la informó el portero sin dejar de sonreír—. ¿Quiere que la acompañe?

—¡No, no! —respondió Maria con un gesto de agradecimiento antes de seguir subiendo escalones. Se sintió halagada por el hecho de que incluso el portero estuviera al corriente de su visita.

Sus pasos apresurados resonaron con fuerza en las paredes desnudas. El suelo estaba revestido con baldosas decoradas en blanco y negro, y unas vides entrelazadas se retorcían formando bucles interminables hasta el fondo del pasillo. Antes de llegar al final, la puerta se abrió con decisión y en el umbral apareció un anciano con barba a la inglesa y frac oscuro que examinó el pasillo por encima de las gafas. En cuanto vio a Maria, al director de la clínica se le iluminó el rostro de repente. Enseguida avanzó hacia ella con los brazos abiertos, como si se conocieran desde hacía muchos años, a pesar de que ni siquiera se habían presentado.

—¡*Signorina* Montessori! —exclamó el anciano—. Me alegro mucho de que haya venido. ¡Entre, por favor, entre! —añadió, haciéndole señas con la mano.

Maria no pudo evitar pensar en el cuentacuentos que cada verano acudía a Chiaravalle y se sentaba frente al Palazzo Comunale para contar sus historias. Por desgracia, Renilde no había sentido nunca una especial simpatía por el narrador, por lo que Maria solo había tenido la ocasión de escuchar sus cuentos cuando pasaba por allí con su abuela, camino del mercado. Aquellas narraciones solían cautivarla por completo, y todavía recordaba con cariño las criaturas fabulosas, los enanos, las hadas y las princesas que protagonizaban los relatos, así como lo mucho que le habría gustado ocupar su lugar cuando era niña.

—¡Adelante, adelante! —insistió el profesor Sciamanna, haciendo entrar a Maria a su despacho.

Contrastando con la sobriedad del pasillo, la estancia estaba decorada con una gran profusión de estanterías, cuadros y esculturas, hasta el punto de que parecía un almacén de *atrezzo* teatral. Maria se quedó de piedra, no sabía por dónde empezar a mirar. En la pared había una cabeza disecada de tigre, colgada entre la representación plástica de unas divinidades antiguas y un elefante dorado de aspecto hindú. La pared del fondo estaba completamente cubierta por una estantería repleta de libros y pergaminos, en el suelo había una alfombra persa y frente al ventanal había colgadas unas pesadas cortinas de color burdeos, recogidas con cordones dorados decorados con borlas.

—Veo que se ha sorprendido con mi pequeña colección —comentó Sciamanna sonriendo con satisfacción—. Durante los últimos años he viajado mucho y me he permitido el lujo de traerme algún pequeño recuerdo de cada lugar.

Maria se abstuvo de comentar que una cabeza de tigre difícilmente podría calificarse como «pequeño recuerdo». Su mirada se desvió hacia el escritorio, donde había un jarrón chino con rosas que ya llevaban tiempo sin ser frescas. Ante la mesa, un hombre se puso en pie y se acercó a ella. Durante unos instantes, Maria se quedó tan sorprendida que casi se olvidó de respirar. Tenía delante al apuesto hombre que les había abierto la puerta a Anna y a ella el día que habían disfrutado de la velada musical en la casa de Rina Faccio. Para saludarla, le tomó la mano y se la acercó a los labios, que apenas le acariciaron el dorso. El bigote a la moda le hizo cosquillas en la piel de la mano. Maria se sonrojó.

—Me alegro muchísimo de volver a verla —dijo él con una sonrisa.

—¿Se conocen? —preguntó Sciamanna, visiblemente sorprendido.

—Coincidimos en una fiesta de sociedad, aunque no llegaron a presentarnos —se apresuró a aclarar Maria.

—Entonces me encargaré yo de ello —señaló el profesor Sciamanna—. Esta es la *signorina* Maria Montessori, una estudiante de la Universidad de La Sapienza, muy apreciada y con una gran carrera por delante, que precisamente ha decidido investigar el tema de la manía persecutoria. Y este es el doctor Giuseppe Montesano, que desde el verano pasado está con nosotros y actualmente lleva a cabo una investigación sobre la demencia infantil.

—Encantada —dijo Maria en voz baja. Aquel joven despertó en ella una inseguridad a la que no estaba acostumbrada en absoluto.

—El placer es mío —contestó Montesano con una voz grave y aterciopelada que parecía acariciar los extraños objetos que llenaban la estancia.

—¿Le apetece sentarse o prefiere que le muestre las instalaciones de la clínica? —preguntó Sciamanna mirando a Maria.

—Me gustaría ver el edificio, sí —respondió ella con la esperanza de recuperar el color habitual y la facultad de pensar con claridad tras dar una vuelta por las instalaciones. Quería que tanto Sciamanna como Montesano se llevaran la impresión de que era una mujer segura de sí misma, y no que la tomaran por una simple chica insegura que se sonrojaba ante cualquier nimiedad.

—Una buena decisión. Empecemos con la visita, pues —dijo Sciamanna, que acto seguido se puso en pie, aunque no para dirigirse hacia la puerta, sino hacia un nicho que había en el fondo de la sala que albergaba un perchero metálico con forma de jirafa.

De los ganchos dorados colgaban varias batas blancas. El profesor Sciamanna eligió una y procedió a ponérsela con cierta dificultad. Parecía como si sufriera alguna dolencia en los hombros, puesto que le costó especialmente meter el brazo por la manga derecha. Montesano se colocó a su lado para echarle una mano.

—Usted también debería ponerse una bata —le aconsejó Sciamanna a Maria, fijándose en su vestido azul marino con las mangas decoradas con randa clara. De hecho, era una de sus mejores prendas—. Normalmente nuestros pacientes son inofensivos, los que son peligrosos de verdad están en celdas individuales o acostados en camas con barrotes, pero nunca se sabe lo que puede llegar a hacer un demente. La semana pasada, uno de ellos me escupió y arruinó uno de mis mejores trajes.

Maria aceptó la bata que le tendía con gratitud y permitió que Sciamanna la ayudara a ponérsela. ¿El profesor le estaba hablando de pacientes o de reclusos? Las palabras «celda» y «barrotes» la desconcertaron. Montesano también se cubrió el traje con una bata blanca.

—Bueno, ¡vamos allá! —exclamó Sciamanna sosteniendo la puerta abierta ante Maria, que salió de nuevo al pasillo. El director tomó la delantera y prosiguió la explicación—. Todos nuestros pacientes están en la parte posterior del edificio. Aquí solo tenemos los despachos y la administración.

—¿Y qué hay en el sótano? —quiso saber Maria, recordando los barrotes que había observado frente a las ventanas.

—Allí tenemos algunas salas de curas.

—¿Qué clase de terapias se llevan a cabo en ellas?

—Lo habitual: electroterapia, terapia de agua fría y caliente y estimulación mediante potentes fuentes de luz y sonidos a gran volumen. Tenemos correas y chaquetas de fuerza para sujetar y reducir a los pacientes.

Maria tragó saliva. Lo que el doctor le estaba contando parecía más bien una tortura que una terapia.

—¿Y resultan útiles esos métodos? —preguntó con cautela.

Sciamanna se detuvo en seco y se volvió hacia ella.

—Sí, por supuesto —respondió el director con pleno convencimiento—. De lo contrario no los utilizaríamos.

Maria se dio cuenta de que Montesano ponía en duda la respuesta con una mueca, aunque tampoco le llevó la contraria.

—¿Por qué cree que esas técnicas no deben tener lugar en la parte principal de la clínica? —preguntó Maria.

—Algunos de los pacientes durante el tratamiento emiten sonidos desagradables a pesar de que les colocamos piezas de madera entre los dientes para que no se corten la lengua de un mordisco. Y esos ruidos inquietan al resto de los residentes.

Maria notó un escalofrío que le recorría el espinazo. Intentó imaginar lo doloroso que debía de resultar aquel procedimiento si incluso era necesario que mordieran un palo de madera para soportarlo.

—Primero veremos el ala en la que tenemos a los pacientes que sufren alucinaciones —continuó Sciamanna—. Por favor, no se asuste, *signorina*. Algunos tienen tendencia a maldecir en voz alta. Gritan y aúllan cada vez que se les acerca alguien. Aunque la mayoría de ellos son completamente inofensivos.

Maria asintió armándose de valor e intentó ocultar el miedo que poco a poco se iba apoderando de ella. «He diseccionado cadáveres sola en una sala de anatomía por la noche —se dijo a sí misma mentalmente—. Unos cuantos dementes no podrán perturbarme.»

Unos escalones amplios les dieron acceso a otro pasillo que daba a una puerta de reja metálica que permitía salir a un patio interior ajardinado. Siguieron por un sendero de piedras hasta un edificio adyacente de tres plantas con todas las ventanas enrejadas y algunos postigos abiertos. De improviso, un fuerte aullido resonó en el patio y a Maria empezaron a sudarle las manos.

—Es una paciente que ingresó hace una semana —explicó Sciamanna—. Procede de Lombardía y cree ser la emperatriz de Austria. Cada vez que se le acerca alguien chilla como una loca porque teme ser víctima de un ataque. Se pasa el día exigiéndole a una criada imaginaria que le arregle el peinado.

—¿Se parece en algo a la emperatriz Isabel? —quiso saber Maria.

—Por desgracia, no —respondió Sciamanna, riendo—. Se parece más bien a la reina de Inglaterra y tiene el pelo igual que el de un chucho callejero.

—¡Vaya! —exclamó Maria, bajando la mirada. De joven, la reina Victoria había sido una mujer atractiva, pero las imágenes que se veían en los periódicos en esa época mostraban a una anciana de luto, con claro sobrepeso y semblante severo.

—La paciente ha demostrado tener una fuerza prodigiosa y tendencias agresivas, por lo que es necesario mantenerla separada de los demás. Los guardas le pasan la comida a través de una trampilla que hay en la puerta de la celda.

—¿Y la medican de algún modo?

—Una vez al día la someten a un tratamiento a base de descargas eléctricas. Eso apacigua un poco su comportamiento.

Maria no replicó nada. Se imaginó que después de un tratamiento con descargas eléctricas debía de quedar demasiado agotada para resistirse a nada ni nadie. Montesano dio un paso en dirección a la puerta de entrada y la abrió como cortesía. Primero entró Sciamanna y luego Maria. Al pasar junto a Montesano percibió un tenue aroma a almizcle y alcanfor, una mezcla que le gustó. Sin embargo, ya en el interior del edificio, aquella fragancia se evaporó por completo debido al fuerte hedor a orina y vómitos que la obligó a taparse la nariz con la mano enseguida.

—Ya se acostumbrará —le dijo el director del centro—. Yo prácticamente ni lo noto ya.

—¿No manda limpiar las habitaciones de los pacientes? —preguntó Maria.

Sciamanna le dedicó una sonrisa condescendiente.

—*Signorina*, de vez en cuando los rociamos con una manguera, pero muchos de nuestros pacientes han olvidado cómo se usa un retrete o un lavabo.

—Tal vez jamás llegaron a acostumbrarse a usarlos —intervino Montesano.

Se había colocado muy cerca de Maria, como si se hubiera propuesto defenderla de algún ataque. Sin embargo, ella no se sintió incomodada por aquella proximidad. Todo lo contrario, habría preferido poder acercarse todavía más a él para huir de aquel olor tan horrible. Procedentes del

105

primer piso llegaron hasta sus oídos unos sonidos inhumanos. Un paciente golpeaba con algún objeto los barrotes, otro lloraba, y se oían también gemidos y chillidos. El ruido resonaba contra las paredes vacías. Maria siguió a Sciamanna y a Montesano por un pasillo oscuro. A derecha e izquierda había puertas enrejadas que daban a salas provistas de camas de tubos de acero en las que se encontraban los pacientes. Algunos cantaban o balbuceaban, otros se mecían de forma repetida y monótona, mientras que otros no paraban de andar en círculos. Era un panorama desolador. Maria estaba convencida de que una cárcel no podía ser más deprimente que eso.

—¿Las puertas están cerradas con llave? —preguntó.

—Sí, por supuesto. Si las dejáramos abiertas, los dementes escaparían —le explicó Sciamanna—. Además, separamos a hombres y mujeres, e intentamos no meter a más de seis pacientes por celda —explicó Sciamanna—. Por desgracia en estos momentos estamos tan desbordados que incluso en las celdas más estrechas tenemos al menos ocho pacientes. Nos llegan procedentes de todo el país. Personas que no pueden hablar, que debido a una parálisis espástica tienen que pasar el día entero acostadas. Algunos de ellos tienen potencial —dijo Sciamanna, que acto seguido se detuvo frente a una de las celdas para señalar una cama que estaba bajo una ventana enrejada—. Ese de ahí es Pietro. Sabe decir su nombre y algunas frases sencillas.

En la cama estaba sentado un hombre menudo y regordete que debía de rondar la veintena. Tenía el cuello corto y los ojos muy separados. Nada más ver al doctor, se le iluminó el rostro con una amplia sonrisa. A Maria le llamó la atención su lengua, puesto que le pareció demasiado ancha, y además le colgaba un poco de la boca.

—*Ciao!* —exclamó, saludando al doctor con alegría. Enseguida se levantó de la cama y acudió dando pasos muy rápidos y cortos hacia la puerta—. ¿Puedo ir al patio? —preguntó el hombre. Desprendía un hedor acre a orina. Había algo infantil en su manera de hablar.

—¡*Ciao*, Pietro! —le dijo Sciamanna con simpatía—. Estoy seguro de que Carlo pronto vendrá a buscaros. Podréis pasar un par de horas en el patio, hoy brilla el sol.

La sonrisa del paciente se amplió aún más. Pietro reparó entonces en la presencia de Maria y procedió a mirarla de pies a cabeza con la más absoluta desenvoltura.

—*Ciao!* —exclamó de nuevo, sacando una mano entre los barrotes. Tenía los dedos pequeños, demasiado cortos.

Maria le tomó la mano y se la estrechó. Él respondió al apretón.

—Me llamo Maria —se presentó—. A partir de ahora me verás a menudo por aquí.

—La *signorina* Montessori pronto será médica —explicó Sciamanna.

—Quiero que me examine —declaró Pietro.

Montesano soltó una carcajada.

—La *signorina* Montessori está escribiendo un trabajo sobre las personas que oyen voces. Por suerte, tú no eres uno de esos pobres dementes.

—Yo puedo oír voces —dijo Pietro—. Si quiero, las puedo oír.

La obstinación con la que intentaba convencer a los dos

hombres de que Maria tenía que examinarlo en el futuro la conmovió.

—Te prometo que pasaré a echarte un vistazo si vuelvo por aquí —le aseguró.

Con eso, Pietro se dio por satisfecho. Regresó a su cama y se sentó de nuevo en ella.

—¿Por qué tienen a personas como Pietro entre rejas? —preguntó Maria—. No me ha parecido una amenaza en absoluto. ¿O tal vez me equivoco?

—No, Pietro no supone ningún peligro para nadie —admitió Sciamanna—. Pero la clínica está organizada de manera que todos los pacientes estén en salas que puedan cerrarse con llave. Sería demasiado complicado si tuviéramos que andar buscando a uno u otro en todo momento. A los pacientes como Pietro se les meten en la cabeza las cosas más absurdas que se pueda imaginar. El mes pasado quiso ir al mercado a comprar fresas y tardamos varias horas en hacerle entender que todavía no hay fresas, que es una fruta que crece en los campos durante la primavera. Su inteligencia simplemente no alcanza para comprender determinadas cuestiones.

Maria quiso replicar que lo más seguro era que cualquier persona que estuviera entre esos cuatro muros olvidara al cabo de cuatro días la estación del año en la que se encontraban. Sin embargo, se tragó el comentario, porque al fin y al cabo le interesaba el puesto de residente y no quería perderlo antes de haber acumulado un poco de experiencia que pudiera servirle para redactar su tesis.

Sciamanna continuó andando y se detuvo frente a una puerta de madera bastante alta.

—Esta sala la tenemos desde hace poco tiempo —dijo entonces con solemnidad—. Me he implicado personalmente en ella y debo decir que estoy orgulloso del resultado. No hay ningún otro lugar en Italia tan bien equipado como esta sala.

Maria se acercó con curiosidad.

—Detrás de esta puerta solo hay niños —explicó Sciamanna—. A diferencia de los demás manicomios del país, los atendemos por separado. Según los últimos hallazgos científicos, las necesidades de los niños deficientes son distintas de las de los adultos, incluso cuando el diagnóstico es el mismo.

Dicho esto, estiró el brazo y alcanzó un picaporte que estaba instalado a una altura inusual en la puerta.

—Este mecanismo es suficiente —aclaró—. Los pacientes son tan pequeños que no llegan a la manilla.

Abrió la puerta con determinación. Maria esperaba oír voces alegres y traviesas, o ver niños retozando, pero se topó con un silencio espectral. Entró en la sala con precaución. Igual que en el caso de las celdas que ya habían visto, había sencillas camas de estructura de acero dispuestas a ambos lados de la sala. Doce, el doble que en las salas destinadas a los pacientes adultos. En cada cama había una manta gris con un niño acuclillado encima. El más pequeño no parecía tener más de dos años, mientras que el mayor debía de rondar los doce. Eran niños y niñas con las mejillas hundidas, los ojos tristes y la mirada perdida en el vacío. Algunos presentaban malformaciones, mientras que otros se balanceaban adelante y atrás, babeando.

En el centro de la sala había una butaca de madera en la

que una mujer corpulenta, ataviada con un vestido oscuro, estaba tejiendo. Tenía aspecto de ser maestra. El color de su rostro era tan grisáceo como el de los niños. De mala gana, levantó la mirada de su labor al ver que recibía visitas indeseadas y murmuró un saludo sin levantarse del asiento.

—¿Qué les pasa a estos pobres niños? —susurró Maria, perpleja—. ¿Por qué no juegan?

—Son deficientes mentales —dijo Sciamanna, como si no hubiera comprendido la pregunta de Maria.

Por fin, la maestra se levantó de la butaca con pesadez y arrastró sus pasos hasta el director de la clínica.

—¡Buenos días, Serafina! Le presento a la *signorina* Montessori. Junto con el doctor Montesano se encargará de controlar con regularidad a nuestros pequeños pacientes.

Maria tendió una mano hacia la mujer. Dio la impresión de que Serafina tuviera que valorar si le apetecía estrechársela, pero cuando por fin se decidió a hacerlo Maria notó que no era cuestión de descortesía, sino simplemente de lentitud.

—¿Qué hacen los niños durante todo el día? —preguntó Maria.

Serafina se encogió de hombros.

—Nada.

—¿Se pasan el día acuclillados en sus camas?

—Solo cuando la criada trae la cesta del pan se convierten en animales y se abalanzan sobre ella —contestó Serafina—. Como si no supieran ya desde hace tiempo que aquí nadie pasa hambre.

Maria se acercó a una de las camas en las que estaba sentada una niña con el pelo mal trenzado y un delantal gris remendado. Al ver que Maria se le acercaba, la pequeña se volvió hacia ella, aunque la miró como si fuera transparente. Tenía las manos vendadas.

—Esta es Clarissa. No habla y se muerde los dedos hasta que le sangran —le explicó Sciamanna—. Su madre la abandonó frente al convento de Santa Maria dei Sette Dolori. Fueron las monjas quienes nos la trajeron.

—¿Puedes oírme, Clarissa? —preguntó Maria, inclinándose sobre la niña, que debía de tener unos seis años. Por desgracia, no detectó la más mínima reacción.

En ese momento la puerta se abrió de nuevo y entró una criada empujando un carrito traqueteante. De repente, Clarissa levantó la cabeza y se quedó mirando fijamente el carrito. Los demás niños también se reavivaron. El mayor de todos saltó de la cama, se lanzó sobre la cesta, se apoderó de uno de los mendrugos y regresó a su cama. El resto de los niños lo imitaron.

—¿Lo ve? ¡A eso me refería! —exclamó Serafina en tono de reproche y poniendo los brazos en jarra—. Y ahora volveréis a vuestras camas, ¿verdad? —dijo, levantando la voz y hablando más deprisa. Con el rostro atormentado, la maestra se dirigió de nuevo a Maria—: Aunque lo peor aún está por llegar. En cuanto los niños cogen el pan, no hacen más que guarradas. Cada vez tengo que acabar quitándoselo porque se dedican a desmigarlo y ensucian la cama entera.

Maria observó a los niños. El primer chico que había saltado de la cama estaba de nuevo arrodillado sobre el colchón. Partió el pan en porciones del mismo tamaño y se dedicó a formar una hilera con los pedazos. Parecía de lo más concentrado intentando que todos tuvieran la misma medida y la misma forma. A Maria le vino a la mente la imagen de la hija de la mendiga a la que había visto jugar con el trozo de papel rojo.

—Pues quíteles el pan a los niños —le ordenó Sciamanna con severidad—, que van a manchar las sábanas. Ya comerán cuando llegue la hora del almuerzo. Se ha terminado el pan entre horas.

Maria observó al niño que estaba junto a Clarissa. Estaba agujereando su mendrugo con un dedo. Luego sacaba el dedo de nuevo y miraba el hoyo que había dejado. Cuando Maria se dio cuenta, le dedicó una sonrisa, y por un breve instante consiguió que en el rostro del niño también apareciera el atisbo de una risita.

—Puede que los niños no tengan hambre en realidad —comentó Maria con cautela.

—¿Qué quiere decir?

—Que existe la posibilidad de que los niños vean el pan como un mero juguete.

—*Signorina* Montessori —empezó a decir Sciamanna con la mirada condescendiente de un tío bondadoso—, estos niños no están en sus cabales. ¿Cómo quiere que jueguen a nada?

Maria procuró controlarse. Al fin y al cabo, no era más que una estudiante y no estaba en posición de dar lecciones de ningún tipo al director de una clínica psiquiátrica.

—Los niños sanos necesitan jugar para desarrollarse

correctamente. El juego les permite desarrollar el intelecto.

—¿Adónde quiere usted ir a parar con eso?

—Lo que quiero decir es que sería lógico que los niños cuyo intelecto no se ha desarrollado correctamente tuvieran incluso más necesidad de recurrir a ese medio.

Sciamanna se la quedó mirando con desconfianza. Era evidente que aquellas palabras no le habían parecido lo suficientemente mesuradas.

—Hace poco leí los escritos de Édouard Séguin —intervino el doctor Montesano—. Llevó a cabo un estudio en un manicomio parisino y fundó una de las primeras escuelas para niños deficientes.

—¿Se refiere usted al alumno de Jean Itard, el que emigró a Estados Unidos?

—No sé si fue alumno suyo —admitió Montesano—. Pero su trabajo está basado en sus enseñanzas, de eso no hay duda.

—Mmm —musitó Sciamanna con los brazos cruzados—. ¿Me está diciendo usted que está de acuerdo con la *signorina* Montessori?

—Creo que debemos tomarnos en serio su comentario, sí. Usted mismo ha decidido que los niños no deben seguir viviendo con los adultos. ¿No le parece acertado ir un paso más allá?

—¿Se refiere a darles juguetes a los niños deficientes? —preguntó Sciamanna con la frente arrugada.

Montesano se encogió de hombros y observó a Maria, que no supo cómo interpretar la mirada que le dedicó. No estaba acostumbrada a que los hombres apoyaran sus su-

113

gerencias en tanto que médica en ciernes. Por lo general la veían como a una competidora a la que tenían que vencer, por muy acertadas que fueran sus aportaciones.

—Por mí, adelante —dijo Sciamanna, al fin—. He reclutado a la *signorina* Montessori para la clínica precisamente por su inteligencia —añadió, y se volvió hacia ella antes de continuar—. No me decepcione, *signorina*.

—Me esforzaré al máximo.

Dicho esto, el director de la clínica habló de nuevo a Serafina.

—Quíteles el pan a los niños —ordenó—. Y usted —añadió, dirigiéndose a Maria—, ocúpese de que estos niños reciban juguetes. Y que sean sencillos —comentó en voz marcadamente más baja.

—*Signorina*, ¿está segura de que quiere tomar prestados estos dos libros? —preguntó el bibliotecario mirando a Maria por encima de la montura metálica de las gafas que llevaba en la punta de la nariz.

—Sí, por supuesto —respondió Maria, intentando que aquel tipo no detectara su impaciencia. ¿Por qué no podía limitarse a entregarle los libros que le había solicitado? ¿Acaso creía que no sabía leer?

—Con el debido respeto, *signorina*, aunque estos dos tratados estén escritos por médicos, forman parte del área de la pedagogía.

—Soy consciente de ello, gracias —contestó Maria.

Empezó a mover el pie y a golpetear el suelo con el talón. De repente, un carraspeo de indignación le llegó desde el interior de la sala de lectura. Las puertas dobles estaban abiertas de par en par. Maria se obligó a acallar sus nervios. Se inclinó todavía más sobre el mostrador que la separaba del bibliotecario y bajó la voz.

—Necesito estos dos libros, tratan sobre la enseñanza de niños deficientes.

—Pero usted estudia en la Facultad de Medicina —insistió el bibliotecario.

¿Qué le importaban a ese hombre los libros que tomara prestados? Si hubieran sido novelas románticas seguro que se las habría entregado sin poner pegas. Su trabajo no consistía ni en asesorar ni en aleccionar, sino simplemente en buscar los títulos en los ficheros y recuperar los volúmenes en cuestión del archivo.

—¿Podría traerme usted esos libros?

El tipo se rascó la cabeza.

—Creo que sí —contestó—. Aunque tardaré un poco. Tome asiento mientras espera.

«Por fin», pensó Maria.

—Muchas gracias —dijo en voz alta antes de dirigirse hasta una mesa redonda de la sala de espera, parecida a las mesitas de café, para sentarse junto al expositor de diarios.

Había unos cuantos periódicos del día sobre la mesa. Maria cogió uno y lo hojeó sin mucho entusiasmo. En la segunda página encontró un artículo acerca de la inminente inauguración del metro de Budapest. Después de Londres, la capital húngara sería la siguiente en equiparse con un ferrocarril que circularía bajo tierra con el objetivo de transportar a la gente de un lugar a otro con comodidad. Maria se preguntó si ese medio de transporte llegaría a ser posible algún día en Roma. Cada vez que tenían que construir una casa y excavaban el terreno encontraban vestigios de templos antiguos, edificios medievales e iglesias. Cavar un túnel parecía una tarea vana. Maria siguió hojeando el periódico hasta que vio un pequeño reportaje acerca del estreno de una película de los hermanos Lumière en Viena. Suspiró. Cuánto deseaba llegar a conocer todas esas ciudades tan fascinantes: Berlín, Budapest, Londres, París... Aquellos nombres sonaban como música para sus oídos, eran lugares prometedores en los que el progreso no se detenía. Ciudades en las que las mujeres luchaban activamente por sus derechos y los científicos recibían dinero para llevar a cabo sus investigaciones. Mientras en Londres las mujeres se manifestaban por las calles para reclamar el sufragio universal que ya habían conseguido en Nueva Zelanda, en otra parte del mundo, en Roma, un simple bibliotecario era capaz de cuestionar la elección de unos libros por parte de una médica en ciernes.

En ese momento, Testoni y Balfano entraron en la sala. Mientras que Marco Balfano últimamente había renunciado a su actitud arrogante, Testoni se había vuelto aún más odioso. Parecía como si no soportara la idea de que una mujer hubiera sido la mejor estudiante de su promoción.

—Ah, la alumna más privilegiada de la clase y la preferida del profesor —comentó en voz baja, aunque lo suficientemente alto para que tanto Maria como el bibliotecario pudieran oírlo—. No resulta difícil imaginar el motivo por el que un viejo como Bartolotti concede mejores notas a una joven atractiva que a sus colegas masculinos —dijo, y acto seguido silbó entre los dientes mientras fulminaba a Maria con la mirada.

Su amigo le asestó un codazo en las costillas.

—Déjalo ya, Andrea.

—¿Qué pasa? ¿Cuándo fue la última vez que oíste algo tan escandaloso? ¿Una mujer a la que le ofrecen tres plazas distintas como residente cuando todavía no ha terminado la carrera? ¡Es normal que nos preguntemos qué servicios especiales debe de haber ofrecido a cambio!

—¡Ya basta, Andrea! —le exigió Balfano—. Los dos sabemos perfectamente que la Montessori es más aplicada que todos nosotros juntos.

—¡Bah! —soltó Testoni con desdén antes de acercarse al mostrador del bibliotecario, que justo en ese momento estaba escribiendo con su pulcra caligrafía en las fichas correspondientes los títulos de los dos gruesos volúmenes que había sacado del archivo.

Émile, de Rousseau, era el que había quedado en la parte superior de la pila.

—¿Estos libros no serán por casualidad los que nuestra colega necesita para la presentación de su tesis? —preguntó Testoni, riendo—. ¿El novelón de un francés?

Estaba a punto de cogerlo cuando el bibliotecario se lo impidió apartando el libro en cuestión de su alcance. La montura de las gafas le resbaló hasta la punta de la nariz.

—Haga el favor de esperar hasta que sea su turno —gruñó el bibliotecario.

Testoni dio media vuelta y avanzó un paso hacia Maria, que ya había vuelto a doblar el periódico.

—Se cree usted especialmente astuta —dijo Testoni en

voz baja—. Pero me he estado fijando en usted, Montessori. No es más que una presuntuosa que cree que flirteando con hombres puede conseguir que se le abran todas las puertas. Pero yo me encargaré de que las más importantes sigan cerradas. Quiero que toda la ciudad sepa cuál es el verdadero motivo de su éxito. Y mi padre es miembro del consistorio.

—¿De verdad? —dijo Maria mientras se levantaba con los hombros muy rectos, para parecer más alta de lo que era en realidad—. ¿De verdad está dispuesto a declarar públicamente que yo he tenido que trabajar más duro que usted y sus amigos para conseguir mis calificaciones? ¿Que realicé mis ejercicios en la sala de anatomía sola y por las noches y que a diferencia de usted estoy adquiriendo experiencia práctica en tres puestos de residencia distintos mientras usted dedica las noches a pasarlo bien por los locales nocturnos de la ciudad? Adelante, no veo el momento de que todo el mundo lo sepa.

Maria se asombró de lo serena que se sintió mientras le decía todo eso. En cualquier otra circunstancia se habría tragado la rabia, habría dado media vuelta y se habría marchado. Pero ese día no pudo seguir callada más tiempo. El hombre que tenía delante no era más que un mísero fantoche, por lo que sintió que valía la pena responderle.

—Lo único que siento cuando le miro, Testoni, es compasión.

El rostro redondo del estudiante se puso colorado como un pimiento. Cogió aire para soltar algún tipo de réplica, pero el bibliotecario se llevó un dedo a los labios con actitud severa.

—En este lugar reina el silencio —le advirtió antes de hacerle señas a Maria para que se acercara—. Aquí tiene los libros que me ha pedido, *signorina*. Espero que le sirvan.

—Oh, seguro que sí. ¡Muchas gracias! —exclamó Maria cogiendo los dos libros, que presionó con fuerza contra su pecho antes de ponerse a andar hacia la salida pasando por el lado de Testoni, que le lanzó una mirada de odio.

Por primera vez desde que Maria había empezado la carrera, toda esa animadversión le trajo sin cuidado. Algún día Testoni tendría que aceptar que los cambios en la sociedad eran un proceso imparable. Y si no llegaba a hacerlo, tarde o temprano el progreso le acabaría pasando por encima. A Maria le gustó esa idea. Satisfecha, salió de la biblioteca. No veía el momento de leer los libros que acababa de tomar prestados.

ROMA, MARZO DE 1896

Maria volvía a llegar tarde. En una hora debía estar en la clínica, pero todavía le quedaba reunir unas cuantas cosas. Puso un marcapáginas en el libro que tenía abierto sobre el escritorio. *Traitement moral, hygiène et éducation des idiots et des autres enfants arriérés.* El volumen de Édouard Séguin sobre «el tratamiento moral, la higiene y la crianza de idiotas y otros niños deficientes» tenía a Maria completamente fascinada.

El autor opinaba que la educación se llevaba a cabo en una secuencia de pasos que empezaban con el movimiento corporal y llegaban hasta el fomento del intelecto. Desarrolló una serie de ejercicios para la formación de la motricidad y utilizaba aparatos de gimnasia simples como escalas y columpios, pero también otros más propios de la vida cotidiana, como palas, carretillas y martillos, con el objetivo de estimular las capacidades sensitivas y motoras de los niños. También construía tablas con diferentes agujeros en los que se podían introducir clavos y figuras geométricas según la forma del orificio. Para desarrollar el sentido del tacto elaboró tablones con superficies diversas que los niños tenían que tocar y nombrar.

Por desgracia, ese día Maria ya no tenía tiempo de fabricar uno de esos objetos, pero decidió llevarse materiales para que los niños pudieran familiarizarse con ellos. Diferentes tipos de telas y de superficies, tal vez un ovillo de lana, un trozo de papel de lija, una pluma y un espejo de bolsillo. Se acercó al cajón en el que guardaba sus cachivaches, lo sacó por completo y empezó a revolver su contenido. En realidad eran cosas que ya debería haber tirado desde hacía mucho tiempo, o al menos guardarlas donde les correspondía: una pluma de sombrero que había encontrado cuando era pequeña, un botón que se le había caído a una chaqueta de punto, un dedal que en realidad debería estar en el costurero, un lápiz diminuto del que ya no quedaban más que unos pocos centímetros... Mientras repasaba todos aquellos objetos, ni siquiera reparó en la presencia de su madre, que apareció en el umbral de la habitación para ver lo que estaba haciendo.

—¿Qué buscas, Maria?

—Pues no lo sé exactamente —admitió la hija.

—Tienes el coche de plaza esperándote frente a la puerta. Deberías ir terminando.

—Sí, ya lo sé —respondió mientras seguía revolviendo aquella miscelánea de objetos. Encontró una canica de cristal, un peine viejo al que le faltaba una púa, una afilada aguja de sombrero y una concha. Se apresuró a guardarlo todo dentro de una bolsita de tela.

—¿De verdad crees que este es el momento más oportuno para ponerte a ordenar todos esos trastos? —preguntó Renilde con evidente preocupación.

—Mamá, necesito una bayeta limpia, un carrete de hilo vacío, un ovillo de lana pequeño y un cepillo de alambre.

Renilde abrió la boca y se olvidó de volver a cerrarla.

—Por favor, date prisa, mamá. Tengo que llevarme esos objetos. A la hora de cenar ya te explicaré con calma para qué los necesito.

Sin oponer resistencia, aunque todavía desconcertada, Renilde fue a la cocina y buscó todo lo que su hija le había pedido.

—Y si tienes algún tenedor viejo, también me lo llevaré —añadió Maria—. Y unas cuantas alubias bien grandes y lisas. Y un puñado de lentejas, y...

—Maria —la interrumpió Renilde—. No puedo dejar que me vacíes la cocina y la despensa.

—¡Te prometo que te lo devolveré todo!

—¿Quieres un colador de pasta?

—¡Oh, eso sería fantástico!

Cuando poco después Maria se sentó en el coche de plaza, lo hizo cargada con un saco de tela áspera lleno hasta los topes. No veía el momento de vaciar el contenido en el dormitorio de los niños. Notaba un hormigueo de impaciencia en el estómago, se sentía como cuando era pequeña y esperaba con entusiasmo el momento de poder abrir sus regalos de cumpleaños y cortar el gran pastel de mazapán. Maria también esperaba que su colega Montesano estuviera ya en la clínica. Lo que se proponía hacer sería aún más divertido a su lado.

No quedó decepcionada. Giuseppe Montesano ya la estaba aguardando junto al portal. Su encantadora sonrisa consiguió que a Maria le temblaran las rodillas de nuevo.

—Soy su comité de bienvenida —anunció con una amplia sonrisa—. ¿Está preparada para hacerles una visita a los niños?

—¡Que si lo estoy! —exclamó Maria, levantando el pesado saco.

—¿Es usted Papá Noel? Que yo sepa, no llega hasta finales de diciembre.

—Creo que me correspondería más bien ser la Befana —respondió Maria, sonriendo.

—No me parece que tenga usted aspecto de bruja ni mucho menos —contestó Montesano, consiguiendo con sus ojos penetrantes que el rostro de Maria se sonrojara de nuevo, algo que ya empezaba a ser costumbre cada vez que se veían.

Por unos momentos, Maria le sostuvo la mirada y se perdió en el suave color pardo de los ojos del doctor.

—Vamos —le dijo Montesano, liberándola del peso del saco—. Estoy impaciente por ver qué hay aquí dentro.

—Seguro que se sorprenderá.

En esa ocasión no entraron en el despacho del director de la clínica, sino que Montesano acompañó a Maria hasta un guardarropa en el que le habían asignado un armario propio para que pudiera dejar su abrigo y ponerse una bata blanca que ya le tenían preparada. A continuación, siguió a Montesano por el patio hasta el edificio adyacente, y pasaron por las celdas enrejadas que llevaban hasta el cuarto de los niños. Cuando entraron en la sala reinaba el mismo silencio sepulcral que la última vez. Serafina también estaba sentada en el centro de la estancia, tejiendo. El tintineo de las agujas era el único sonido que se oía. Los niños aguardaban, sentados y en silencio, en sus camas.

—*Buongiorno!* —exclamó Maria, rompiendo en pedazos el silencio del lugar. Acto seguido le pidió el saco a Montesano y avanzó con pasos enérgicos hasta el fondo del dormitorio. Una vez allí, vació todo el contenido en el suelo de baldosas.

Un ovillo de lana llegó rodando hasta una de las camas. Maria lo siguió para recuperarlo.

—Niños, mirad lo que os he traído —anunció Maria—. Venid a ver qué cosas hay.

Lo dijo abriendo los brazos en señal de clara invitación, pero los niños no reaccionaron. Clarissa, la niña de las trenzas, fue la única que levantó la mirada.

—Ven —le dijo Maria, haciéndole señas con las manos—. Tú también —añadió mientras señalaba a uno de los niños que estaba sentado en una cama al lado de la de Clarissa.

Sin saber muy bien si de veras les permitían acercarse a aquella desconocida, los niños buscaron la aprobación de Serafina. Sin embargo, la maestra parecía desbordada. Perpleja, se quedó mirando la colección de objetos variados que habían quedado esparcidos por el suelo.

Maria se aproximó al chico que estaba junto a Clarissa. Debía de rondar los ocho años, tenía los ojos azules, enormes, y el pelo rubio muy corto. Extendió una mano hacia él.

—¿Cómo te llamas?

—Este es Marcello —respondió Serafina en su lugar.

—¡Marcello, ven conmigo!

Atemorizado, el chiquillo se quedó mirando la mano que Maria le tendía. Tras lo que pareció una eternidad, la aceptó y bajó de la cama demostrando una habilidad insólita. Acompañó a Maria hasta el lugar en el que esta había dejado los objetos y se quedó de pie a su lado. Maria se recogió la falda y se sentó directamente en el suelo. Sin pararse a elegir ningún objeto en concreto, cogió el cepillo de alambre y se lo ofreció al chico.

—¿Sabes lo que es esto? —le preguntó.

El niño negó con la cabeza.

—Es un cepillo que se utiliza para limpiar zapatos y otras cosas. Las cerdas son de alambre, así que son duras y ásperas. Ya verás, tócalo —le dijo mientras acariciaba con la palma de la mano plana las cerdas de alambre. A continuación, sostuvo el cepillo frente al chico para que pudiera imitarla.

Titubeando, el muchacho acercó primero el dedo índice a las púas, pero lo retiró enseguida. Los ojos se le abrieron más todavía. Contuvo el aliento y repitió la operación. En esa ocasión, dejó que el dedo tocara las púas un poco más de tiempo, y luego soltó una carcajada y dio un pequeño brinco de alegría.

—¿Lo ves? Las púas son muy duras.

Entretanto, Clarissa también había bajado de su cama y se había acercado a Maria. Se agachó para recoger el ovillo de lana. Con las dos manos se dedicó a amasar aquel material tan suave que acabó presionando cuidadosamente contra sus mejillas.

—Esto es lana —le explicó Maria—. Es suave y blanda. Por eso resulta agradable tocarla.

Marcello se volvió hacia Clarissa y le tendió el cepillo de alambre con la intención de intercambiárselo por el ovillo de lana.

A la niña le pareció bien y enseguida le ofreció la lana, que Marcello también se frotó contra la mejilla.

—Estos dos son opuestos —les explicó Maria—. Pero he traído muchas más cosas. A ver si encontráis otra que también sea suave.

Clarissa se puso de cuclillas enseguida, y poco después empezaron a acercarse otros niños, hasta que todos acabaron congregados alrededor de Maria. Solo Bernardo, un chico aquejado de parálisis espástica en todas las extremidades, se quedó tendido en su cama, desvalido. El doctor Montesano lo cogió en volandas y lo llevó hasta donde estaban los demás. Sentó a Bernardo con la espalda apoyada en la pared y le puso un cojín en cada lado para evitar que cayera. De ese modo pudo ver todo lo que hacían los demás.

Los niños quisieron examinar todo lo que había salido del saco. Estuvieron palpando cosas puntiagudas, frías, lisas, ásperas, duras y blandas. Uno de los niños se quedó mirando fijamente los agujeros del colador de pasta y presionó la lengua contra ellos. Maria les iba explicando con mucha paciencia cómo se llamaba cada cosa y para qué servía. Animó a los niños a experimentar con los objetos: a darle la vuelta a la cuchara, a hacer rodar una bola y a desenrollar la lana. Al final cogió el ovillo de lana y se lo llevó a Bernardo. Con sumo cuidado, se lo pasó por encima del antebrazo, para que pudiera notar el tacto. El chico, que tenía el rostro deformado por una mueca hierática, empezó a barbotear encantado. Una sensación de felicidad se apoderó de Maria. Había albergado la esperanza de que los niños mostraran algo de interés, pero aquellas reacciones de entusiasmo la habían dejado impresionada. Quedó tan fascinada por la curiosidad de los niños que apenas se dio cuenta de que la estaban observando.

Montesano se apoyó en la pared con los brazos cruzados, contemplando con asombro a su colega. Serafina no podía creer lo que estaba sucediendo ante sus ojos. Aquellos niños apáticos a los que solo había visto acuclillados sobre sus camas, balbuceando o con la mirada perdida en el techo, estaban examinando minuciosamente cada uno de los objetos. No se peleaban, y encima reaccionaban a las palabras de Maria. Cuando dos niños se disputaban un mismo objeto tirando de él con violencia, bastaba una mirada para que uno de los dos cediera.

—Hay para todos —les explicaba Maria con calma pero también con determinación—. No me los llevaré hasta que los hayáis podido ver con calma todos.

Los minutos se convirtieron en horas y los niños no parecían dispuestos a parar de inspeccionar. No reaccionaron ni siquiera cuando la puerta se abrió y apareció la criada con el carrito de servir.

—El profesor Sciamanna dijo que a los niños solo se les daría pan durante las comidas —explicó Serafina, haciéndole señas a la criada para que se llevara el carrito de nuevo.

Sin embargo, Maria decidió retenerla.

—No, por favor. Deje la cesta allí —le pidió—. Ya se lo explicaré yo al doctor.

—Pero es que dijo claramente... —objetó Serafina.

—Ya ha oído lo que ha dicho la *dottoressa* —intervino Montesano, que tomó la cesta de pan de la criada para acercársela a Maria.

—Gracias —dijo ella antes de dejar la cesta a un lado, sobre el suelo. Luego cogió el saco vacío y lo abrió—. Ahora volveremos a meter todos los objetos de nuevo dentro del saco —les explicó a los niños. Dicho esto, tomó un tenedor y lo introdujo en el saco tal como había anunciado. Clarissa se llevó el ovillo a la mejilla y apretó los labios con frustración.

—Mañana volveremos a jugar con eso —le prometió Maria—. Pero ahora nos hemos ganado un trozo de pan.

Marcello cogió el colador de pasta y lo guardó en el saco. Poco a poco, los niños fueron recogiendo todos los objetos y se los fueron devolviendo a Maria. Al final, Clarissa también dejó caer el ovillo de lana dentro del saco.

—¡Gracias, Clarissa!

Maria dejó el saco a un lado y agarró la cesta. Después fue pasando de un niño a otro, y todos cogieron un mendrugo de la cesta.

—Es duro —dijo Marcello antes de morder su pedazo con ganas.

Maria se rio. El pequeño había aprendido bien la lección.

—Tienes razón, Marcello. Este pan está duro. Aunque debería estar tierno. Hablaré con el professor Sciamanna para que mañana os traigan pan del día.

El doctor Montesano insistió en acompañar a Maria hasta el guardarropa y luego hasta la salida de la clínica.

—Me encantaría acompañarla también hasta su casa —dijo él—, pero mi turno no termina hasta dentro de tres horas.

—No se preocupe, no es ningún problema —replicó Maria—. Estoy acostumbrada a moverme por la ciudad sola en coche de plaza.

—No lo pongo en duda. Pero la verdad es que me gustaría poder seguir charlando con usted acerca de lo que ha sucedido esta tarde, y sobre el modo tan fantástico en el que han reaccionado los niños a su insólito ofrecimiento.

—Me he limitado a hacer lo que Séguin describe en sus libros. Cree que primero deben afinarse los sentidos para que después sean posibles otros pasos de aprendizaje.

—Entonces ¿piensa usted que los niños deficientes son capaces de aprender?

—Estoy absolutamente convencida de ello —respondió Maria, sorprendida de que el doctor Montesano todavía pudiera ponerlo en duda después de lo que había presenciado esa tarde.

Montesano se frotó la barbilla con aire reflexivo.

—Tocar y nombrar objetos es una cosa, pero aprender a leer y escribir es otra muy distinta.

—En eso le doy la razón —repuso Maria—. Pero tan solo hemos dado el primer paso. Ya verá cómo van llegando los siguientes.

Montesano sonrió, y Maria tuvo la sensación de que el gesto le llegaba al corazón, porque empezó a latirle a un ritmo inquietantemente rápido.

—Me dejaré sorprender encantado, *signorina* Montessori.

Con las dos manos, Montesano le cogió la diestra a Maria. Los dedos del doctor eran firmes y delicados al mismo tiempo. Con galantería, se llevó el dorso a los labios y se los besó con suavidad de nuevo.

—¿Puedo invitarla a dar un paseo un día de estos? ¿Tal vez incluso a un café? —preguntó él.

—Me encantaría, pero ahora mismo estoy escribiendo mi tesis. Dentro de pocas semanas debo presentarla ante el tribunal.

—Estoy seguro de que será capaz de superar la prueba con creces —afirmó Montesano con una confianza que sonó sincera.

—Yo también lo espero —dijo Maria—. Soy la única mujer de la facultad. Todos los ojos están puestos sobre mí, y le puedo asegurar que me harán preguntas que jamás se atreverían a formularle a un hombre. Son muchos los que esperan ver cómo fracaso.

Montesano decidió no añadir ningún comentario a los temores de Maria. En lugar de eso, le hizo una pregunta:

—¿Eso significa que me está dando calabazas?

—No —se apresuró a aclarar Maria—. Solo significa que deberá tener paciencia. Cuando haya terminado mi tesis estaré encantada de ir a celebrarlo a cualquier café de la ciudad con usted.

—Me lo tomo como una promesa. El mismo día de la presentación se lo pienso recordar.

—Eso espero —contestó Maria.

ROMA, PRINCIPIOS DE ABRIL DE 1896

—Te veo cambiada, Maria —le dijo Anna—. Te brillan mucho los ojos.

Como tantas otras veces, las dos amigas estaban sentadas en el Caffè Greco. Hacía ya unos días que las temperaturas se habían vuelto mucho más agradables, pero cuando el sol desaparecía tras la cúpula de la basílica de San Pedro nadie se sentaba al aire libre sin cubrirse antes con una manta. Hacía una hora que se habían trasladado al interior del café. Anna se quedó mirando a Maria sin darse cuenta de que el *semifreddo* que tenía delante se le había derretido. Maria se mantuvo fiel al dulce que correspondía a la temporada, en ese caso la *colomba*, un pastel tradicional de Pascua con forma de paloma.

—Déjame adivinarlo —dijo Anna, mordiéndose el labio inferior, maquillado con pintalabios rojo—. ¿Ya has terminado de escribir tu tesis?

—Bueno, prácticamente he terminado —respondió Maria, que había dedicado las últimas semanas a trabajar con intensidad en ello.

—Pero no se trata de eso —dedujo Anna antes de ponerse a reflexionar de nuevo—. ¿Has enseñado a los niños de la clínica a contar hasta diez y ya saben leer y escribir?

Maria negó con la cabeza, riendo.

—Disfrutan con las cosas que les llevo y unos cuantos son capaces de agrupar objetos. Reunir todas las cosas duras, por ejemplo, y dejar las que son blandas, o al revés —explicó.

Anna no pareció especialmente impresionada por ese logro.

—Sin embargo, estoy segura de que algunos de ellos serán capaces de leer libros —añadió Maria.

—No, tampoco es eso —concluyó Anna, negando con la cabeza—. Tiene que haber algún otro motivo que explique esa sonrisa y el hecho de que tu aspecto haya cambiado tanto. Te has comprado un peine nuevo y llevas el pelo recogido a la moda. Y te queda muy bien, dicho sea de paso.

—Se te está derritiendo el *semifreddo* —constató Maria, señalándole el platito en el que una hoja de menta empezaba a flotar ya sobre un líquido blanco.

Anna lo apartó con una mueca de asco.

—De todos modos ha sido un error pedirlo —admitió—. Todavía no hace suficiente calor para un helado. Creo que pediré un chocolate caliente.

—Buena decisión —juzgó Maria.

A Anna se le iluminó el rostro de repente.

—¡Ya lo sé! —exclamó, golpeándose la frente con la mano plana—. ¿Cómo he podido ser tan tonta?

—¿Qué es lo que sabes? —preguntó Maria antes de tomar un bocado de su pastel.

—Que te has enamorado.

Maria se puso colorada de repente.

—Shhh —siseó, mirando a su alrededor con disimulo—. No grites tanto.

—¡Ajá! —exclamó Anna con aire triunfal—. ¡He acertado, es un hombre lo que ilumina tanto tus ojos! Sin duda es el motivo por el que llevas un vestido nuevo. Por cierto, te queda magnífico, tienes que decirme dónde lo has comprado. Pero primero quiero saberlo todo sobre ese admirador que tienes.

—Es que no hay nada que contar —susurró Maria, avergonzada. No se relajó hasta que hubo comprobado que nadie había reparado en las vehementes afirmaciones de su amiga.

Anna, por su parte, empezó a frotarse las manos.

—Por fin. Ya empezaba a pensar que jamás te interesarías por ningún hombre y que tu único amor serían los libros —comentó, apoyándose con aire conspirativo sobre la mesa.

Maria se dio cuenta de que Anna no solo llevaba los labios pintados, sino que además se había maquillado los párpados. Había recurrido al mismo tono turquesa del vestido que llevaba puesto, decorado siguiendo la moda francesa, con pequeñas plumas y perlas en el dobladillo y en las mangas.

—No me he enamorado —la corrigió Maria.

—Pero estás interesada en un hombre.

—Tampoco.

—Vamos, Maria, yo siempre te lo cuento todo. Como cuando Federico Conti empezó a cortejarme y yo esperaba que lo hiciera su hermano Lorenzo, hasta que se marchó a París solo para huir de mí.

Maria tuvo que admitir que Anna siempre se mostraba

dispuesta a compartir cualquier aventura amorosa con ella, aunque a veces viera las cosas de un modo muy distinto al de su amiga. En realidad había sido Anna quien había huido de Lorenzo, pero decidió no llevarle la contraria. Hasta el momento no había tenido secretos para ella, aunque lo cierto era que tampoco había tenido ocasión de ocultarle nada hasta ese instante.

Sobre el doctor Giuseppe Montesano no le había contado nada, salvo que era un compañero de trabajo con el que se llevaba bien. Maria siempre esperaba tener la ocasión de trabajar unas horas en la clínica con él, porque al fin y al cabo perseguían el mismo objetivo. Montesano estaba igual de convencido que ella de que los niños de la clínica podían tener un rendimiento cognitivo mucho mejor de lo esperado si recibían la estimulación adecuada.

—Bueno, suéltalo de una vez —la instó Anna—. ¿Cómo se llama? ¿De qué trabaja? ¿De qué familia procede? ¿Cuántos años tiene? ¿Cómo es físicamente?

—¡Para ya! —exclamó Maria para interrumpir el torrente de preguntas de su amiga.

—Es que tengo que saber si se merece que pienses tanto en él.

—Bueno, la verdad es que todavía no lo sé —admitió Maria.

—Pero digo yo que algún nombre debe de tener.

Maria se quedó mirando los pasteles que había sobre la mesa. Nunca en la vida había tardado tanto en comerse un solo pedazo.

—Es el doctor Giuseppe Montesano —confesó en voz baja.

Anna golpeó con la palma de la mano la mesita de mármol, y lo hizo con tanta fuerza que el platillo con el *semifreddo* derretido se despegó de la mesa un instante.

—¿Lo conoces? —quiso saber Maria.

—¡Pues claro que lo conozco! —exclamó Anna, entusiasmada—. Pero si es ese médico tan atractivo que nos abrió la puerta el día que fuimos a la velada de música de cámara —dijo, chasqueando la lengua en señal de reconocimiento—. Ese hombre es un verdadero caramelo.

Maria aspiró aire de repente, indignada.

—¡Anna, que estás hablando de un hombre!

La amiga rechazó la amonestación con un gesto relajado.

—Ya lo sé. Y no solo eso, se trata de un ejemplar especialmente guapo, que es algo que puede parecer evidente pero no lo es. Hay cantidad de hombres feos, gordos o tan engreídos que parece que se bañen cada mañana en su propio orgullo. Montesano es atractivo sin que como mujer puedas pensar que todas se le lanzarán a los pies en todo momento.

Al oír eso, Maria no pudo evitar sonreír. Aquella descripción del doctor que tanto le aceleraba el corazón había sido más que acertada.

—Has ido a elegir bien —prosiguió Anna—. ¿Te ha lanzado ya algún cumplido?

—No, pero me ha propuesto salir a pasear en cuanto haya terminado la tesis.

—¿Se lo propusiste tú o fue cosa suya?

—Yo le dije que antes de la presentación final no tendría tiempo porque debía estudiar día y noche. Las citas contigo son la única excepción que me permito. De hecho, debería estar preparándome la defensa de la tesis en lugar de estar comiendo pastel en un café.

Anna puso los ojos en blanco. Es posible que se sintiera halagada por el hecho de que Maria la hubiera elegido a ella como única excepción al estudio, pero en cualquier caso no lo demostró lo más mínimo.

—Deberías empezar de una vez a divertirte más, y a disfrutar de la vida.

—Pero si ya lo hago —le aseguró Maria, y acto seguido le contó las horas que había pasado ya en la clínica psiquiátrica. La semana anterior había salido de excursión con los niños al parque que había al lado del centro, para que pudieran sentir el contacto de los pies con la hierba y la tierra.

—Sí, muy bien, de acuerdo —iba diciendo Anna mientras tanto—. Es que todo eso ya lo he oído. Lo que quiero saber es si el doctor Montesano también te acompañó en esa excursión, y si llegó a arrancar un par de florecillas silvestres para ofrecértelas como obsequio.

—Sí, él también vino, pero no recogió flores para mí —respondió Maria, algo mosqueada. Sin embargo, al recordar aquel soleado día de primavera no pudo evitar sonreír.

—Entonces ¿qué hizo?

—Recogió unas cuantas hierbas frescas con las que formó un ramillete y me lo dio.

—¿Hierbas?

—Le mostramos a los niños el olor y el sabor de la acedera, del tomillo silvestre y de la ajedrea de jardín.

—¡Oh, qué romántico! —se burló Anna con un suspiro. A continuación, le hizo una seña al camarero y pidió una taza de chocolate caliente.

—¡Pero ese fue el único gesto de complicidad, te lo juro! —aseguró Maria, alzando la mano solemnemente—. En realidad apenas sé nada de él. Podría perfectamente estar casado sin que yo me hubiera enterado.

—Está soltero —afirmó Anna sin dudar.

—¿Cómo lo sabes?

Divertida, Anna ladeó la cabeza.

—Olvidas que yo estudié Arte y no Medicina como tú. Por encima de todo me interesan los acontecimientos culturales y sociales que tienen lugar en la ciudad. Si de algo estoy al corriente es de la situación de las familias acomodadas de Roma.

—¿Montesano procede de una familia acomodada? —preguntó Maria. Quería saber más cosas sobre su colega, aunque en realidad le daba poca importancia al hecho de que Montesano tuviera dinero o no.

—A ver, déjame pensar —dijo Anna, cruzando las manos y apoyando la barbilla encima—. Por lo que sé, Giuseppe Montesano viene del sur, de Potenza. Su padre es abogado, un hermano es matemático y los otros tres son abogados o médicos, creo. Su madre se ha dedicado a lo mismo que todas las mujeres de su edad: a cuidar de la casa y a la maternidad.

Maria escuchaba con atención a su amiga.

—Supongo que la familia de Giuseppe comparte los ideales del *Risorgimento* —continuó Anna—. Si ha recibido los valores inculcados por sus padres, seguramente cree en el futuro de una Italia moderna y espera que el arte y la ciencia algún día contribuyan a que la nación no acabe estando a la cola del continente. Como bien sabemos, al desarrollo social y económico del país le queda un largo camino por delante.

—Tal como lo cuentas, parece como si tú no creyeras ni en nuestro país ni en sus ideales —comentó Maria con aire crítico.

—Yo creo en el progreso de Europa —replicó Anna—. Pero como hija de una romana y un inglés y habiendo vivido dos años en París, casi me veo obligada a poner en duda que esta nación tan caótica pueda tener un papel importante en la política internacional en el futuro. En el sur del país aún hay pueblos en los que todo el mundo es analfabeto, y la justicia estatal se sigue rigiendo por la ley del más fuerte. Todavía tendrán que pasar años antes de que Italia pueda compararse con países como Inglaterra o Francia.

—No hablemos de política —propuso Maria. Apreciaba y valoraba a su amiga, pero en algunos temas tenían opiniones demasiado distintas.

—No era mi intención en absoluto —contestó Anna con desenfado—. Lo único que quiero decir es que Giuseppe Montesano no solo está en sintonía contigo en el aspecto profesional, sino también en lo que respecta a las inclinaciones políticas y al entorno familiar. No podrías haberte enamorado de alguien más perfecto para ti. ¡No lo dejes escapar!

—¡Vamos, Anna! —exclamó Maria, negando con la mano de un modo impaciente—. Estoy muy lejos de estar enamorada. Simplemente no tengo tiempo para eso. En estos momentos, un hombre es lo que menos me conviene.

—Y una vez más, nuestra conversación termina con tu ambición enfermiza. Creo que tu colega Montesano en ese sentido también está a tu altura. Por lo que he oído, aspira a ascender en la escala profesional. Se matriculó en la universidad con solo diecisiete años y acabó la carrera en el menor tiempo posible siendo un alumno ejemplar.

—Ajá —dijo Maria con la esperanza de que Anna no detectara la fascinación que sentía.

—El único peligro que veo es el hecho de que se pueda sentir amenazado por ti.

—¿Qué? ¿Por qué? ¿A qué te refieres? —se impacientó Maria. Ese día le estaba costando especialmente seguir los saltos que daba su amiga de una idea a otra.

—Los hombres ambiciosos no suelen soportar la idea de que las mujeres que los admiran tengan más éxito que ellos. Si tu nombre acaba siendo más reconocido que el suyo pueden surgir problemas.

Maria soltó una carcajada.

—Ay, Anna, me estás hablando de un futuro muy lejano. Primero debo terminar la carrera y luego ocuparme de los niños de la clínica. Quizás pueda llegar a enseñar a algunos de ellos a leer y a escribir. Porque de una cosa sí estoy convencida: estas instituciones son las primeras que fomentan la ignorancia.

Anna separó las manos que había mantenido cruzadas y apuntó a Maria con el índice.

—¡Qué palabras tan peligrosas y rebeldes! ¿El doctor Montesano también comparte esa opinión?

—Creo que lo estoy convenciendo.

—Entonces ten cuidado de que tus ideas no acaben firmadas con otro nombre. Y me refiero al del doctor.

—Trabajamos e investigamos juntos.

Anna guardó silencio unos instantes antes de volver a hablar.

—¿Qué te parece si le recordamos a Rina Faccio que se ponga en contacto con su amigo de la *Gazetta*? En esa velada de música de cámara te prometió que le pediría que escribiera un artículo sobre tu discurso de final de carrera. Una aportación en uno de los periódicos de mayor tirada del país estaría bien.

—¿Cómo dices? —preguntó Maria, tosiendo de repente por culpa de una migaja del pastel de Pascua, que se le había atragantado a pesar de lo ligera y tierna que era la masa—. ¿En qué me beneficiaría eso?

—Un poco más de atención no te haría ningún daño. Además, Rina prometió entrevistarte para su revista feminista. Si quieres divulgar esas ideas, tiene sentido que la gente empiece a conocerte.

—Pero es que no tengo nada que decir —replicó Maria.

Anna negó con la cabeza, sonriendo.

—Ahora todavía no —repuso—. Pero cuando lleves un tiempo investigando sin duda tendrás algo que decir al respecto. Te conozco, Maria. Les cambiarás la vida a esos pobres chiquillos.

Maria soltó un profundo suspiro.

—Anna, eres la mejor amiga que una pueda tener. Pero a veces me temo que la luz con la que me ves te deslumbra. Espero no decepcionarte.

—No tienes que preocuparte por eso —dijo Anna, y acto seguido se volvió para buscar al camarero con la mirada—. Creo que ese buen hombre se ha olvidado de mi chocolate. ¿Quieres uno tú también?

—Sí, gracias. Pero solo si tú me ayudas a terminarme la *colomba*.

—Con mucho gusto —respondió Anna, cogiéndole el tenedor a Maria para tomar un buen bocado.

HOSPITAL PSIQUIÁTRICO DE OSTIA, CERCA DE ROMA, MAYO DE 1896

Luigi estaba agotado, tendido en una cama con barrotes por los cuatro costados. Era como una prisión dentro de la prisión. Junto a él, un hombre gritaba, dando vueltas sin parar y tirándose del pelo. La habitación entera estaba manchada con su sangre. Luigi apenas se enteraba. Estaba aturdido, ya no sentía nada.

El día anterior, los médicos lo habían metido en la cámara de tortura y lo habían atado a la silla.

—A ver si así conseguimos que no seas tan terco —le había dicho uno.

Luigi acababa de escupirle, temiendo lo que el doctor pudiera hacerle. La paliza que le habían propinado había sido terrible, no había sentido tanto dolor en toda su vida. Para que no pudiera gritar, uno de los guardas le había metido un palo de madera en la boca, y a base de morderlo se le había roto una esquina del incisivo derecho. Esa mella le quedaría ya para siempre, y eso que la gente siempre había alabado sus dientes blancos y regulares. ¿Dónde estaba ahora esa gente? ¿Eran fruto de su imaginación, del deseo de huir de allí? Luigi no conseguía recordarlo. Incluso las imágenes más recientes desaparecían de su mente para siempre en cuanto sonaban las campanas de la basílica. Estaban tan muertas como él se sentía por dentro.

El hombre que estaba a su lado gritó de nuevo, y a continuación salió corriendo para golpear el muro con la cabeza, lo que provocó un gran estrépito. En el mismo momento, se abrió la puerta de la celda. Dos guardas entraron a toda prisa y agarraron al hombre por los brazos.

—¡Para ya! —gritó uno de ellos antes de atizarle al pobre hombre en la nuca.

El otro se volvió hacia el pasillo.

—¡Traed una chaqueta! —bramó—. Uno de los locos está haciendo de las suyas.

Luigi sabía perfectamente lo que era la «chaqueta». Ya se la habían puesto en unas cuantas ocasiones, cada vez que intentaba defenderse de los golpes que le propinaban. Pero la chaqueta era inofensiva en comparación con la silla de tortura. Con solo pensar en la silla a Luigi le temblaba todo el cuerpo. No quería que lo ataran a ella nunca más. Pero ¿qué podía hacer para evitarlo? ¿Comerse aquel puré repugnante a pesar de los retortijones que le provocaba en el estómago y de las ganas que le entraban de vomitarlo? ¿Desnudarse sin oponer resistencia cuando tocaba «baño» y dejar que lo rociaran con agua helada sin rechistar? ¿Quedarse sentado durante horas en la cama aunque viera una araña enorme corriendo por el techo? ¿No mirar hacia la ventana ni siquiera cuando se oían voces y ruidos procedentes del exterior, recordándole que existía algún tipo de vida más allá de aquellos muros? Luigi estaba dispuesto a todo ello, a todo, con tal de no volver a entrar en la sala de torturas.

146

Entretanto, el hombre había parado de alborotar y simplemente se quejaba en voz baja. Los guardas lo habían atado como si fuera un fardo. Ya no parecía una persona, sino un objeto inanimado. De la nariz le brotaba un hilillo de sangre que acabó manchando de color rojo oscuro la tela gris de la chaqueta. Luigi se agazapó, se abrazó las rodillas y cerró los ojos.

Oyó un zumbido a su lado. Agotado, abrió el ojo derecho. Ahí estaba otra vez, el escarabajo de San Juan que había visto ya unos días atrás. Avanzaba poco a poco por la pared, luego abrió las alas y voló hasta el techo. Luigi siguió al escarabajo con la mirada. En su cabeza sonaba una tenue melodía que algo tenía que ver con su vida antes de ese cautiverio. ¿Cuánto tiempo pasaría hasta que desapareciera para siempre ese vago recuerdo de un pasado feliz? ¿Hasta que ya no pudiera hablar ni comprender lo que le decían los guardas? Tenía la sensación de que no era más que un paso minúsculo en dirección a una oscuridad interminable en la que no había nada: no había alegría, pero tampoco hambre y, por encima de todo, no había dolor.

ROMA, PRINCIPIOS DE JULIO DE 1896

—¡Alessandro, termina de una vez! ¡El coche de plaza llegará dentro de una hora! —gritó Renilde, y por tercera vez se miró en el espejo de marco dorado. Su peinado seguía en perfectas condiciones. Durante los últimos diez minutos no se le había despeinado ni un solo pelo.

Alessandro Montessori estaba sentado a la mesa del comedor, envuelto en su batín. Maria ya había supuesto que no se cambiaría para asistir a la defensa pública de su tesis doctoral. No era ningún secreto que su padre desaprobaba la profesión elegida por su hija. ¿Por qué tendría que ser distinto ese día? ¿Solo porque Maria se estuviera enfrentando al último obstáculo?

Renilde se quitó el broche del vestido, pulió el esmalte pintado con un paño de lana antes de volver a abrochar la alhaja exactamente en el mismo lugar y luego fue corriendo a la habitación de Maria.

—¿Estás lista? —preguntó casi sin aliento, como si acabara de terminar una carrera de fondo. Los nervios consiguieron que se le quebrara la voz, a pesar de la firmeza habitual que solía exhibir al hablar.

—Estoy bien, preparada para la presentación —la tranquilizó Maria, y tuvo la sensación de que cuanto más agitada estaba su madre, más calmada estaba ella.

—Todo depende de esta presentación —le recordó Renilde—. Toda tu carrera puede irse al traste de golpe si no te vienen a la cabeza las palabras adecuadas. No quiero ni pensarlo, eso sería horrible.

—¿Por qué iba a suceder algo semejante? —replicó Maria sin querer admitir que a ella también se le había pasado por la cabeza esa posibilidad.

En los últimos días había repasado todos los escenarios adversos posibles, pero siempre lograba apaciguarse pensando que no sería el fin del mundo si no conseguía brillar durante la defensa de la tesis. Resultaría incómodo, eso sí, incluso bochornoso, pero tampoco sería un desastre definitivo. En el peor de los casos tendría que repetir la presentación. Ya había superado los exámenes específicos hacía meses, ¿qué podría salir mal ese día?

Maria sabía que había trabajado con esmero y regularidad, y que durante las últimas semanas se había preparado a conciencia. Aun así, estaba nerviosa, por supuesto, pero también le emocionaba encontrarse tan cerca de exhibir su talento ante los científicos del tribunal. Se propuso disfrutar al máximo del momento de la presentación. Sería el centro de atención y demostraría al mundo que una mujer podía ser tan buena médica como cualquier hombre. Llevaba años esforzándose para poder gozar de ese instante.

—Ponte la cadena dorada con la cruz —le propuso Renilde—. Que todos los asistentes vean que eres una buena cristiana y que agradeces al Señor que te haya obsequiado con esa mente tan privilegiada.

En realidad, Maria habría preferido prescindir de la joya, pero también pensó que su madre probablemente tuviera razón. Con la cruz conseguiría frustrar a los opositores militantes de las activistas de los derechos de la mujer, puesto que no se presentaría como un marimacho beligerante, sino como una joven encantadora, inteligente y decente que de todos modos reclama la igualdad de derechos para los hombres y las mujeres. Era la forma de combatir a esos sabelotodos con sus propias armas.

—¿Quieres volver a repasar la introducción? —le preguntó Renilde.

Sobre el tocador se encontraban los apuntes escritos con la letra de Maria para el discurso de presentación de su tesis sobre la manía persecutoria, cuyo título era *Contributo clinico allo studio delle allucinazioni a contenuto antagonistico*. Lo había redactado cumpliendo con todos los requisitos: había seleccionado un tema que guardaba relación directa con sus estudios y para el que no existían conclusiones definitivas. Y puesto que ya estaba trabajando en la clínica psiquiátrica, no había nadie capaz de poner en duda su competencia en el área elegida. De hecho, la semana anterior, Maria había recibido una oferta para prolongar su colaboración en la clínica.

—No, mamá. Ya podría recitar el texto entero de memoria incluso si me despertaras a media noche para preguntármelo.

Renilde tomó aire y lo expulsó con vehemencia. Por primera vez desde que Maria podía recordar, no era la madre la que apaciguaba a su hija, sino al revés. Renilde estaba tan nerviosa como si tuviera que defender la tesis ella misma. Entró en la habitación claramente agitada, se acercó a Maria y le dio un fuerte abrazo. Maria notó el corazón acelerado de su madre en el pecho y olió el agua de rosas con el que se había perfumado el pelo.

—No te decepcionaré —le prometió Maria.

—Ya lo sé —respondió su madre, a la que se le quebró la voz de repente. Al oírla, Maria se dio cuenta de que su madre tenía los ojos inundados de lágrimas—. Estoy muy orgullosa de ti, Maria. Ojalá tu padre también fuera capaz de demostrarte lo orgulloso... —dijo sin poder terminar la frase.

—¿Qué estás diciendo sobre mí? —dijo Alessandro desde el umbral de la puerta. Había cambiado el batín por su mejor traje, el que solo se ponía para las ocasiones especiales. Bajo el brazo derecho llevaba un sombrero de copa—. Esto me lo pondré luego, cuando hayamos salido de casa —se disculpó—. No sabéis lo incómodo que es.

Maria no se atrevió a formular la pregunta que terminó pronunciando su madre en su lugar. Se habría decepcionado demasiado si su padre le hubiera dicho en ese instante que tenía que acudir a una cita de negocios.

—¿Vienes con nosotras? —preguntó Renilde, sorbiéndose los mocos y sacándose un pañuelo del bolsillo de la falda para secarse los ojos con unos toquecitos.

—Por supuesto, ¿cómo quieres que me pierda la defensa de tesis de Maria? —preguntó Alessandro—. Hoy mi única hija recibirá el documento que la acreditará como una de las primeras médicas de Italia. ¿Pretendéis que me pierda algo semejante?

Su mirada se volvió más tierna y una sonrisa apareció en sus ojos oscuros. Maria se sintió arrollada por una verdadera oleada de gratitud que amenazaba con superarla. No quería llorar, no quería que le quedaran los ojos enrojecidos, pero la garganta se le cerró sin remedio. Su padre estaba orgulloso de ella. ¿Cuándo había sido la última vez que se lo había demostrado de ese modo?

—Muchas gracias, papá —susurró Maria. Apenas hubieron salido esas palabras de su boca, ella también tuvo que usar el pañuelo. Su madre le tendió el suyo, un tejido blanco decorado con finas puntas que Flavia se había esmerado en almidonar y planchar una vez lavado.

Justo en ese instante, la criada apareció por el pasillo, arrastrando los pasos por el suelo de parqué.

—Ha llegado el coche de plaza —anunció.

—Entonces deberíamos ponernos en marcha, no sea que el conductor pierda la paciencia y se marche de nuevo. Llegar tarde hoy sería de lo más inadecuado —dijo Alessandro, ofreciéndole el brazo a Maria—. ¿Me permite acompañarla, *signorina dottoressa*?

La felicidad que ya sentía Maria en ese instante se volvió aún más intensa. Tuvo la sensación de estar andando entre las nubes. Con plena confianza, aceptó el brazo que le tendía su padre. Juntos salieron del pequeño hogar familiar. Tanto Maria como sus padres sabían que esa tarde las cosas dejarían de ser como hasta entonces. Maria ya no sería una estudiante, puesto que habría terminado la carrera de Medicina.

Maria no había visto jamás las salas de la universidad tan llenas. El acto de presentación parecía una pequeña fiesta popular. Habían acudido estudiantes y profesores, pero también un buen número de espectadores que se habían enterado del acontecimiento por los periódicos. Todos querían oír hablar a esa joven y encantadora *dottoressa*. A Maria le pareció detectar incluso a unos cuantos periodistas, hombres vestidos con traje y pequeños cuadernos de notas en la mano que inclinaban la cabeza con curiosidad. Maria entró por un amplio vestíbulo, acompañada por sus padres. ¿Cuántas veces había hecho ese recorrido sola durante los últimos años? Ese día tuvo que abrirse paso entre la multitud. No podía creer que toda esa gente se hubiera congregado solo para escucharla. ¿Estaban interesados en lo que tuviera que decir o esperaban con maliciosa ilusión que se equivocara en algún momento?

De reojo, Maria vio como Testoni le lanzaba una mirada de animadversión. La voz cargada de odio de su compañero de clase le llegó con claridad a pesar del gentío.

—Hoy por fin quedará en ridículo la estudiante ejemplar y mañana los periódicos se encarnizarán con ella. Mira que dar un discurso científico enfundada en un vestido, y encima un vestido tan feo... ¡Es lamentable!

Maria bajó la vista hacia su ropa con preocupación. ¿El vestido era feo? Era sencillo y oscuro, sin volantes ni decoraciones superfluas, sino de una elegancia atemporal, y llevaba el corsé bien apretado para que su cintura pareciera más estrecha de lo que era realmente.

No logró comprender la réplica del estudiante que estaba junto a Testoni, pero también le pareció hostil. ¿Él también la consideraba poco atractiva? Pero ¿por qué le preocupaba tanto su aspecto físico? ¿Acaso no era algo secundario? Lo único importante ese día era el discurso que estaba a punto de ofrecer, la manera que eligiera de defender su tesis. Sin embargo, aquellas palabras llenas de malicia la estaban afectando.

Maria se quedó mirando a sus dos colegas. Testoni tenía mal aspecto. Le había tocado defender su tesis esa misma mañana y probablemente no había obtenido la nota deseada. De repente, Maria se dio cuenta de que Testoni no era el único que se estaba fijando en ella, sino que había muchas más personas cuchicheando y tapándose la boca con la mano. Maria llegó a oír un par de fragmentos sueltos aquí y allá. ¿Por qué solo le llegaban los comentarios negativos?

—Otra de esas mujeres que se creen más listas que los hombres.

—Un marimacho. Te aseguro que yo no me dejaría curar por una mujer así. Antes prefiero estirar la pata a que me toque una de esas.

—Las mujeres no están hechas para desempeñar la labor de un médico.

—Lo que debería hacer es buscarse un marido y dedicarse a tener hijos.

Maria se esforzó en ignorar aquellos comentarios, pero no lo consiguió. Todo lo contrario, fue como si cada vez los oyera con más claridad. Tenía la sensación de que toda la gente que la estaba aguardando iba con malas intenciones. El corazón empezó a latirle más deprisa y el sudor le humedeció las manos. Además, la agitación de su madre también fue en aumento. Maria se dio cuenta de que Renilde temblaba debido a la creciente tensión del momento. ¿Dónde estaba esa felicidad que la había invadido con tanta claridad al salir de casa? Debía de haberla perdido mientras subía la escalera de la universidad. El padre de Maria tenía una expresión gélida instalada en el rostro, era imposible discernir lo que debía de estar pasándole por la cabeza. ¿Estaba oyendo él también todos aquellos comentarios maliciosos acerca de su hija? ¿Se arrepentía de haber decidido asistir y deseaba haberse quedado tranquilamente en su casa?

Con pasos apresurados, Maria atravesó la multitud congregada frente al salón en el que debía dar su discurso. Por un instante sintió el impulso de dar media vuelta y huir corriendo. ¿Qué sentido tenía luchar cuando todos estaban contra ella? Justo cuando el miedo que sentía amenazaba con superarla, una mujer esbelta y encantadora surgió entre la multitud.

—¡Anna, cuánto me alegro de que hayas venido! —exclamó Maria con genuina alegría.

El mero hecho de ver allí a su amiga tuvo un efecto sorprendentemente apaciguador. La sonrisa cargada de optimismo que exhibía Anna consiguió que Maria se sintiera mejor de repente. Anna era una persona de aspecto frágil, pero en esos momentos Maria la percibió como una verdadera roca a la que podía asirse para superar todos los comentarios negativos que pudieran proferir los asistentes.

Anna la abrazó con calidez.

—Estás deslumbrante —le susurró al oído—. Si tu discurso es la mitad de bueno que tu aspecto, los dejarás fascinados.

Justo las palabras que Maria necesitaba oír. Fueron un verdadero bálsamo para su alma.

—Mi discurso será mejor —le aseguró Maria en voz tan baja que solo Anna pudo oírlo.

—Entonces nada puede fallar. Demuestra a esos profesores presuntuosos de lo que es capaz una mujer guapa e inteligente.

Anna retrocedió un paso y contempló a su amiga con tanta confianza que los nervios de Maria quedaron reducidos de nuevo a un nivel más que soportable.

—Me tendrás sentada en la primera fila —le prometió Anna—. Si necesitas ver a una cara amiga, allí estaré yo —le aseguró, señalándose el pecho con los dos pulgares.

—¡Gracias, Anna! —exclamó Maria, estrechándole las manos a su amiga.

Acto seguido, la puerta del salón de fiestas se abrió. Unas cuantas filas ya estaban ocupadas por espectadores que se habían quedado dentro tras la presentación anterior. Si Anna realmente quería hacerse con un lugar en la primera fila, tendría que darse prisa.

Sobre un pequeño escenario había un púlpito. A su lado, una mesa a la que estaba sentado Bartolotti, y donde se colocarían también los demás profesores que tenían que evaluarla. Bartolotti llevaba puesta una toga decorada con pieles y un gorro de aspecto medieval, mientras que algunos de los estudiantes que ocupaban los bancos destinados al público iban vestidos de frac. Por la formalidad de su vestimenta se notaba que eran alumnos que defendían sus respectivas tesis ese mismo día.

Un bedel de la universidad le hizo señas a Maria para que se le acercara. Él también se había acicalado al máximo para la ocasión. Llevaba el cuello de la camisa impecable y el pelo bien peinado.

—*Signorina*, acompáñeme, por favor. Ya la están esperando.

Maria se volvió una vez más hacia sus padres. La mirada atemorizada de su madre le disparó de nuevo el corazón, aunque esa vez no se dejó llevar por los nervios. Prefirió centrarse en la confianza que le transmitía Anna.

«Dentro de pocas horas seré una de las primeras médicas de Italia», se dijo Maria, y lo pensó con tanta determinación que parecía que ya hubiera soltado el discurso. A continuación siguió al bedel hasta el púlpito. Había llegado el momento por el que tanto había estado luchando durante los últimos años, y estaba dispuesta a superarlo con creces. Dos ojos azules le sonreían con plena confianza desde la primera fila.

Un destello brillante estalló con un silbido en el aparato que el fotógrafo sostenía con la mano derecha. Tenía la cabeza oculta por una tela oscura. Se levantó un poco de humo y en el aire quedó suspendido un olor a azufre quemado.

—¡*Signorina* Montessori, me gustaría hablar con usted un momento, por favor! —dijo un periodista mientras se acercaba a ella. Maria ya había bajado del púlpito y los aplausos atronadores empezaban a aplacarse poco a poco.

El salón de fiestas se había llenado hasta los topes con motivo de la defensa de su tesis. Hombres y mujeres elegantes se habían apiñado en los estrechos bancos para poder escucharla. Muchos espectadores tuvieron que seguir la defensa de pie, y algunos incluso se terminaron conformando con oírla desde el pasillo. Durante el discurso habían dejado las puertas del salón abiertas para complacer también a los oyentes que se habían quedado fuera. Por suerte, Maria hablaba alto y claro, de manera que todos habían podido comprender lo que decía a la perfección.

—¿Me concede una pequeña entrevista? —le pidió el periodista—. ¿Cómo se le ocurrió la idea de convertirse en médica? —preguntó el tipo, con el bloc de notas preparado en una mano, el lápiz en la otra y una expresión de evidente agobio en el rostro.

—¡Solo una fotografía más, por favor! —exclamó el fotógrafo antes de desaparecer bajo la tela negra.

Maria no sabía qué tenía que hacer primero: si posar para la fotografía o responder las preguntas de los periodistas.

Justo entonces llegaron dos reporteros más, también equipados con cuadernos y lápices. El interés de la prensa por la joven médica era impresionante. Por fin Italia también tenía una *dottoressa* que pudiera presentar al mundo con orgullo. Parecía como si Maria y su título universitario se hubieran convertido en una especie de rótulo publicitario de la Italia moderna.

—¿Cómo quiere que me coloque? —preguntó ella.

—Un poco más a la derecha. Sí, así, exacto. —El periodista cogió a Maria por un codo y la empujó levemente hacia un lado hasta que el fotógrafo quedó satisfecho—. Y ahora, por favor, sonría.

El flash soltó otro destello deslumbrante y el olor a azufre hizo toser a Maria.

Desde la fila de atrás, una joven pasó por delante de todos los periodistas. Maria la reconoció: era Rina Faccio. Estaba deslumbrante, con un vestido entallado de color azul celeste con puntas negras. Igual que durante su último encuentro, llevaba una corbata alrededor del cuello, aunque su apariencia grácil le restaba significado político al accesorio.

—*Signorina dottoressa!* —exclamó Rina Faccio, que en lugar de llevar un bloc de notas y un lápiz agitaba en el aire un abanico negro con los mismos ribetes que el vestido—. ¿Representará a Italia en el Congreso Internacional de la Mujer de Berlín?

El periodista que estaba al lado de Maria arqueó las cejas, entusiasmado.

—Es una idea fantástica —exclamó antes de garabatear unas palabras en su bloc de notas—. Nadie podría hacerlo mejor que usted, *signorina*. Una mujer encantadora que no ha perdido su feminidad a pesar de dedicarse a una profesión tan seria. Formidable, lo mencionaré en mi artículo.

—¿Es cierto que tuvo que diseccionar cadáveres? —preguntó un hombre robusto que estaba junto a Rina Faccio. Su ropa parecía vieja y gastada, y llevaba el cuello de la camisa ennegrecido por la mugre. Sin embargo, a Maria le pareció que también formaba parte de la prensa porque, igual que los demás, iba armado con un bloc de notas y un lápiz. Bajo el brazo llevaba un ejemplar de *La Nazione*.

—Soy médica y cirujana —respondió Maria—. ¿Cómo podría operar a una persona sin conocer su anatomía?

—Sí, claro —replicó el tipo—. ¿Y cómo se sintió la primera vez que tuvo que llevar a cabo una disección?

—Tan mal como cualquiera de mis colegas masculinos —contestó Maria—. Nunca es agradable, pero esa clase de ejercicios son necesarios. Son la única manera de comprender cómo funciona el cuerpo humano.

—¿Cree que Dios habría querido que las mujeres desempeñaran una profesión así?

—¿Qué tiene que ver Dios en esto? —contratacó Maria—. Cuando creó a las personas, los dos sexos eran igual de importantes. ¿Por qué si no basó la supervivencia del ser humano en la colaboración entre hombres y mujeres?

Se oyeron unas risas apocadas y Maria aprovechó para hacer una pausa, de manera que los periodistas tuvieran tiempo de anotar sus palabras.

—Me parece un gran privilegio poder contribuir en el futuro a la salud de los hombres y las mujeres.

—Qué explicación tan fantástica —murmuró un periodista, a su lado—. Solo una mujer podría definirlo de un modo tan modesto.

Maria descubrió a Anna abriéndose paso entre todos aquellos hombres, con encanto y sin tener que recurrir a los codazos. Tal como había prometido, su amiga se había sentado justo delante de ella durante la defensa de la tesis, y en esos momentos se le acercaba con un ramo de flores enorme en las manos. ¿De dónde lo había sacado? Con una amplia sonrisa se lo ofreció a Maria.

—¡Has estado genial! —exclamó Anna, abrazando a su amiga. Entonces le susurró al oído—: A decir verdad, no

161

he comprendido ni una sola palabra de lo que has dicho, pero te aseguro que eres una oradora excelente.

El periodista que estaba a su lado, no obstante, oyó las palabras de Anna.

—Tiene toda la razón —convino—. La *dottoressa* es realmente una gran oradora y sería una representante perfecta para nuestra Italia moderna en el Congreso Internacional de la Mujer que se celebrará en Berlín. Estoy seguro de que los otros países no tendrán a una médica tan joven y encantadora como nosotros. Deberíamos estar orgullosos de usted, *signorina* —sentenció antes de garabatear unas cuantas palabras más en su bloc de notas—. ¿Lo considerará, *signorina* Montessori?

Maria se rio, halagada.

—Si me lo ofrecen de forma oficial, por supuesto que lo pensaré.

A continuación, miró por encima del hombro del periodista y en la última fila de la sala descubrió a su colega Giuseppe Montesano. A pesar de la elegancia exigida, parecía de lo más cómodo vestido de frac, lo que probablemente se debiera a su densa cabellera rizada.

A Maria el corazón le dio un vuelco. Había acudido. Tal como había prometido.

—¿Alguna pregunta más? —dijo, arqueando las cejas y mirando a los periodistas con expectación.

Los reporteros repasaron sus blocs de notas y negaron con la cabeza.

—Creo que ya tengo lo necesario para escribir un artículo fantástico sobre usted —aseguró el periodista que le quedaba más cerca.

—Entonces, discúlpenme, por favor —dijo Maria con una sonrisa mientras pasaba entre los hombres de la prensa—. Vuelvo enseguida —le susurró a Anna al oído.

La amiga la siguió con la mirada y sonrió al ver qué se proponía Maria. Antes de que un reportero más bajito pudiera seguir haciéndole más preguntas, Anna inició una conversación con él para distraerlo.

—¿Para qué periódico trabaja usted? —preguntó con fingida curiosidad, y además añadió un pestañeo para no dejarle otra opción al reportero que dedicarle toda su atención.

Montesano, en cambio, solo tuvo ojos para Maria. No la perdió de vista en ningún momento y no ocultó su fascinación. Cuando ella se acercó más, se apartó de la pared con los codos y fue a su encuentro. Fue entonces cuando Maria se dio cuenta de que sostenía una rosa roja de tallo largo en la mano.

—Para la *dottoressa* más encantadora del país —dijo con un tono de voz tierno mientras le ofrecía la flor.

—Muchas gracias —respondió ella, apocada—. ¿Le ha gustado mi discurso?

—Debo admitir que me ha costado seguirlo.

—¿Cómo dice? —replicó Maria, dando un paso atrás, desconcertada—. ¿Es que no articulaba bien? ¿O tal vez el tono era demasiado aburrido?

Montesano rechazó las hipótesis con un gesto de la mano.

—Ni una cosa ni la otra —se apresuró en asegurarle—. Es que he quedado tan impresionado por su elegancia y su belleza que no podía concentrarme en la inteligencia de sus palabras —explicó con una media sonrisa en los labios.

Al principio, Maria no supo interpretar si se estaba burlando de ella, pero luego las mejillas se le sonrojaron. Por primera vez esa tarde, no le vino a la cabeza ninguna réplica adecuada.

Montesano pareció disfrutar del efecto sorpresa. Sonrió, se acercó más a ella y le susurró:

—Espero que recuerde la promesa que me hizo.

Por supuesto, Maria no la había olvidado. De hecho, lo único que deseaba era que él también se acordara.

—¿A qué se refiere? —preguntó ella de todos modos.

Fue evidente que él se dio cuenta de que la ignorancia era fingida, porque esbozó una amplia sonrisa antes de aclararlo.

—Me gustaría invitarla a un pícnic junto al Tíber.

—¿Un pícnic? —repitió Maria con asombro. Se había imaginado un paseo y una visita a un café. Un pícnic era una propuesta mucho más íntima.

—¿Le parece una proposición demasiado atrevida? —preguntó Montesano.

Maria reflexionó unos instantes. En secreto se sintió halagada, y luego negó con la cabeza.

—No, ¿por qué? Al fin y al cabo, habrá más gente paseando.

—Por supuesto —dijo Montesano, aunque la manera en la que contestó dejó cierto margen para la fantasía.

A Maria le gustó esa forma de responder.

Montesano miró por encima de su hombro.

—Creo que deberíamos dejar aquí la conversación —opinó—. La gente está esperando poder hablar con usted.

Maria se dio la vuelta. Junto al púlpito vacío se encontraban el profesor Bartolotti y unos cuantos colegas suyos. El profesor le hizo señas a Maria para que se acercara a ellos.

—Nos vemos mañana en la clínica —dijo Montesano.

—¡Sí!

A regañadientes, Maria se despidió de él y regresó al centro de la sala. En una de las filas traseras descubrió a su madre, que parecía haber observado con atención la conversación que había mantenido con Montesano y lo demostraba con una expresión de inquietud. Con pasos cortos y apresurados, se acercó a Maria y la abrazó.

—¿Quién era ese? —preguntó con incomodidad.

—Un colega de trabajo.

—Pues parece como si tuvierais mucha confianza.

—No es más que un compañero que me ha felicitado por mi éxito —explicó Maria. No le apetecía nada hablarle de Montesano.

Por suerte, Alessandro Montessori llegó detrás de su esposa. Parecía conmovido.

—Estoy muy orgulloso de ti —le dijo a Maria, agarrándole las manos y dándoles un fuerte apretón. Las tenía frías, una muestra de lo nervioso que estaba. Un par de horas antes, Maria no habría creído posible que su padre fuera capaz de dedicarle un cumplido como ese. Aquello la emocionó más que cualquier muestra de admiración.

—¡Gracias, papá! —exclamó. Entonces vio a Bartolotti haciéndole señas desde el fondo de la sala—. Discúlpame, el profesor me está esperando.

Maria se apartó de sus padres, pero sospechó que su madre no se olvidaría fácilmente de Montesano. Seguro que una vez en casa le preguntaría de nuevo por él.

ROMA, AGOSTO DE 1896

—Es muy amable por tu parte que me acompañes, mamá.

Maria se vio obligada a caminar más despacio, puesto que su madre tenía claros problemas para seguirle el ritmo.

—No hay nada que agradecer —jadeó Renilde—. ¿Quién más puede presumir de tener una hija médica cuya fotografía ha aparecido en los periódicos más prestigiosos del país?

Renilde no ocultaba lo orgullosa que estaba de su hija. Desde el fantástico discurso de clausura no había habido un solo día en el que no hubieran acudido invitados al hogar de los Montessori para felicitar a la nueva *dottoressa* por su éxito. Habían ido a visitarla amigos y parientes, pero también antiguos vecinos y colegas de trabajo del padre de Maria. Todo el Ministerio de Hacienda había pasado por allí, desde el mismísimo ministro hasta los criados, y todos quisieron estrechar la mano de la joven médica. Nunca se habían horneado tantos dulces en esa casa como durante ese tiempo. Renilde se ocupó de que ninguna visita se marchara sin tomarse un café y degustar unos *cantuccini*. Durante esas semanas, Flavia se superó a sí misma, preparando café sin descanso, limpiando tazas de porcelana y untando panecillos con crema de tomate, la alternativa salada a los *cantuccini*.

—¿De verdad te parece bien que viaje a Alemania como delegada de nuestro país y hable en público durante un congreso? —preguntó Maria para asegurarse. El día anterior había recibido la carta con la invitación oficial para participar en el evento. La decisión del comité de ofrecérselo a la joven *dottoressa* había sido unánime.

—¡Por supuesto que sí! —respondió Renilde. Se detuvo un momento, se llevó la mano a un costado y se apoyó con la otra en la sombrilla floreada que utilizaba como bastón—. Caminas demasiado deprisa para tu anciana madre.

—¡Disculpa!

Cuando Renilde reemprendió la marcha, Maria intentó ir más despacio. Pasaron junto a la Fontana di Trevi, uno de los últimos monumentos encargados por los papas barrocos antes de perder el poder que tenían sobre el Estado.

Entretanto, Maria tenía la sensación de andar a paso de tortuga. Su madre se detenía con demasiada frecuencia. Una vendedora ambulante salió a su encuentro cargada con una cesta repleta de ramilletes de rosas.

—¿Les apetece decorar su salón con un ramo de rosas? Las flores tienen un aroma fabuloso y les perfumarán el salón durante al menos dos semanas.

Maria rechazó el ofrecimiento con amabilidad. Gracias a las visitas y felicitaciones que habían recibido, todos los jarrones de la casa estaban llenos. Incluso había tenido que llenar un cubo de agua para poder regar todas las flores con que la habían obsequiado. La vendedora se alejó, decepcionada, en busca de otra clienta.

—Por cierto, ahora que veo las rosas —dijo Renilde con fingida indiferencia, puesto que Maria sabía muy bien lo que vendría a continuación.

Evidentemente, a su madre no se le había escapado que Montesano le había regalado una rosa tras el discurso, y eso que Maria había intentado ocultarla en el ramo que le había dado Anna. Hasta ese momento, había logrado esquivar las preguntas acuciantes de su madre, y su silencio no había sido forzado, puesto que realmente no había vuelto a coincidir con su compañero de trabajo en las últimas semanas. Debido a un asunto familiar, Montesano había tenido que marcharse de Roma al día siguiente del discurso, y ella había estado de lo más ocupada recibiendo felicitaciones.

Una periodista había acudido a visitarla a su casa para entrevistarla en profundidad. Durante la conversación, Maria se había presentado como una médica joven y brillante que, no obstante, no rehuía las tareas domésticas y de vez en cuando echaba una mano fregando la vajilla o cocinando. El artículo acabó apareciendo en tres periódicos de tirada nacional y consiguió que la fama de Maria se extendiera aún más. A esas alturas no había nadie en Italia que leyera el periódico y no conociera su rostro.

—¿Ya has vuelto a encontrarte con tu colega? —preguntó Renilde, arrancando a su hija de sus cavilaciones.

—En estos momentos no está en Roma —le explicó, fiel a la verdad.

—Pero tienes previsto verle de nuevo —insistió entonces la madre.

—Es un compañero, trabajamos juntos cuatro días a la semana.

Tras el discurso de clausura, Maria había firmado otro contrato laboral que le había permitido aumentar el número de horas que dedicaba a la clínica. Para ello había tenido que renunciar a las dos otras plazas de residencia y seguía buscando un lugar adecuado para establecer su propia consulta privada.

—Tener una relación profesional con alguien es una cosa, pero citarse en privado es otra muy distinta —constató Renilde—. Espero que renuncies a lo segundo —añadió.

—¿Qué tendría de malo si viera al doctor Montesano en un contexto ajeno al trabajo? Es un hombre inteligente y divertido —dijo Maria, tan incomodada por el tema de conversación como su madre.

Renilde intentó recuperar el aliento una vez más. No estaba acostumbrada a que su hija se enfrentara a ella de ese modo, y encima Maria había vuelto a acelerar el paso.

—Has logrado acabar una carrera muy difícil estando soltera —suspiró Renilde—. Piensa en todas las humillaciones, trabas y dificultades que has tenido que superar. Has luchado con valor contra todas las adversidades que se te han presentado para conseguir tu objetivo, y lo has conseguido. Igual que un peregrino, te hallas al término de un duro viaje, en la cima de una montaña que has coronado gracias a tu persistencia. Puedes contemplar todas las posibilidades que de repente tienes a tus pies y decidir con calma —dijo Renilde, abriendo más los ojos antes de continuar—. No quiero que un hombre se interponga en ese camino.

Maria se quedó mirando a su madre, que claramente acusaba su avanzada edad pero seguía demostrando la misma energía de siempre. Era una verdadera roca inquebrantable en medio de las olas. Renilde había constituido siempre un refugio para su hija, por muy inhóspitas que fueran las circunstancias. Maria recordaba a la perfección cómo la había recibido con un plato de sopa y pan recién horneado cuando volvía a casa tras un largo día de estudio, cómo la había alentado cuando había dudado de sí misma y cómo la había ayudado a superar las trabas impuestas por sus compañeros masculinos. Siempre había encontrado las palabras adecuadas para motivarla a continuar luchando. El estrecho vínculo que se había formado entre ellas dos no podía romperse en aquellos momentos solo por que hubiera un hombre al que Maria encontraba interesante. No obstante, sabía que no podía hablar con su madre acerca de Montesano. Renilde solo intentaría disuadirla para que no quedara con él en privado. A esas alturas Maria no estaba dispuesta a aceptar prohibiciones de ningún tipo, ni siquiera de su propia madre.

—Es que me preocupo —aclaró Renilde.

—No tienes por qué —intentó tranquilizarla Maria—. No dejaré que nada eche mi futuro por los suelos —aseguró, omitiendo lo mucho que deseaba ver a Montesano.

—Maria, no tienes ni idea —dijo Renilde con tristeza—. En este mundo, las mujeres vivimos a merced de los hombres. En cuanto te enredas con uno, dejas de estar segura. Ellos se divierten, pero son las mujeres las que se quedan en casa con los niños.

Maria tragó saliva. ¿Qué quería decirle su madre con todo eso? ¿Tal vez que ella había tenido que renunciar a su vida después de haberse quedado embarazada?

—Mamá, soy médica —le recordó Maria con severidad—. Estoy al corriente de cómo se quedan embarazadas las mujeres y por qué.

Maria no recordaba haber visto a su madre avergonzada hasta ese momento. Renilde hundió la mirada un instante antes de proseguir con sus advertencias.

—Espero que seas consciente del peligro que corre una mujer cuando empieza a verse con regularidad con un hombre.

—No pienso comprometer mi futuro como doctora —le repitió Maria. Una vez detectado el miedo en los ojos de su madre, fue incapaz de enfadarse con ella. Con todo el cariño del mundo, le agarró las manos y les dio un apretón afectuoso—. No quiero que temas nada. Soy una mujer adulta que sabe perfectamente lo que quiere alcanzar en la vida. Y siempre te agradeceré que me hayas apoyado tanto.

Al oír esas palabras, a Renilde se le humedecieron los ojos. Maria había dado en el clavo.

—Solo quiero... quiero que seas feliz.

—Ya lo sé, y te puedo garantizar que en estos momentos lo soy, mucho. Lo que me gustaría es que confiaras en mí. Me convertiré en una médica de prestigio, te lo prometo. Puede que en la más famosa de Italia —aseguró Maria, y enseguida se rio de su propia exageración.

Sin embargo, Renilde se tomó esas palabras completamente en serio.

—¡Justo ese ha sido siempre mi objetivo!

Durante unos momentos, las dos se quedaron en silencio. Luego Maria soltó las manos de su madre.

—Bueno, sigamos. Al fin y al cabo, sería una falta de respeto llegar tarde. El comité me está esperando. Estoy impaciente por saber qué me pedirán. En la carta solo mencionaban mi participación en el congreso.

—Seguro que querrán que hables frente a los delegados. ¿Querrás que te acompañe también a ese discurso?

Maria se rio.

—¿No crees que eso ofrecería una imagen algo extraña? ¿Una médica a la que su madre tiene que acompañar de la mano hasta el estrado? No, iré sola. Pero te prometo que luego te lo contaré todo, y con todo lujo de detalles. Igual que te contaba siempre mis clases.

Las palabras de Maria parecieron conmover una vez más a Renilde. La madre asintió.

—Junto al Palazzo hay un pequeño parque —agregó Maria— en el que una dama sin compañía puede pasar tranquilamente el rato leyendo el Libro de Horas a la sombra de un ciprés.

—No —respondió Renilde con decisión—. Eso resultaría indecoroso. Ya lo había previsto, de manera que me encontraré en el café del parque con dos amigas. Un *semifreddo* me sentará de maravilla.

—Me parece muy bien —dijo Maria, aliviada—. ¡Así no sufriré por si te estoy haciendo esperar!

Florence Piavelli había nacido en Inglaterra y se había casado con un adinerado aristócrata de Roma, pero el salón de su casa estaba decorado siguiendo el estilo de su patria natal. Había cortinas floreadas cubriendo los ventanales, las paredes estaban revestidas de madera y en el fondo de la estancia había una enorme chimenea abierta, con una repisa repleta de toda clase de chismes, figuras de porcelana y flores secas. Tanto el sofá como las pesadas butacas estaban tapizados con tejidos de inspiración oriental. Sobre una mesita habían servido el té en tazas de porcelana decoradas con filigranas, así como panecillos con mostaza y pepino. Maria tenía en la mano una taza de té con leche y azúcar, pero no comió nada porque no soportaba la mostaza.

Tenía a tres mujeres sentadas frente a ella. A Rina Faccio ya la conocía, mientras que las otras dos eran la anfitriona, Florence Piavelli, y Augusta Renaldo. Junto con Vivian Sforzi constituían el comité nacional del movimiento por los derechos de la mujer y estaban decidiendo quién acudiría a Berlín para representar a Italia.

—Rina nos ha contado el fantástico discurso que ofreció en La Sapienza —dijo Piavelli.

La anfitriona hablaba con acento británico y tenía la piel muy blanca, como era de esperar en una inglesa. Esas características eran tan envidiadas por cualquier romana como su pelo rubio, que en lugar de llevar recogido formaba ondas sobre sus hombros como si fuera oro líquido. No obstante, tampoco podía afirmarse que la *signora* Piavelli fuera precisamente una belleza. Tenía los dientes demasiado grandes, demasiado largos, y unas facciones más bien equinas.

—Cuando lo oí, enseguida tuve claro que es usted la mujer más adecuada para representarnos en Berlín —explicó Rina Faccio, aplaudiendo con emoción.

Ninguna de aquellas tres damas correspondía a la imagen tradicional de las luchadoras por los derechos de la mujer que Maria había visto en los periódicos internacionales. Había esperado encontrar a tres mujeres serias, con expresiones grises y hasta amargadas, y vestidas casi de uniforme, exigiendo de un modo militante los derechos de las mujeres. Sin embargo, delante de ella había sentadas tres mujeres vivarachas de la clase alta de Roma, interesadas por temas sociales sin haber tenido contacto alguno con los estratos más desfavorecidos de la ciudad. Y le pareció aún más interesante el hecho de que la hubieran elegido precisamente a ella para hablar en Berlín en nombre del país.

—Muchas gracias por sus palabras, son muy halagadoras —contestó algo apocada.

—Es que parece usted predestinada para esta tarea —dijo Augusta Renaldo. Maria sabía que la aristócrata estaba muy interesada en el arte y que incluso utilizaba el pincel y los colores de vez en cuando, aunque con resultados mediocres. Se lo había contado Anna—. Ha conseguido introducirse en el mundo de los hombres y habla con claridad sin dejarse impresionar por ellos.

Maria sonrió.

—Me he movido durante tanto tiempo por un mundo dominado por hombres que creo saber bien cómo piensan. Nuestro objetivo debe ser convertirlos en nuestros amigos, en lugar de enemistarnos con ellos. No obstante, debemos luchar para defender nuestros derechos. Y creo que solo hay una manera de lograrlo: trabajando juntos hombres y mujeres.

Rina Faccio reaccionó a esas palabras con otro aplauso.

—¿No es fantástica? —exclamó buscando la aprobación de sus colegas, que asintieron con satisfacción.

—Estamos convencidas de que estará a la altura de la situación. ¿Qué le parece, pues? ¿Acepta nuestra oferta? —preguntó Augusta Renaldo, inclinándose hacia Maria.

—¿Sobre qué tema tendría que hablar? —quiso saber Maria.

—Sobre la diferencia salarial entre hombres y mujeres. Como seguramente ya sabe, la injusticia en ese sentido es abrumadora. Hay mujeres que se ven obligadas a trabajar jornadas de veinte horas sin que les alcance siquiera para alimentar a sus hijos. Si no tienen un hombre que traiga dinero a casa, las mujeres están condenadas a vivir en la pobreza. Algunas incluso se ven obligadas a prostituirse. Se estima que una de cada cuatro mujeres de Roma recurre a esos ingresos adicionales para no vivir con el agua al cuello.

Aunque Maria estaba al corriente de esas injusticias sociales, la cifra la conmovió profundamente. El corazón se le encogió de repente al pensar en la *signora* Rana y sus hijos, a los que no había podido ayudar.

—Este tema es muy importante y me encantaría abordarlo en mi discurso —afirmó con decisión. El cuerpo demacrado de la *signora* Rana apareció en su mente con tanta claridad que tuvo que parpadear para disipar la imagen.

—Fantástico. En nuestra opinión, es un tema que hasta el momento ha sido ignorado de manera injusta. Aunque también quedan otros problemas por resolver. Si las mujeres tuvieran más dinero, no dependerían tanto de sus maridos —dijo Rina Faccio.

—Los costes derivados del desplazamiento y el alojamiento, por supuesto, correrán a cargo de la asociación —aclaró Augusta Renaldo—. Por desgracia no podremos pagar todos los gastos adicionales, parte de la manutención tendrá que costeársela usted misma. Pero, por lo que sé, su madre ya se ha puesto en contacto con la administración de su ciudad natal, y están tan orgullosos de usted que ya han reunido el dinero necesario para que no le falte nada durante el viaje.

Maria se quedó sin habla. ¿En qué momento se había ocupado su madre de ello? ¿Y por qué no le había dicho nada al respecto?

Rina Faccio detectó la mirada de confusión que había aparecido en el rostro de Maria.

—Hace unos días me topé con su madre de forma casual en la tienda de guantes. Hablaba con tanto orgullo de su éxito que la reconocí enseguida. Estuvimos charlando acerca de su fantástico discurso de clausura y del artículo que apareció sobre usted en los periódicos. Entonces fue cuando su madre mencionó que usted no había recibido todavía nuestra carta, y también que no tenía ninguna duda de que estaría usted dispuesta a apoyar nuestra causa. Supuse que no sería un inconveniente comentar con su madre las condiciones económicas —aclaró, tras lo que hizo una pausa—. ¿Es posible que su madre quisiera darle una sorpresa con la carta de su ciudad natal? —añadió, y enseguida se tapó la boca con la mano—. Ay, Dios. Creo que acabo de estropear la sorpresa.

—Usted no podía saber que mi madre no me había contado nada al respecto —dijo Maria para tranquilizarla.

A pesar de las buenas intenciones de Renilde, un sentimiento de ira se apoderaba de Maria por momentos. ¿Por qué había tenido que hacer aquellas gestiones a sus espaldas? Antes incluso de que ella hubiera dado el visto bueno, además. Era su vida y su decisión, y quería tomarla con total libertad.

—Florence y yo la acompañaremos a Berlín —anunció Rina Faccio, levantando los pulgares para señalarse a sí misma y a su derecha en un intento de animar a Maria de nuevo—. Podremos ayudarla en el aspecto lingüístico, puesto que hemos oído que usted solamente habla italiano —aclaró—. Bueno, supongo que, como médica que es, también debe de dominar el latín —añadió tras una breve pausa.

Augusta Renaldo se puso en pie y se acercó a un secreter que había bajo una ventana. Levantó la tapa en forma de persiana y abrió uno de los numerosos compartimentos, del que sacó un librito delgado.

—Nos hemos tomado la libertad de conseguirle esta pequeña ayuda —dijo Augusta Renaldo, entregándole a Maria el librito encuadernado en tela roja. Unas letras doradas rezaban: *Baedeker's Conversation Dictionary*—. Es un diccionario en cuatro idiomas: italiano, alemán, francés e inglés —explicó—. Le permitirá encontrar los términos más importantes. Así podrá preguntar cómo se llega a un sitio o a pedir una toalla más en el hotel, por ejemplo.

Soprendida, Maria aceptó el libro.

—Es muy amable por su parte —dijo, y enseguida abrió una página al azar que resultó ser de la letra C. Bajo la entrada «*cake*» encontró la traducción al francés, al alemán y al italiano, y se preguntó cómo podría resultarle útil un libro semejante. Al fin y al cabo, era evidente que tendría que conocer el término en inglés para encontrar la traducción al alemán o al italiano, pero de todos modos se guardó todas esas dudas para sí misma y agradeció ese obsequio tan inesperado.

—Viajaremos en tren vía Trieste hasta Berlín, donde llegaremos a una de las estaciones de ferrocarril más modernas y elegantes del mundo —explicó Florence Piavelli con entusiasmo—. Mi marido estuvo presente cuando el káiser Guillermo inauguró el edificio. Me ha contado que es realmente sublime.

—¿Ha viajado usted ya alguna vez a Alemania? —preguntó Maria.

—Sí, por supuesto. He visitado unas cuantas de las ciudades más importantes: Leipzig, Dresde y Berlín —respondió Florence Piavelli—. Y también he estado en Suiza, en Austria-Hungría, en Francia y, por supuesto, en mi país natal, Inglaterra.

Entre la clase alta de Roma, viajar estaba considerado de buen gusto. Maria era sin duda la única mujer de la sala que nunca había atravesado las fronteras italianas. La perspectiva de vivir esa experiencia le aceleró el corazón al instante. No veía el momento de subir a ese tren que la llevaría hacia el norte. Ya desde pequeña no había deseado nada tanto como conocer otras culturas.

—¿Hay algún lugar que la haya impresionado especialmente? —quiso saber Maria.

—Sí —contestó Piavelli con una sonrisa—. Roma me maravilló tanto que decidí establecerme aquí.

—¿Te enamoraste de la ciudad? —preguntó Augusta Renaldo poniendo los ojos en blanco como provocación.

—De la ciudad y de mi marido —contestó Florence Piavelli—. Por mucho que viaje, siempre me acabo alegrando de regresar a Roma. En ninguna otra parte del mundo es posible contemplar tantas obras de arte. En esta ciudad se respira historia. Sin embargo, la gente es más relajada que en cualquier otra parte del continente. ¿En qué otro lugar sería posible tomar un café a media tarde en las salas de un templo antiguo?

—Tienes razón, es una ciudad única —intervino Rina Faccio—. No obstante, no veo el momento de volver a visitar Berlín. Tengo la sensación de que ha pasado una eternidad desde la última vez que estuve allí.

Era evidente que Rina Faccio también había estado ya en Alemania. No pasaría mucho tiempo antes de que Maria también pudiera tomar parte en esas conversaciones acerca de viajes como algo más que una espectadora silenciosa.

Augusta Renaldo regresó al tema de la participación de Maria en el congreso.

—¿Cuánto tiempo necesitará para preparar su discurso?

—Hasta el fin de semana no tendré tiempo de escribirlo —dijo Maria.

Debido a la agitación derivada de su discurso, tenía mucho trabajo atrasado. Durante los días siguientes tenía que ir a ver al *signor* Renzi, un carpintero de la Via Sacra. Le había encargado un juego de piezas encajables que necesitaba para los niños de la clínica. Los objetos con los que había trabajado hasta el momento no le bastaban. La semana anterior los niños ya habían logrado ordenar por grupos las cosas que les había traído. Habían metido todos los objetos duros en una caja y los blandos en otra, y también habían hecho parejas buscando elementos idénticos. En los escritos de Jean Itard, Maria había descubierto los juegos de encajar piezas, que servían para que los niños aprendieran más fácilmente el nombre y el aspecto de las diferentes formas y colores. Resultaba sorprendente y fascinante lo mucho que deseaban aprender aquellos niños. Esperaban con verdadera avidez las lecciones de Maria. Serafina le había contado que cada día se lo recordaban, y que siempre aguardaban con impaciencia a que la *dottoressa* acudiera a verlos.

—¿Significa eso que podría presentarnos una propuesta de texto a principios de la semana que viene? —preguntó Augusta Renaldo, arrancando a Maria de sus cavilaciones.

—Me esforzaré para que así sea.

—¡Qué bien! —exclamó Augusta Renaldo—. No veo el momento de leer lo que piensa usted sobre el tema.

—Bueno, tengo que advertirles que, por mucho que me prepare, cuando subo al estrado siempre me vienen a la cabeza argumentos que no se me habían ocurrido durante la redacción del discurso. De manera que sobre el papel no encontrarán todo lo que diré en Berlín.

—La espontaneidad y la capacidad de réplica son grandes virtudes en una oradora —dijo Augusta Renaldo con admiración—. Me alegro muchísimo de haber conseguido que se sume a nuestra causa.

—Los derechos de las mujeres deben beneficiarnos a todos —respondió Maria con seriedad—. Tanto a las mujeres como a los hombres. Solo si nos va bien a los dos sexos seremos capaces de convivir en paz.

Impresionada, Augusta Renaldo entrelazó las manos frente al pecho.

—Los fascinará a todos en Berlín. No podríamos enviar a nadie mejor para representar a nuestro país.

—Brindemos por ello —propuso Florence Piavelli, y a continuación se puso en pie y se acercó a un pequeño carrito repleto de botellas de cristal tallado de diferentes tamaños—. ¿Jerez?

—¿Es aquel vino dulce que tanto les gusta a los ingleses? —preguntó Rina Faccio con la nariz arrugada.

—Créeme, Rina, te gustará —respondió Florence Piavelli, rellenando cuatro copitas de cristal hasta el borde con el líquido oscuro.

—¡Por una actuación brillante en Berlín!

Maria esperaba que el alcohol no se le subiera a la cabeza. A diferencia de las otras cuatro damas, ella aún tenía un largo día de trabajo por delante.

ROMA, AGOSTO DE 1896

El pequeño comercio de la Via Sacra tenía un aspecto exterior poco llamativo. En el escaparate había dos ángeles tallados en madera y un espejo de maquillaje montado sobre un soporte torneado. Nada más entrar en aquel diminuto espacio, se respiraba enseguida el aroma de la madera recién cepillada y de la cola de carpintero. Unos estantes elevados estaban llenos de cajas con cucharas de palo, joyeros con forma de cofre, tablas de cortar, colgadores para la ropa, ensaladeras y cajones para molinillos de café. El *signor* Renzi elaboraba por encargo prácticamente cualquier objeto de madera y reparaba todo lo que pudiera repararse con cola, clavos y unas pasadas de lima. Tenía el taller en la trastienda, donde reinaba una armonía que contrastaba con la zona destinada a recibir a los clientes. Las relucientes herramientas estaban ordenadas por tamaños y por función en anaqueles. Una gran ventana alta dejaba entrar la luz necesaria para trabajar, mientras que por la noche o en los días en los que las nubes de lluvia encapotaban el cielo de Roma una lámpara de petróleo enorme, situada justo encima del banco de trabajo, se encargaba de proporcionar la iluminación precisa.

Desde hacía años, Maria y Renilde confiaban sus enseres de madera estropeados al *signor* Renzi. Un gran marco de madera, un revistero, el perchero del vestíbulo... Todos esos objetos habían pasado en un momento u otro por las hábiles manos del ebanista, y a menudo los había dejado en mejor estado que cuando los habían adquirido.

Como de costumbre, Renzi llevaba puesta una bata de trabajo por encima de la ropa. Ya tenía la coronilla calva, la espalda ligeramente encorvada y unas gafas diminutas en la punta de la ancha y enrojecida nariz. De un cajón que había a su espalda sacó con orgullo una tabla con tres orificios circulares de diferentes tamaños: uno pequeño, uno mediano y otro más grande. Para cada uno de los huecos existía también un disco que encajaba a la perfección. El ebanista había rematado los discos con un pequeño pomo en una de las caras para que los niños pudieran agarrarlos mejor.

Maria insertó las piezas en sus huecos correspondientes y comprobó que se acoplaban sin problemas. La madera estaba trabajada con esmero, bien lijada y pulida con cera.

—¡Las tablas han quedado muy bien! —exclamó Maria con entusiasmo.

Renzi asintió con satisfacción y cogió otro objeto. En este caso no se trataba de una tabla, sino de un bloque de madera más grande también con tres piezas insertadas, también redondas, pero las tres del mismo tamaño. Las formas, que también tenían sus pomos correspondientes, ya estaban metidas en los huecos.

—Me he permitido ampliar un poco su idea —explicó el carpintero con una sonrisa pícara.

Sorprendida, Maria se quedó mirando el bloque de madera.

—Pero las formas tienen el mismo tamaño —constató—. Esta tarea será demasiado simple para los niños.

Renzi se rio en voz baja.

—Si la he comprendido bien, quiere desarrollar los sentidos de los niños con la ayuda de las tablas. Quiere que aprendan cómo son y cómo se llaman los diferentes tamaños y formas.

—Exacto —respondió Maria—. Por eso no entiendo por qué...

—Saque usted misma las piezas de los huecos —le pidió Renzi.

Maria sacó el primer disco, que debía de tener un centímetro de grosor. Volvió a insertarla en su alojamiento y procedió a sacar la siguiente. En ese caso, el grosor de la pieza era el doble. Maria abrió los ojos, fascinada. Enseguida volvió a meterla dentro del agujero y sacó la última, que era claramente más gruesa que las anteriores. Finalmente, sacó las tres piezas y se quedó mirando los agujeros de diferentes profundidades. Entonces intentó introducir la pieza de madera más gruesa en el orificio menos profundo. Entraba, pero el cilindro sobresalía bastante por encima de la superficie de la tabla. Cuando encajó el disco más delgado en el orificio más profundo, el cilindro desapareció por completo, y se dio cuenta de que era necesaria cierta destreza para volver a sacarlo de la abertura.

—Si conviene, siempre puede darle la vuelta a la tabla —señaló Renzi—. Para que caiga la pieza por sí sola.

Maria se quedó sin habla durante unos instantes.

—Es una idea fabulosa —dijo—. De este modo los niños no solo se fijarán en el diámetro de una forma, sino también en su altura o su grosor.

—¡Eso pensé!

Maria dio un paso hacia atrás y se quedó mirando la tabla.

—Tres —murmuró en voz baja—. ¿Por qué ha decidido hacer tres orificios?

—Quise cortar la tabla según sus especificaciones. Además, tres es una cifra bonita, fácil de retener. Piense en la Santísima Trinidad.

—Ha hecho usted un trabajo fantástico —se apresuró a elogiarlo Maria—. Solo me pregunto si no habría tenido sentido también una tabla con diez orificios. Al fin y al cabo, tenemos diez dedos y nuestro sistema de medición se basa en el número diez. Creo que el diez es la cifra más importante que existe. Quien quiera contar, tiene que utilizar el número diez.

—Entonces ¿preferiría usted una tabla con diez huecos?

—Por supuesto —respondió Maria, asintiendo con entusiasmo—. Y que cada cilindro tenga un centímetro más de grosor.

—¿Quiere decir que la pieza más fina sea de un centímetro y la más gruesa de diez?

—Sí, eso sería fabuloso.

—Podríamos hacer dos tablas —propuso Renzi—. Una con cilindros de diferentes alturas y otra con discos de diferentes diámetros.

—¡Sí! —exclamó Maria. Los ojos le brillaban como a un niño justo antes de abrir los regalos de Navidad—. El disco más pequeño debería tener un diámetro de un centímetro, y el mayor, de diez.

Renzi se rascó tras la oreja.

—¿Cree realmente que esos niños deficientes con los que trabaja sabrán resolverlo?

—No lo sé —admitió Maria—. Pero voy a intentarlo. ¿Cuánto me costarán las dos tablas?

—Bueno, esto lleva bastante trabajo —dijo el ebanista.

—No importa —replicó Maria—. Quiero tener esas dos tablas como sea. ¿Cuándo cree que podría tenerlas listas?

—Cuando regrese de Berlín podrá pasar a recogerlas.

—¿Cómo sabe que he de viajar a Berlín? —preguntó Maria. ¿Acaso su madre le había hablado al carpintero sobre su participación en el congreso?

—Esta mañana lo he leído en la *Gazetta*.

—¿De verdad?

Habían pasado dos días desde que había estado en casa de Florence Piavelli. Todavía no les había entregado ningún discurso a las damas, pero el comité ya debía de haber anunciado a la prensa que Maria había aceptado participar en el congreso.

—El periódico decía que dentro de unos días publicarán una entrevista en profundidad con usted.

—¿Ah, sí? —dijo Maria, y de repente la invadió la misma rabia que ya había sentido en el salón de aquellas damas adineradas que luchaban por los derechos de las mujeres. En esa ocasión su descontento no tenía como objeto su madre, sino el comité. No soportaba que contaran con ella sin siquiera avisarla—. Entonces el periodista ya está más enterado que yo misma.

—*Signorina* Montessori, se ha hecho usted famosa. La gente quiere saber qué piensa, qué hace, cómo se viste y qué come para cenar.

—A nadie le importa lo que yo coma —repuso Maria, enfadada.

Renzi se encogió de hombros.

—Yo cenaré macarrones gratinados. Mi esposa me lo ha prometido. Es lo que le recomendaría yo a cualquiera para cenar...

—La gente no tiene que interesarse por lo que yo lleve puesto o por lo que coma, sino por lo que digo y hago.

Renzi se la quedó mirando con la cabeza ladeada. Se notaba que quería replicar algo, aunque decidió ahorrarse el comentario. En lugar de eso, se limitó a hacerle una pregunta práctica:

—¿Le parece bien que tenga las tablas listas para cuando haya regresado?

—Sí —respondió Maria—. Y me gustaría que me fabricara dos más, de hecho.

—¿Con otras formas? ¿Triángulos o cuadrados?

—No, necesito dos bloques en los que las formas varíen tanto en grosor como en diámetro.

—¿Quiere un juego en el que la forma con el menor diámetro sea también la más delgada y la más grande sea también la más gruesa, y otro juego que sea al revés?

—Sí, exacto.

Renzi negó con la cabeza poniendo cara de lástima.

—Esto sí que no sabrán resolverlo, esos pobres dementes. Si es que hay niños sanos que tampoco lo sabrían hacer. ¿Por qué quiere invertir tanto dinero en algo que no le servirá de nada?

—¿Me los podrá fabricar o no?

—Sí, por supuesto.

—Muy bien —concluyó Maria—. Pues tenemos un trato. Pasaré a recoger las cuatro tablas cuando haya regresado de Berlín.

Renzi frunció los labios.

—Me temo que no podré terminar las cuatro tablas tan deprisa. Todavía no he encontrado ningún aprendiz que quiera trabajar para mí.

—Eso sí que no lo entiendo —dijo Maria. Sabía que el *signor* Renzi y su esposa no tenían hijos, pero le parecía incomprensible que nadie quisiera aprender el oficio con un hombre tan trabajador y bondadoso como él.

—Yo tampoco —aseguró Renzi—. Si tuviera un aprendiz, el chico podría vivir y comer aquí, pero parece ser que no hay nadie dispuesto a trabajar la madera con las manos. Los pocos que me han mandado mis colegas eran tontos de remate. Parecían recién salidos del sitio ese en el que trabaja usted.

—Mis niños no son tontos —repuso Maria, indignada—. Simplemente tienen mentes más débiles que las del resto de los niños.

—Bueno, pues las de los chicos que vinieron también son débiles —se corrigió Renzi—. Sea como sea, me arruinaron más madera de la que puedo permitirme.

—Es una lástima —dijo Maria—. Pero ¿no podría intentar apurarse un poco con mi encargo? Es que no veo el momento de empezar a trabajar con estos juegos.

—De acuerdo —respondió Renzi tras un profundo suspiro—. Para alguien tan famoso como usted, estoy dispuesto a trabajar incluso después de cenar.

—He oído decir que los macarrones gratinados aportan mucha energía —dijo ella con una sonrisa.

Renzi también sonrió antes de responder:

—Si lo dice usted, que es *dottoressa*, seguro que es cierto.

CLÍNICA PSIQUIÁTRICA
EN ROMA, AGOSTO DE 1896

Maria estaba sentada con los niños en el suelo del cuarto. Había traído las tablas de Renzi con los tres agujeros. Clarissa estaba muy concentrada metiendo los discos circulares en la abertura correspondiente de la tabla. Luego volvía a quitar los tres y los metía de nuevo. Mientras descubría qué agujero correspondía a cada disco, sin querer había metido un disco pequeño en un agujero demasiado grande y se había alegrado al comprobar que podía enmendar su error.

Los otros niños no veían el momento de que llegara su turno. Puesto que Maria había previsto que habría ruegos continuos, se había tomado la molestia de recortar formas de papel por duplicado, pegar unas en una tabla y dejar las demás para que pudieran colocarlas encima. En su libro, Itard había descrito el empleo de esos materiales y ofrecía símbolos cada vez más complejos hasta llegar a las letras. Las piezas de papel tenían la ventaja de que podían fabricarse en poco tiempo. Por desgracia, no tenían ni mucho menos una calidad estética comparable a las tablas de Renzi, por no hablar de que se estropeaban enseguida.

Sin embargo, Maria se sorprendió al comprobar lo rápido que los niños completaban las tareas y con qué entusiasmo las resolvían. Ni siquiera tras una hora de trabajo parecían haber tenido bastante.

—Dejo los materiales aquí —propuso.

Sin embargo, Serafina rechazó el ofrecimiento, horrorizada.

—No quiero que haya peleas. Será mejor que se los lleve usted.

—Pero ¿por qué tendrían que pelearse los niños? —preguntó Maria—. Si hay unas reglas claras que deban cumplir, no tiene por qué haber riñas.

El argumento no convenció a Serafina lo más mínimo.

—Lléveselo todo. Yo soy la responsable de que los niños estén tranquilos y se queden cada uno en su cama. No tengo ni idea de cómo utilizar todos esos chismes médicos.

Maria no se dio por vencida.

—Si los niños no hacen más que quedarse ahí con la mirada perdida, solo estarán desperdiciando el tiempo —le dijo—. Al fin y al cabo, bien que intenta aprovecharlo usted tejiendo.

—Pero eso es muy distinto. Yo hago algo útil, porque cuando termino tengo una bufanda para el invierno.

—Pues los niños podrían hacer justo lo mismo.

Serafina se la quedó mirando como si acabara de oír un chiste.

—¿Me está diciendo que los dementes podrían aprender a tejer bufandas? Clarissa ni siquiera sabe hacer un remiendo sencillo.

La chica bajó la cabeza, avergonzada.

—No me lo creo —dijo Maria—. Estoy segura de que

Clarissa es perfectamente capaz —afirmó, acariciando a la chica en las mejillas para animarla.

—No, la verdad es que no sé —reconoció ella en voz baja.

—¿Por qué no? ¿Cuál es el problema?

Clarissa se encogió de hombros, abatida, mientras Maria pensaba intensamente en ello. ¿Había sido Itard o Séguin? En alguno de sus escritos, uno de los dos había mencionado un telar muy simple que servía para que los niños pudieran prepararse para el trabajo de verdad. Tenía que encontrar como fuera ese artículo.

—Te prometo que la próxima vez que venga a veros empezaremos a coser —dijo Maria—. Y antes de Navidad también sabrás tejer bufandas bonitas, como Serafina.

—¿De verdad? —preguntó Clarissa con la voz animada por la esperanza y una sonrisa en el rostro.

—Sí, estoy convencida.

—No les haga promesas a los pobres niños si no puede cumplirlas —refunfuñó la maestra.

—Oh, ya lo verá, Serafina. Clarissa tejerá una bufanda realmente maravillosa.

—¡Seguro! —exclamó la mujer con desprecio.

—Yo también quiero tejer una bufanda —dijo Marcello en voz baja.

—Por supuesto, tú también aprenderás a tejer —indicó Maria, asintiendo—. Pero antes aprenderemos a coser. Es un poquito más sencillo.

Dicho esto, miró a su alrededor en aquella sala tan austera.

—Y le pediré al profesor Sciamanna que nos pongan

unos estantes. Necesitaremos un sitio para guardar los materiales. No puede ser que os quedéis sin nada que hacer desde el momento en el que yo me marcho de aquí.

—¿Ahora nos dejará las cosas aquí? —quiso saber Clarissa.

—Sí —le aseguró Maria mientras se acercaba al rincón en el que estaba el carrito de servir para llevarlo hasta el centro de la sala—. Mientras no tengamos nada más, este carrito nos servirá de estantería.

Dejó las dos tablas sobre el carrito de servir, las formas de papel encima, y empujó el carrito hasta colocarlo de nuevo junto a la pared.

—Los niños pueden acercarse cuando quieran al carrito para coger una tabla y trabajar con ella —dijo, dirigiéndose a Serafina—. Y luego tienen que volver a guardarla allí.

—Esto no funcionará —repuso la maestra.

Al oír eso, Maria se dirigió a los niños.

—Le demostraréis a Serafina que sí que funcionará, ¿de acuerdo?

Clarissa y Marcello asintieron con diligencia. Los demás también dijeron que sí con la cabeza.

—Pues por mí... —gruñó Serafina—. Pero si hay peleas, pienso llevármelo todo.

—Ya lo habéis oído —les advirtió Maria—. En todo momento solo podrá trabajar con el material uno de vosotros. Cuando haya terminado, le tocará a otro niño.

Todos asintieron de nuevo.

Serafina negó con la cabeza, incrédula. Murmuró algo incomprensible, pero Maria no le hizo caso. Se despidió de los niños y les prometió que la próxima vez que fuera a visitarlos les enseñaría a coser.

Cuando salió al pasillo, lo hizo deseando que Serafina no les quitara las tablas a los niños. Pensó que tal vez debería informar al profesor Sciamanna sobre lo que se proponía. Sin embargo, antes de poder pensar más sobre ello, se abrió la puerta de una sala contigua y el doctor Montesano apareció en el pasillo. Maria no había vuelto a verlo desde el discurso de clausura y no había contado con encontrárselo ese día. Le pareció incluso más atractivo de lo que recordaba.

Enseguida bajó la mirada para comprobar su propio aspecto. Por suerte, la bata blanca de médica le tapaba el vestido viejo y raído que se había puesto ese día. Además, por la mañana no se había ajustado mucho el corsé. Maria se palpó el pelo y le pareció que lo llevaba bien recogido. Solo se le habían soltado un par de mechones, pero su aspecto seguía siendo coqueto. Nada más verla, a Montesano se le iluminó el rostro. Se acercó a ella esbozando una amplia sonrisa.

—Me alegro de verla —dijo—. Así me ahorraré el camino hasta su casa.

—¿Por qué quería venir a buscarme? —preguntó Maria, intentando imaginar cómo reaccionaría su madre si su colega de trabajo se presentara sin previo aviso frente a la puerta de casa.

—Quería preguntarle qué hora le parecía mejor para nuestro pícnic. ¿O acaso se ha vuelto a olvidar de ello? —preguntó, mirándola con preocupación.

—¡No, no! —respondió Maria enseguida, y al oírlo Montesano se relajó.

—En el periódico he leído que representará a Italia en el Congreso Internacional de la Mujer de Berlín, o sea que más me vale darme prisa si quiero verla antes de que se marche.

Al parecer, Roma entera estaba al corriente de que Maria viajaba a Alemania al cabo de pocas semanas.

—Pero si me ve cada día aquí en la clínica.

—¿Pretende comparar un pícnic con nuestro trabajo diario aquí? —preguntó Montesano, fingiendo sentirse insultado.

—Tengo que admitir que no salgo de pícnic desde que era una niña —dijo Maria.

—Entonces ya va siendo hora de que vuelva a hacerlo.

Montesano se plantó tan cerca de Maria que ella pudo ver las arrugas que se le formaban alrededor de los ojos cuando sonreía.

—¿Hay algo que le guste o que le apetezca especialmente? ¿Algo que tenga que llevar en la cesta sea como sea?

—No soy nada complicada en lo que respecta a la comida.

—Entonces ya se me ocurrirá algo. Ahora solo necesitamos una cita para nuestro pícnic. ¿Qué le parece el domingo que viene?

Maria se quedó pensando unos instantes.

—¿Después de la misa?

—¿A qué hora sería eso?

Por un momento, Maria se quedó desconcertada. ¿Es que él no iba a misa los domingos?

—¿Hacia las once?

—¿Paso a recogerla por su casa?

—No es necesario —respondió Maria con un atisbo de precipitación, aunque no le pareció que Montesano se diera cuenta de ello. Le habría resultado vergonzoso tener que admitir que primero prefería verlo en secreto para evitar un interrogatorio de su madre—. Sería más sencillo que nos encontráramos ya en el parque o junto al Tíber. Así podría ir directamente desde la misa y no tendría que pasar por casa.

—Ah, de acuerdo —se limitó a decir él. Sin duda la propuesta le había permitido adivinar el verdadero propósito de Maria, pero tuvo la discreción de no hacer comentarios al respecto—. El monte Pincio en verano es el mejor lugar para ir de pícnic. Desde la colina las vistas sobre la ciudad son realmente espectaculares.

—Me parece muy buena idea —convino Maria.

—Propongo que nos encontremos en el lado este de la Piazza del Popolo. Allí empieza la escalera que sube hasta el parque, junto a una pequeña cascada muy bonita.

Maria conocía el lugar.

—Allí estaré, el domingo a las once —prometió Maria.

—No veo el momento —replicó él con ganas de tomarle la mano de nuevo y llevársela a los labios para despedirse de ella.

Sin embargo, Maria la retiró y se la escondió tras la espalda.

—Todavía tengo que ocuparme de los niños —dijo ella—. Les he traído material nuevo y los progresos que están haciendo son enormes. Absorben el conocimiento como una esponja seca.

—Pues vayamos al patio —propuso Montesano—. En un banco, a la sombra de un ciprés, hablaremos mejor.

—Sí, con mucho gusto.

Los dos recorrieron el pasillo hasta la escalera y luego hasta la puerta que permitía salir al patio.

—Durante los últimos meses he estado leyendo todos los escritos de Itard y de Séguin que he podido encontrar en Roma —le explicó Maria—. Por desgracia, se han agotado algunas de sus obras y solo se pueden adquirir en Estados Unidos.

Montesano arqueó las cejas con gesto divertido.

—¿Ha leído todos los escritos y ha comprado material para los niños? ¿No debería usted descansar un poco y disfrutar de su éxito después del discurso de clausura?

Maria se lo quedó mirando sin comprender nada.

—¿Por qué tendría que descansar? No estoy cansada.

—Con lo de descansar me refería más bien a dedicarse a actividades agradables, como leer algún libro que no tuviera nada que ver con el trabajo, por ejemplo.

—Este domingo tengo previsto ir de pícnic —le recordó Maria.

—¿Ah, sí? —respondió él, sonriendo—. Es una buena manera de empezar.

Era un caluroso día de verano. El aire era abrasador, pero gracias a los árboles del patio la temperatura era bastante agradable. Se acercaron con parsimonia a un banco libre. Maria tomó asiento y Montesano se acomodó a su lado.

—Séguin está convencido de que deben estimularse los sentidos de los niños. Para ello les ofrece bolas de colores que tienen que meter en contenedores del mismo color, para fomentar su percepción visual. Los anima a ensartar perlas, les da prendas de ropa para que abrochen y desabrochen los botones, y palos para que los ordenen por medidas.

—Sí, yo también recuerdo haberlo leído.

—Parte de la base de que los niños sanos realizan todas esas actividades por sí solos, mientras que los deficientes necesitan ayuda. Por tanto, deberían tener a su disposición el doble de material, en lugar de negárselo y dejar que se les marchiten los sentidos —explicó Maria, tras lo que hizo una breve pausa—. Quiero que los niños se dediquen a actividades útiles, prácticas. Empezaré por enseñarles a coser.

—¿De veras cree que los niños pueden llegar a convertirse en adultos sanos con la ayuda del material adecuado? —preguntó Montesano con admiración y curiosidad.

—Ya he demostrado que los niños son capaces de hacer muchas más cosas de lo que se había dado por hecho que era posible.

—Ajá.

—Creo que todavía pueden lograr mucho más, y me preocupa que en muchos manicomios los niños tengan que compartir el mismo espacio que los adultos.

—Es una circunstancia en la que ya estamos trabajando —dijo Montesano—. El profesor Sciamanna ha conseguido que durante las semanas y meses siguientes se compruebe si las instituciones psiquiátricas del país dedican un espacio separado para los niños. Y donde se detecten carencias en ese sentido, se procederá a realizar mejoras.

—¿Y quién se encargará de ello? —quiso saber Maria.

—Creo que alguien del ministerio.

—Me parece importante que la persona encargada vele por el bienestar de los niños —dijo Maria—. De lo contrario todo queda reducido a un reglamento impreso sobre papel que acabará guardado en un cajón.

—¿Le gustaría ser usted quien visite los manicomios? —preguntó Montesano con una sonrisa.

—Sí, ¿por qué no?

—Se lo pregunto porque en algunos centros reinan condiciones horribles. A su lado, esta clínica es un verdadero paraíso. No son lugares precisamente agradables para una mujer.

Ese último comentario despertó al momento las reticencias de Maria.

—No deja de ser interesante que los hombres siempre se permitan el lujo de estimar lo que las mujeres pueden y no pueden hacer. Créame, durante los últimos años he visto y vivido situaciones de las que muchos hombres habrían huido corriendo. Y he conocido a mujeres con un valor que muchos hombres no llegan a demostrar jamás.

Montesano se quedó callado, mirándola con genuino interés. Seguro que enseguida le llevaría la contraria, como todos los hombres con los que Maria había tenido que enfrentarse durante la carrera. La joven notó como la indignación empezaba a crecer en su interior. ¿Qué esperaba?

—Conozco al encargado responsable del tema en el ministerio —dijo con total seriedad—. Le hablaré bien de usted, tanto a él como al profesor Sciamanna, y les recomendaré que exijan la colaboración de una persona experta durante las inspecciones. ¿Y quién mejor que usted dispone de los conocimientos necesarios de medicina y psiquiatría? Además, seguro que no hay nadie que haya leído tanto sobre el trabajo con niños deficientes como usted.

Maria tardó unos instantes en comprender que no se estaba burlando de ella, sino todo lo contrario: secundaba su propuesta.

—Eso sería fantástico, ¡muchas gracias!

—Será un placer —respondió él con una sonrisa de oreja a oreja—. Pero tiene que prometerme una cosa.

—¿De qué se trata?

—El domingo que viene hablaremos de cualquier cosa, del papa o de la última ópera que se ha estrenado, menos de trabajo.

—¡Oh! —dijo Maria, ladeando la cabeza—. No estoy segura de poder prometer algo semejante.

—Pero ¿como mínimo podría intentarlo? Solo será una tarde.

—¡Hecho! —exclamó Maria tendiéndole la mano, permitiéndose disfrutar al máximo de que él se la besara una vez más con aquellos labios tan tiernos. Ese bigote le parecía tan suave como el ovillo de lana que le había dejado a Clarissa para jugar.

—¡Mira, Maria! ¡Te he comprado una bolsa de viaje y una maleta nuevas! —anunció Renilde con orgullo mientras dejaba una maleta de piel marrón y una bolsa a juego junto a su hija, que estaba sentada al tocador, intentando domar sus rizos con la ayuda de un peine y unas horquillas.

—¡Muchas gracias! Pero ¿no teníamos una maleta ya?

—Ah, pero era muy vieja —dijo Renilde, rechazando la

201

idea con un gesto—. No podrías viajar a Berlín con esa, se te caería a pedazos nada más cruzar los Alpes.

A Maria, la maleta vieja le parecía más que aceptable, pero de todos modos le conmovió que su madre se hubiera preocupado de su equipaje. Cuanto más se acercaba el momento de partir, más nerviosa estaba Renilde. Casi parecía que fuera ella la que viajaría a Alemania.

—Ojalá pudiera acompañarte —suspiró Renilde—. Por desgracia el viaje supone un gasto importante.

Maria recordó que su madre había iniciado una colecta de donativos sin avisarla. Aunque la gente de Chiaravalle no era ni mucho menos rica, todos habían realizado alguna aportación por el orgullo que despertaba en ellos la joven *dottoressa*. Durante unos instantes, Maria se preguntó si acaso Renilde había albergado la esperanza de reunir el dinero suficiente para poder comprar otro billete de tren. Sin embargo, descartó la posibilidad enseguida. Lo había hecho para ayudarla, no por interés propio.

—Pero si llevas puesto tu mejor vestido de domingo —constató Renilde.

—Bueno, es domingo, ¿no?

—Sí, pero ese vestido te lo pones solo en ocasiones muy excepcionales. Te costó una fortuna.

—Me lo compré con el primer sueldo que me pagaron como médica residente —recordó Maria a su madre—. No fue barato, pero tampoco disparatadamente caro. Me siento muy bien cuando lo llevo puesto —afirmó antes de tomar un frasco de perfume para rociarse el cuello.

—¿Desde cuándo te pones agua de colonia para ir a la iglesia?

Maria se volvió hacia su madre claramente molesta.

—Mamá, es domingo y no quiero ir hecha un espantajo, eso es todo.

—Tú nunca vas hecha un espantajo. Me pregunto si existe algún motivo para que te estés preocupando tanto por tu aspecto.

—Mi fotografía apareció en todos los periódicos de Italia. Hay gente que me reconoce cuando voy por la calle. No quiero que nadie pueda decir: «Ah, la joven *dottoressa* en persona es muy distinta a la de las fotografías. Solo debe de peinarse cuando sabe que la retratarán».

—¡Menuda tontería! —exclamó Renilde, dejando la maleta y la bolsa de viaje junto a la pared—. Pero si siempre vas bien arreglada —añadió, aunque en esa ocasión su voz no sonó tan convencida como antes. Posiblemente lo que acababa de decir su hija no dejaba de parecerle sensato.

Maria esperó a que su madre saliera de la habitación, pero parecía que todavía iba a decirle algo más.

—Temía que quisieras encontrarte con ese colega de trabajo que te regaló una rosa el día del discurso de clausura. Desde que trabajas con él te veo cambiada.

—¿En qué sentido?

El tono de voz de Renilde adquirió un matiz de reproche.

—Estás más pendiente de tu aspecto. Hablas menos conmigo y me cuentas cosas sobre el trabajo solo muy de vez en cuando. Antes siempre me tenías al corriente de cualquier novedad, de cada paso del proceso. Tenía la sensación de saber todo lo que hacías. Ahora, en cambio, me excluyes. Me ocultas cosas.

Maria se volvió hacia su madre para mirarla de frente.

—Cada día vivo tantas cosas que por la noche llego agotada y no me apetece repasar todos los detalles.

—Lo sé, pero antes era distinto.

—Ya no soy una estudiante, mamá. Soy médica, y eso implica unas responsabilidades. El hecho de que no te cuente cada minuto de mi vida no significa que te oculte nada.

Renilde apretó los labios con fuerza y salió de la habitación sin decir ni una sola palabra más. Casi aliviada, Maria la siguió con la mirada. Sabía que la vida cotidiana de su madre era muy rutinaria. Desde hacía años, lo que Maria le contaba aportaba un poco de color a esa monotonía tan aburrida. No obstante, en ocasiones a Maria le parecía que el interés que demostraba su madre era excesivo, demasiado intenso. Incluso le daba la sensación de que intentaba asumir la vida de su hija como propia. Nada más formular esa idea mentalmente, Maria se arrepintió enseguida. Estaba siendo injusta con su madre, que siempre deseaba lo mejor para ella.

Por supuesto, las sospechas que acababa de compartir con ella eran bien fundadas. Maria no le había contado que pensaba encontrarse con Giuseppe Montesano; quería que el secreto quedara entre ella y el doctor. Al fin y al cabo, ni siquiera ella misma sabía cómo acabaría el día, y de haber estado al corriente su madre se habría preocupado sin necesidad.

Después de la misa, Maria les dijo a sus padres que tenía que regresar a la clínica para controlar a sus pacientes.

—¿Hoy? ¿En domingo? —preguntó Renilde con desconfianza.

—Nuestra hija es médica —constató Alessandro—. Las enfermedades no preguntan qué día es el más adecuado para aquejar a la gente —añadió, y a continuación detuvo un coche de plaza vacío con un potente silbido.

Agradecida, Maria subió al coche, pero no le indicó la dirección de la clínica psiquiátrica, sino la de la Piazza del Popolo. Alguien la esperaba frente a la escalera que subía hasta el Pincio.

El doctor Giuseppe Montesano estaba de pie junto a la cascada decorativa que desembocaba en un colector. En una mano llevaba una cesta de pícnic y en la otra, un ramo de flores frescas: una colorida mezcla de claveles, lirios, azucenas y rosas de un rojo profundo. Se lo veía desenvuelto en su traje marrón oscuro de corte moderno, y aun así tenía un aspecto elegante. El cuello de la camisa impecablemente blanca contrastaba con el tono aceituna de su piel. En la cabeza llevaba un sombrero de paja plano de los que antes solo se ponían los marineros pero que en los últimos tiempos había ganado una gran aceptación entre los caballeros modernos.

Cuando Montesano vio llegar a Maria, salió a su encuentro con grandes pasos y, algo apocado, le ofreció el ramo.

—No estaba seguro de qué flores le gustarían más, por eso le he pedido a la florista que mezclara unas cuantas.

Maria aceptó el ramo con el corazón acelerado.

—Son fantásticas —dijo, hundiendo la nariz en ellas—. ¡Y qué bien huelen! ¡Muchas gracias!

Una sonrisa de alivio apareció en el rostro de Montesano.

—Tendremos que buscar un rincón cerca de la fuente para poder dejarlas en agua —dijo Maria.

—Ya me he ocupado de eso —dijo el doctor Montesano, abriendo la tapa de la cesta de pícnic. Maria vio que dentro llevaba una botella de vino y un mantel de cuadros rojos y blancos. Además, había un tarro con tapa de rosca que contenía un líquido claro que supuso que debía de ser agua—. No será tan bonito como un jarrón, pero bastará para pasar la tarde —añadió.

—Ha pensado usted en todo —dijo Maria, impresionada, y enseguida se preguntó si el doctor saldría de pícnic a menudo y por eso sabía cómo impresionar a las jóvenes.

—Me lo ha aconsejado la florista de Campo dei Fiori —admitió Montesano—. ¿Vamos, pues? —propuso, ofreciéndole a Maria su brazo.

—Con mucho gusto —dijo ella tras unos instantes de titubeo.

Era la primera vez en la vida que paseaba tan cerca de un hombre desconocido. Se sintió extraña, pero al mismo tiempo le resultaba emocionante. Era como si estuviera haciendo algo prohibido. Miró a su alrededor con cautela. ¿La gente se estaría fijando en que iba agarrada del brazo de un hombre? Sin embargo, nadie parecía pendiente de ello ni mucho menos. Montesano y ella parecían una pareja como cualquier otra, que simplemente había salido a disfrutar de un soleado día de verano en el parque. Poco a poco fueron subiendo los escalones que llevaban hasta el mirador.

—¿Sabía usted que los romanos tenemos que agradecer el parque del Pincio a los franceses? —empezó a decir Montesano, buscando un tema de conversación.

—Creía que había sido el arquitecto Giuseppe Valadier quien planificó el conjunto de la Piazza del Popolo y las terrazas —dijo Maria.

Montesano se detuvo un momento.

—¿Hay algo sobre lo que no lo sepa usted todo? —comentó con aire divertido, aunque su voz dejó entrever también un atisbo de susceptibilidad. Maria conocía muy bien ese tono, la había acompañado desde la escuela primaria. A los hombres no les sentaba nada bien que las mujeres supieran más cosas que ellos—. Es usted una mujer sorprendentemente ilustrada —prosiguió Montesano—. Cuando Napoleón ocupó Roma con sus tropas, se dio cuenta de que la ciudad no tenía parques públicos. Las zonas verdes más bonitas de la ciudad eran propiedad de los aristócratas más ricos. Fue él quien exigió que hubiera un parque para todos los romanos, aunque sus planes no se llevaron a la práctica hasta que las tropas francesas se hubieron retirado de la ciudad.

—Eso no lo sabía —admitió Maria.

Montesano sonrió con satisfacción.

—¿Quién me iba a decir a mí que conseguiría contarle algo nuevo?

Cuando hubieron llegado al punto más alto de la colina se acercaron a la balaustrada del mirador. Las vistas de la ciudad eran realmente impresionantes. Frente a ellos se extendía Roma con todos sus campanarios, callejuelas, templos y ruinas de la Antigüedad. El aire era cálido, pero la temperatura agradable, tratándose de un día de verano. El calor no llegaba a ser agobiante. Apenas una semana antes habría resultado imposible estar bajo el sol sin tener la sensación de derretirse por momentos.

Disfrutaron de la panorámica durante unos instantes y luego continuaron andando, buscando un lugar adecuado cerca del reloj de agua, una atracción especial del parque. Al final encontraron muy cerca un banco con una mesita. Se dirigieron hacia allí con determinación, antes de que alguien pudiera arrebatarles un lugar tan preciado. Montesano extendió el mantel de cuadros sobre la mesita de piedra y dejó la botella de vino y dos copas encima. Luego sacó también el pan blanco recién horneado, queso, salami, aceitunas, manzanas, tomates y pepinillos. En el centro colocó el tarro de cristal y lo utilizó como jarrón tras quitarle de la mano las flores a Maria.

—*Signorina?* —preguntó con una reverencia para ofrecerle la mesa.

Ella se sentó más que complacida con la preparación.

Fue increíblemente romántico y casi perfecto. Ni una sola nube empañó el cielo radiante, mientras que una leve brisa mantuvo el calor a raya.

—¿Este buen tiempo también es cosa suya? —comentó Maria.

—Por supuesto. He encargado un día soleado pero no demasiado caluroso.

—Pues le ha quedado fantástico, muchísimas gracias —bromeó Maria con una sonrisa radiante. Nunca se había sentido tan bien en presencia de un hombre. Montesano conseguía asombrarla y hacerla reír.

—¿Le apetece una copa de vino? —le ofreció él.

—Sí, por favor. Supongo que también habrá traído algo para abrir la botella.

De golpe, Montesano abrió los ojos como platos y se golpeó la frente con la palma de la mano.

—No puede ser verdad —susurró—. Me lo he dejado en la cocina.

—Un poco de agua también me parece bien —se apresuró a decir Maria—. Ahí detrás hay una fuente. Puedo ir a llenar las copas.

—¡De ninguna manera! —exclamó Montesano, agarrándola por el antebrazo para evitar que se levantara. De inmediato, Maria notó en el lugar de contacto un calor más intenso que en el resto del cuerpo, y cuando él retiró la mano, sintió algo parecido a la pena—. Usted quédese aquí sentada, yo iré hasta el quiosco que hay ahí detrás. El propietario quizás pueda prestarme un sacacorchos —dijo, y acto seguido cruzó el césped a paso ligero.

Maria lo siguió con la mirada. Le gustaba porque no solo le parecía atractivo y encantador, sino también divertido e inteligente. Hasta la última fibra de su cuerpo se sentía cautivada por él, lo que no dejaba de ser una locura, puesto que apenas le conocía. Un agradable cosquilleo nervioso recorrió su cuerpo, se reclinó en su asiento y cerró los ojos. De fondo oía las risas de los niños, el zumbido de los insectos y a alguien silbando una melodía. Se sintió increíblemente libre y alegre. Nada la afligía: ni exámenes ni conflictos con profesores o compañeros de clase. Ese día no era más que una joven más disfrutando de una tarde de ensueño.

—¿Se ha quedado dormida? —preguntó Montesano en voz baja.

Maria abrió los ojos enseguida y le dedicó una sonrisa.

—No, solo estaba saboreando el momento. Sin pacientes, enfermedades ni problemas.

—Le recuerdo que me prometió una cosa —dijo él, levantando el dedo índice en actitud de advertencia.

—No sufra, no pensaba hablarle de trabajo.

—Muy bien —convino él, satisfecho, antes de ofrecerle la botella de vino descorchada con un gesto triunfal.

—Veo que el vendedor ha tenido la amabilidad de prestarle un sacacorchos.

—Bueno, tampoco es que me lo haya prestado de forma gratuita —puntualizó Montesano. Además de la botella, llevaba en la mano una bolsa de papel marrón. La dejó sobre la mesa, la abrió y aparecieron dos pedazos de tarta de almendras con una gruesa capa de azúcar glas—. He tenido que comprarle algo. Espero que le guste la tarta de almendras.

—Me encanta —respondió Maria con un suspiro—. Me apasionan los dulces.

Montesano sonrió con satisfacción.

—Qué bien que no sea usted perfecta y también tenga algún vicio —dijo Montesano, y Maria se sonrojó ante el comentario—. Es que de lo contrario me sentiría mala persona a su lado —añadió él.

—¿Cuáles son sus debilidades?

—No se las pienso revelar. Al fin y al cabo, me gustaría poder disfrutar de más tardes agradables con usted —contestó Montesano, mirándola con una intensidad que consiguió acelerarle el corazón a Maria.

Montesano sirvió el vino en las dos copas. El líquido oscuro brilló con la luz del sol y espumó ligeramente antes de que él le tendiera a Maria una de las copas.

—Por una colaboración exitosa y armónica —dijo a modo de brindis.

—Ahora ha sido usted el que ha mencionado el trabajo —lo reprendió Maria.

—¿Lo ve? Ya me he delatado —señaló él con picardía—. Ahora ya sabe cuál es mi debilidad. Mis amigos siempre se quejan de mi ambición y me acusan de tomarme más en serio la vida profesional que la personal.

—Sé de qué me habla —comentó Maria con un suspiro—. Veo que en ese sentido nos parecemos mucho.

Montesano tendió su copa hacia ella y brindaron.

—Pero hoy intentaremos combatir nuestra debilidad haciendo lo posible por no pensar en la clínica.

—¡Una idea genial!

—¡Chinchín!

Las copas entraron en contacto con un leve tintineo y Maria tomó un sorbo de vino.

—¿Le gusta el lambrusco? —preguntó Montesano.

—Es la primera vez que lo pruebo, pero sí, me gusta.

—Me alegro. Empecemos a comer, pues —propuso, tras lo que arrancó un pedazo de pan y se lo ofreció a Maria.

Maria disfrutó al máximo de la tarde. Nunca en la vida había saboreado con tanto placer una simple hogaza de pan y un poco de queso y salami. Estuvieron riendo y contándose anécdotas de infancia. Charlaron sobre sus carreras y sus familias, y solo excluyeron un tema: la clínica.

Cuando el sol ya estaba cerca del horizonte y la mayoría de los visitantes se habían marchado del parque, ellos también recogieron sus cosas. Maria cogió las flores y juntos regresaron lentamente hacia el mirador. El sol refulgía de color anaranjado oscuro tras la cúpula de la basílica de San Pedro. El aire seguía centelleando por encima de los tejados rojizos de la ciudad.

—Nunca he salido de Roma —dijo Maria, maravillada—. Pero estoy segura de que no hay ningún lugar más bonito que este en el mundo.

Montesano estaba muy cerca de ella. Sus brazos se rozaron de un modo algo indecoroso, pero Maria disfrutaba de esa proximidad de todos modos. Cuánto le habría gustado que él le hubiera pasado el brazo por encima del hombro, aunque por supuesto le pareció impensable.

—Pronto conocerá una ciudad nueva —constató Montesano con un tono de voz tan aterciopelado como el color pardo de sus ojos—. Me pregunto si regresará pensando lo mismo.

—Estoy muy emocionada —admitió Maria—. Será mi primer gran viaje, nunca he estado en el extranjero.

—No tengo nada en contra de que se enamore de una ciudad extranjera —dijo Montesano—, pero creo que no soportaría que conociera allí a un hombre interesante.

Maria se acercó a él un poco más. Levantó la cabeza y volvió la cara hacia él. En ese momento estaban tan cerca que ella pudo ver incluso las motas de color verde claro en sus ojos, que la miraban con tanta curiosidad que parecían estar suplicando permiso para dar un paso más. Entonces fue cuando se inclinó hacia ella y la besó en los labios. Maria no opuso resistencia. Lo que estaban haciendo era completamente escandaloso. Si los veía una brigada contra el vicio y las malas costumbres, podían incluso encerrarlos por ello. Sin embargo, Maria no quiso dejar pasar aquella oportunidad. Nada en el mundo le apetecía más en esos instantes que aquel beso.

Un hombre se aclaró la garganta tras ellos y Montesano apartó los labios de los de Maria. Ella regresó al presente y miró a su alrededor, avergonzada. Aparte de aquel hombre, le pareció que nadie más los había visto. La anciana que tenían al lado solo estaba pendiente de la ciudad que se extendía a sus pies.

—Lo siento —se disculpó Montesano con la voz ronca—. Simplemente tenía que besarte.

Maria respondió a la disculpa con una mirada de anhelo.

—¿Pensarás en mí cuando estés en Berlín? —le preguntó él, agarrándole la mano.

—Cada día y cada hora —le prometió Maria.

Dicho esto, se puso de puntillas y besó a Giuseppe de nuevo. Esa vez la anciana sí que reparó en el gesto inmoral.

—¡Paren de una vez! —les ordenó, indignada—. O llamaré a un *poliziotto*.

Maria siguió agarrada a la mano de Giuseppe, tiró de él hacia la escalera y, entre risas, bajaron juntos a la Piazza del Popolo.

BERLÍN, SEPTIEMBRE DE 1896

El revisor abrió la puerta del compartimento y dijo algo en alemán que Maria no comprendió. Aun así, le pareció oír la palabra *Berlín*, por lo que asumió que pronto llegarían a su destino.

Llevaban dos días viajando. El miércoles por la mañana habían partido de Roma en tren en dirección norte. Al principio, las tres mujeres habían mantenido conversaciones de lo más animadas, pero llegó un momento en el que se impuso el cansancio. Mientras Rina Faccio y Florence Piavelli dormitaban, Maria se dedicó a contemplar con gran curiosidad los pueblos, las estaciones y los paisajes que iban pasando frente a sus ojos. En la frontera con Austria-Hungría, un funcionario subió al tren y pasó por el compartimento para comprobar los pasaportes. Tardó lo que pareció una eternidad en estampar cada documento con el sello del águila bicéfala. Maria había aprovechado ese tiempo parar mirar por la ventana, lo que le permitió descubrir en el horizonte unas montañas altísimas, cuyas cimas, al parecer, estaban coronadas de nieve durante todo el año.

A última hora de la tarde por fin llegaron a Trieste y se

dirigieron en coche de plaza directamente a la Piazza San Pietro, donde Rina Faccio había reservado tres habitaciones. Florence Piavelli dijo que aquella plaza abierta con acceso directo al mar guardaba cierta similitud con la Piazza San Marco, pero Maria no pudo ni confirmarlo ni desmentirlo, puesto que jamás había visitado Venecia. Eso sí, la plaza le pareció impresionante. Los edificios que la rodeaban le recordaron a los de las pinturas que había visto de Viena, si bien los *palazzi* tenían un aire mucho más italiano y dotaban a la ciudad de una elegancia especial. Por todas partes había oficiales y cadetes del ejército del emperador. Vestían uniformes multicolor, en parte debido a las suntuosas condecoraciones. Maria pudo oír idiomas muy distintos: alemán, italiano, esloveno y croata.

La plaza en la que cenaron tenía una iluminación espectacular. Las farolas estaban electrificadas, igual que los tranvías que recorrían la ciudad transportando a los viajeros de un lado a otro. Maria se quedó asombrada ante la riqueza y el progreso tecnológico de Trieste, y deseó que todos aquellos adelantos llegaran pronto a Roma para que todos sus habitantes pudieran disfrutar de ellos. En el vestíbulo del hotel había dos bustos, uno del emperador austríaco y el otro de su esposa, Isabel, venerada más allá de la frontera austrohúngara por su belleza. Cuando Maria llegó a su habitación, ya tarde, se acostó y durmió de un tirón. A las cinco de la mañana del día siguiente tuvieron que levantarse para coger el próximo tren.

Después de Salzburgo hubo otro control fronterizo. En esa ocasión fueron los funcionarios alemanes los que quisieron comprobar su pasaporte. A pesar de lo arduo que resultó el viaje, Maria disfrutó de cada momento de esa aventura sin cansarse de ver ciudades, paisajes cambiantes y edificaciones distintas según la región. Las casas con entramados de madera le llamaron especialmente la atención, puesto que en Roma esa modalidad constructiva era de lo más insólita. Cada vez que oía a alguien hablando en un idioma que no conocía, intentaba descifrar qué lengua utilizaban. La confundió el hecho de que el alemán de Trieste fuera tan claramente distinto del que hablaba el revisor del tren.

—¿De verdad es el mismo idioma que utilizó el camarero de anoche? —preguntó.

Rina Faccio asintió. Esta no solo dominaba el inglés y el italiano a la perfección, ya que eran sus lenguas maternas, sino que también hablaba bastante bien el alemán.

—Muchos austríacos alargan más las vocales y pronuncian las consonantes de un modo más suave que los alemanes —le explicó—. Por cierto, deberíamos prepararnos. Dentro de poco llegaremos a Anhalter Bahnhof, nuestra estación de destino en Berlín.

Dicho esto, se puso en pie y comprobó su peinado en el espejo que había bajo la red que sostenía su equipaje. Maria también se levantó y estiró el cuerpo. Llevaba tantas horas sentada que le dolía todo, y eso que habían aprovechado el tiempo para visitar dos veces el vagón restaurante, lo que les había permitido estirar las piernas un poco. Maria miró por la ventana y vio las casas apiñadas del paisaje urbano. De un número indecible de chimeneas emanaba un humo oscuro y espeso. Solo en lugares puntuales consiguió divisar el verde de unos árboles o arbustos en ese mar de edificios grises. Al oeste, el sol se ponía ya tras los tejados. El tren aminoró la marcha y el maquinista anunció con un potente silbido la llegada a destino. A Maria le habría encantado poder asomar la cabeza por la ventana para contemplar el gigantesco vestíbulo de la estación, pero nada más abrirla el fuerte olor a carbón quemado se colaba en el compartimento.

Con un traqueteo cada vez más leve, el ferrocarril entró en la estación. Habían llegado a su destino. Unas letras claras y decoradas con arabescos anunciaban desde un rótulo de fondo oscuro: BERLIN ANHALTER BAHNHOF.

—¡Vamos, Maria!

Durante aquel largo viaje en tren, las tres mujeres habían decidido tutearse en lo sucesivo. La menuda y delicada Rina se encargó de bajar su maleta y la de Maria del portaequipajes demostrando una fuerza sorprendente.

—Lo primero que haremos será buscar un mozo de estación —dijo.

Florence ya llevaba puesto el sombrero y el abrigo. Maria era la única que seguía sin separarse de la ventanilla. Parecía una niña fascinada que salía de excursión por primera vez en la vida. Toda la gente que caminaba por el andén parecía tener mucha prisa. En Berlín, los hombres y las mujeres se movían claramente más rápido que en Roma o en Trieste.

Al final, se apartó de la ventana y se puso el abrigo y el sombrero. Luego cogió su bolsa de viaje y la maleta. Intentó llegar hasta la salida con esfuerzo, pensando que tal vez debería haberse dejado en casa ese segundo par de zapatos.

En el andén encontraron a un mozo que enseguida se

218

ocupó de cargar la maleta de Maria y de las demás sobre una carretilla. Les dijo algo que Maria no acertó a comprender. Rina le respondió y las tres viajeras lo siguieron hasta el vestíbulo de la estación. Era una sala muy alta y repleta de columnas, con un techo acristalado que permitía la entrada de luz natural durante el día, aunque en esos momentos la encargada de la iluminación era una gigantesca lámpara de araña que brillaba con intensidad. El espacio olía a carbón, pero también a salchichas, chucrut y pan recién hecho. El estómago de Maria reclamó atención con un gruñido. Después del piscolabis que había tomado en el vagón restaurante no había comido nada más. Sin embargo, ni Rina ni Florence parecían estar interesadas en probar aquellas salchichas doradas, brillantes y aromáticas, porque pasaron de largo a buen ritmo en dirección a la salida.

Cuando salieron del edificio de la estación por una amplia escalera, a Maria la esperaba la siguiente sorpresa. En la gran plaza entró una especie de carruaje de dos pisos tirado por caballos, en el que viajaban al menos veinte personas. Tras él llegaba otro con una cantidad equivalente de pasajeros.

—Son tranvías de tracción animal —explicó Rina—. Aunque también hay algunos que funcionan con electricidad. Berlín es una ciudad muy moderna en la que viven casi dos millones de personas.

La cifra le pareció impresionante. Había multitud de gente por todas partes, y daba la impresión de que todos tenían prisa, igual que los viajeros de la estación. Nadie se limitaba a pasear, todo el mundo caminaba apresuradamente.

Florence pagó al mozo y se puso a hacer señas a los coches de plaza.

—¿No vamos a coger el tranvía de caballos? —preguntó Maria, desconcertada. Le habría encantado sentarse en el piso superior de uno de aquellos grandes carruajes, notando el viento en la cara y viviendo la ciudad en carne propia.

—¿Con el equipaje y todo? —preguntó Rina—. No, gracias.

Justo entonces se les acercó un coche de plaza.

—Tomaremos ese —decidió Florence.

Poco después se sentaron en el vehículo y se dirigieron a Friedrichstraße, donde se encontraba el Hotel Victoria, el lugar en el que tenían previsto alojarse. Las tres mujeres se sentaron en silencio en el coche, agotadas, y mientras que Rina y Florence tenían ya los ojos casi cerrados, Maria siguió observando atentamente las calles.

Todo le parecía más moderno, más llamativo y más rápido que en Roma. No paraban de pasar junto a tranvías de caballos repletos de gente hasta los topes, en cuyas plataformas e interiores se apiñaban hombres y mujeres por igual. Al borde de la calle, Maria vio ciclistas por primera vez, ya que hasta ese momento solo había leído acerca de su existencia. ¿Cómo era posible mantener el equilibrio sobre dos ruedas? Muchos berlineses parecían acostumbrados a circular en esos vehículos. Maria vio tanto a hombres como a mujeres, incluso a un niño que no debía de tener más de diez años, circulando con habilidad en esas curiosas monturas a través del tráfico urbano. Podían moverse con libertad por las calles porque todas estaban bien iluminadas. Hasta el último rincón de la ciudad estaba provisto de farolas eléctricas.

Tuvo la impresión de encontrarse no solo en otro país, sino también en otra época. Como si el tren la hubiera dejado en un futuro más tecnológico. Ninguno de los edificios que bordeaban las calles parecía tener más de cien años. ¿Dónde estaban las iglesias medievales? ¿Es que los alemanes habían erigido aquella ciudad durante el último siglo tras haber demolido todo lo que había antes?

Cuanto más avanzaban, más preguntas le venían a la cabeza. En las aceras había columnas publicitarias con carteles de colores que parecían anunciar eventos y espectáculos, aunque también cosméticos, ropa y productos domésticos. Por desgracia, Maria no comprendía los textos, y el coche de plaza pasaba muy rápido por su lado. Los caballos se detuvieron frente a un edificio de cuatro plantas muy bien iluminado.

—Ah, ya hemos llegado —anunció Rina con alegría.

Florence se despertó de su siestecita y bajó del coche. Maria las siguió, y lo primero que notó fue que el viento era claramente más frío que en Roma. Antes, en la estación, no se había dado cuenta, pero en esos momentos estaba helada, por lo que se envolvió aún más en el abrigo. El cochero descargó su equipaje y lo dejó todo en la acera. Mientras Florence pagaba la carrera, se acercó a ellas un muchacho ataviado con el uniforme del hotel y una gorra verde oscuro con un ribete dorado. Le dijo algo a Maria, pero esta se limitó a encogerse de hombros en señal de disculpa. ¿Por qué no había aprendido todavía a hablar ningún idioma extranjero?

Rina acudió en su ayuda. Le dijo algo al chico y este se llevó las dos maletas al interior del hotel. Lo hizo rápidamente, y antes de que el cochero pudiera marcharse ya había recogido todo el equipaje que llevaban las damas.

—Entremos —propuso Rina, agarrando a Maria del brazo y tirando de ella hacia la entrada. Una puerta de cristal de doble hoja les permitió acceder al vestíbulo del hotel.

—¿Aquí también hay una cafetería? —preguntó Maria señalando otra puerta doble. Sin embargo, las salas a las que daba acceso estaban a oscuras.

—Sí, es uno de los locales más preciados de la ciudad —le explicó Rina—. Por desgracia ya está cerrado, y la verdad es que es una lástima, puesto que aquí sirven los mejores pasteles y tartas de Berlín. Además, preparan un café de primera. No tan bueno como el que tomamos en Roma o en Trieste, pero al menos se deja beber.

En el vagón restaurante del tren Maria ya había comprobado lo malo que podía llegar a ser el café alemán, y de hecho hizo una mueca de asco con solo recordarlo.

—¿Quién es? —preguntó Maria, deteniéndose frente a un cuadro de un hombre vestido de frac. Una hilera de condecoraciones y pesadas cadenas de oro ornaban su pecho. CARL LUDWIG WILLDENOW, rezaba un pequeño rótulo en el marco.

—Creo que era el anterior propietario del edificio. Si mal no recuerdo, fue director del Jardín Botánico. Debo admitir que todavía no lo he visitado. Siempre que vengo a Berlín encuentro cosas mucho más emocionantes que hacer que ver plantas exóticas.

Maria comprendió perfectamente a Rina. En aquella ciudad tan animada, el Jardín Botánico era una de las últimas cosas que le apetecía visitar.

Pasando por encima de una alfombra roja, llegaron hasta la recepción. Allí las esperaba un hombre con un uniforme parecido al del muchacho que les había recogido el equipaje, aunque era claramente mayor y no parecía tan amable como el chico. Un pequeño letrero dorado en la solapa lo identificaba como Herr Fritz.

—Ustedes deben de ser las tres damas de Roma —constató con seriedad. Para gran sorpresa de Maria, lo dijo en su lengua madre, lo que le permitió comprenderlo.

—Pues sí —respondió ella con alegría—. ¡Y usted habla italiano!

El entusiasmo de Maria demostró ser pegadizo. De inmediato, a Herr Fritz se le iluminó el rostro con una sonrisa.

—Por desgracia, solo un poco —admitió.

—Pero ya es mucho más de lo que yo comprendo su idioma —dijo Maria—. Ya me gustaría a mí conocer tantas palabras en alemán.

El hombre se sintió visiblemente halagado.

—Muchas gracias por su amabilidad —replicó, aclarándose la garganta con timidez mientras se pasaba la mano por la espesa barba.

—¿Sabría usted decirnos dónde podríamos comer algo a estas horas? Ya hemos visto que la cafetería del hotel está cerrada.

Rina apoyó un codo en el mostrador y Herr Fritz recibió el gesto negando con la cabeza en actitud reprobatoria.

—¡Disculpe! —exclamó Rina, levantando el codo de nuevo—. Es que llevamos dos días viajando y estamos increíblemente cansadas —se excusó justo antes de bostezar tapándose la boca con la mano enguantada.

—Y hambrientas —se apresuró a añadir Maria.

—Vaya, no saben cuánto lo siento —contestó Herr Fritz. Acto seguido se inclinó hacia delante en un gesto de complicidad antes de hablar de nuevo—. Un poco más allá, en el número sesenta y seis de Friedrichstraße, encontrarán el Schwarze Austernkeller, donde sirven comida caliente las veinticuatro horas del día.

—¿Las veinticuatro horas del día? —repitió Maria, impresionada—. ¿Es necesario que nos acompañe algún hombre?

Herr Fritz reaccionó con desconcierto.

—¿Cómo dice?

—En Roma sería impensable que tres mujeres acudieran a un local sin la compañía de un caballero respetable.

Herr Fritz se encogió de hombros.

—Pero estamos en Berlín —dijo, haciendo que sonara casi como una disculpa. Sin embargo, ni Maria ni Rina esperaban esa reacción. A las dos les pareció fantástica la libertad de la que gozaban las mujeres en la capital alemana.

—¿Cuánto tiempo necesitáis para refrescaros un poco? —les preguntó Rina a sus compañeras de viaje.

Maria no tuvo que pensarlo mucho, su estómago empezaba a quejarse de nuevo.

—Diez minutos —respondió.

—Entonces nos vemos de nuevo dentro de diez minutos aquí, frente a la recepción —decidió Rina.

—Pero si ni siquiera nos han dado las llaves de las habitaciones —dijo Florence, que tenía la impresión de que se estaban precipitando.

—Las llaves de las habitaciones ya las tengo preparadas —anunció Herr Fritz antes de dejar sobre el mostrador tres pesadas llaves doradas, cada una con un rótulo que mostraba el número decorado con arabescos—. Las tres habitaciones se encuentran en el primer piso y disponen de agua caliente.

—Eso suena fantástico —dijo Maria con un suspiro de absoluta satisfacción.

—Si lo prefieren, pueden rellenar el formulario de ingreso más tarde —añadió Herr Fritz con una sonrisa—. Cuando se tiene hambre, solo debería hacerse una cosa: comer.

El Schwarze Austernkeller no era ni por asomo el infame local nocturno que habían esperado encontrar, sino ni más ni menos que un restaurante distinguido que, salvo unas cuantas mesas libres, resultó estar casi lleno. Era evidente que Maria, Rina y Florence no eran las únicas personas a las que les apetecía comer algo caliente a esas horas intempestivas. El comedor estaba iluminado por varias lámparas de araña de cristal, y en las paredes había colgadas enormes pinturas al óleo junto a espejos de marco dorado que contribuían a que el espacio pareciera más amplio. Los comensales conversaban entre ellos en voz baja, los cubiertos tintineaban en contacto con la vajilla y en el fondo de la sala, en la zona reservada para fumar, había un pianista. Iba vestido con un frac y tocaba música clásica de un modo discreto. Maria reconoció una de las melodías: era un tema de Vivaldi.

Las tres mujeres ocuparon una mesa situada en un rincón con ventana, justo al lado de un ficus enorme. Nada más sentarse se acercó a ellas un camarero con tres cartas encuadernadas en cuero. Maria abrió la suya, pero por desgracia no pudo comprender nada, a pesar de que estaban escritas tanto en alemán como en francés.

—Necesito vuestra ayuda —dijo, compungida.

Rina se inclinó hacia ella dispuesta a ayudarla.

—Puedes elegir entre sopa de ave o consomé con verdura tierna. Luego hay rodaballo de Ostende con salsa holandesa, pies de cerdo trufados con patatas dauphine o perdiz con ensalada. Y de postre puedes escoger fruta, queso o compota.

A Maria se le hizo la boca agua.

—Creo que tomaré la perdiz.

—Yo también —dijo Rina.

Florence se decidió por los pies de cerdo. Como entrante, las tres pidieron el consomé.

Poco después, el camarero les trajo una botella de agua y una de vino blanco del valle del Rin. Les llenó las copas hasta la mitad y se marchó a servir a otra mesa.

—¿Estás nerviosa? —quiso saber Rina—. Mañana tienes que dar uno de los discursos inaugurales.

Maria recogió el bolso que poco antes había dejado en el suelo, junto a la silla, y empezó a rebuscar en su interior.

—Lo llevo encima. ¿Queréis oírlo?

—Por supuesto —respondió Florence—. Pero primero

deberíamos comer algo. Mientras me sigan sonando las tripas no me veo capaz de escuchar nada con calma.

—Yo estoy igual —convino Rina antes de tomar un buen trago de vino blanco—. Sabes que el discurso sobre la diferencia salarial entre hombres y mujeres lo tienes el lunes, ¿verdad?

—Por supuesto —contestó Maria—. He estudiado el programa a fondo. No veo el momento de escuchar a las demás ponentes, hay muchos temas interesantes. Aunque espero que traduzcan los discursos.

—Por desgracia, no los traducen a todos los idiomas. Se espera que haya más de quinientas participantes de los principales países del mundo —dijo Rina—. Sería un trabajo increíble traducirlos a todos los idiomas. Sin embargo, la mayoría de las conferencias se traducirán al inglés y al francés.

Esa no era precisamente la respuesta que Maria había esperado oír.

—Pues hay una conferencia que quiero escuchar sea como sea.

—¿Cuál es?

—La de la doctora Goldschmidt. Hablará el lunes sobre la importancia a nivel internacional de Friedrich Fröbel en la educación de las familias y los pueblos.

—¿Quién es Friedrich Fröbel? —quiso saber Rina.

—Un pedagogo, discípulo de Pestalozzi. Di con su nombre por pura casualidad mientras buscaba escritos de Séguin. Y al leer su nombre de nuevo en el programa he pensado que era un guiño del destino. Tengo ganas de descubrir más cosas sobre él.

El camarero interrumpió a Maria para servir las sopas. Cuando tuvieron los tazones humeantes sobre la mesa, la conversación quedó olvidada por completo. Hambrientas, se abalanzaron sobre los entrantes, que resultaron ser deliciosos. Mientras degustaban el plato principal tampoco volvieron a mencionar nada del congreso, y se centraron más bien en alabar la ternura de la carne y el refinamiento de los condimentos. Maria quedó tan cautivada por el sabor de la perdiz que acabó mojando pan en la salsa oscura hasta dejar el plato limpio. Se tomaron la botella de vino entera y no contradijeron al camarero cuando les ofreció la segunda.

Decidieron prescindir del postre. Mientras se tomaban la tercera copa de vino, Maria sacó su carpeta del bolso y les leyó un fragmento del discurso. A pesar de sus grandes dotes como oradora, a Rina y a Florence se les cerraban ya los ojos. El día había sido demasiado largo, y la comida y el vino no habían sino sumado a la fatiga.

—Será mejor que paguemos la cuenta y regresemos al hotel —propuso Maria. Ella también estaba cansada—. Mañana oiréis el discurso de todos modos.

—Por favor, perdónanos —se disculpó Florence—. Te aseguro que me interesa, pero estoy tan cansada que podría quedarme dormida aquí mismo.

—Yo estoy igual —admitió Rina—. Si no me acuesto pronto, acabaré con la cabeza sobre la mesa. ¡Bum!

Dicho esto, le hizo una seña al camarero y le pidió la cuenta. Este les explicó que la caja se encontraba al lado del guardarropa.

—Yo me encargo de pagar —anunció Florence. Maria

quiso protestar, pero Florence lo impidió con un gesto—. Insisto.

Poco después, las tres mujeres recogieron sus abrigos del guardarropa y salieron a la calle, donde todavía reinaba una actividad considerable. Ya no pasaban tantos tranvías de tracción animal, pero había tanta gente por la calle como en Roma a mediodía. Maria se preguntó si los alemanes no dormían jamás. En cualquier caso, ella no veía el momento de meterse en la cama.

Cuando media hora más tarde se acurrucó bajo un edredón suave y ligero que olía a lavanda y violetas, pensó si había vuelto a guardarse la carpeta en el bolso o si se la había dejado sobre la mesa del Schwarzen Austernkeller. Sin embargo, estaba demasiado cansada para levantarse a comprobarlo. Se limitó a cerrar los ojos y se durmió al instante.

Unos fuertes golpes en la puerta despertaron a Maria. Se incorporó a toda prisa y necesitó un momento antes de recordar dónde estaba. Las cortinas de terciopelo verde oscuro frente al marco blanco de la ventana solo podían ser de su bonita y moderna habitación en el Hotel Victoria. Estaba en Berlín. Los golpes sonaron de nuevo.

—¡Maria, abre de una vez! Falta poco para las nueve. Tenemos que marcharnos.

¡Eran casi las nueve! Maria se despertó de inmediato. A las once tenía que subir al púlpito para hablar. ¡Cielo santo, se había dormido! Sin duda había sido culpa del vino blanco y de aquella cena tan deliciosa pero pesada. Apartó la colcha y saltó de la cama enseguida. Sus pies aterrizaron sobre una mullida alfombra de color burdeos. En cualquier otra circunstancia se habría recreado hundiendo los dedos para disfrutar de aquella sensación tan agradable, pero no tenía tiempo para deleitarse. Debía darse prisa.

—Maria, ¿me oyes? —gritó Rina desde fuera.

Maria fue corriendo hacia la puerta y la abrió.

—¡Pero si aún vas en camisón! —exclamó Rina, desconcertada. Ella ya iba perfectamente peinada, maquillada y vestida con un bonito vestido de color claro que realzaba su envidiable cintura. Como de costumbre, llevaba también una especie de corbata alrededor del cuello—. Maria, tienes que vestirte enseguida. Dentro de diez minutos llegará un coche de plaza. Hemos de ir al ayuntamiento, que es donde se celebrarán las conferencias. Antes deberíamos inscribirnos en la lista de participantes, y todavía no hemos saludado a las organizadoras...

Maria no tenía tiempo de seguir escuchando a Rina.

—Me daré prisa —prometió antes de dar un portazo.

Tan rápido como pudo, se quitó el camisón y lo lanzó de cualquier manera sobre la cama. De la maleta sacó el vestido nuevo de color azul marino. ¿Por qué no se le ocurrió colgarlo el día anterior? Estaba lleno de arrugas. Maria lamentó de inmediato haber sido tan descuidada. ¿Y dónde estaba su corsé? Antes de acostarse lo había dejado sobre la butaca, pero no lo encontraba. Dio una vuelta sobre sí misma para buscarlo y lo encontró sobre el taburete que estaba junto al lavamanos. Notó un zumbido en la cabeza. No volvería a tomar tres copas de vino seguidas nunca más. Era demasiado para ella.

Se enfundó el corsé en un periquete. Tras aquella cena tenía la barriga más hinchada que de costumbre, por lo que tuvo que contener el aliento para poder ajustar más los cordones. Una vez ceñido el corsé volvió a respirar, aunque de forma superficial, para no reventarlo. Con cuidado, se puso el vestido y se abrochó los innumerables botones que tenía en el lado derecho, desde la axila hasta la cintura.

A continuación se lavó la cara. El agua salió caliente al instante del grifo de latón. Maria se humedeció el cutis y luego se lo secó con una toalla sorprendentemente suave, otro lujo del que tampoco pudo disfrutar con la merecida calma. Con dos grandes zancadas se acercó al tocador. No tenía tiempo para peinarse con detenimiento. Lo único importante era domar aquellos rizos para que no le cayeran sobre la frente. Maria se decidió por el pasador de plata con la mariposa que ya se había puesto para dar el discurso de clausura de su tesis. Era un pasador bonito y se prestaba para la ocasión. Se lo colocó por detrás de la oreja derecha. De la bolsa de viaje pescó su neceser, en algún lugar debía de tener el perfume. Revolvió el contenido de un modo frenético y, al ver que no lo encontraba, decidió vaciar la bolsa sobre la cama. Un cortaúñas, una lima, el costoso jabón de rosas, un peine, el pincel y la polvera... y, por fin, el frasco de perfume. Maria se roció bien con la fragancia y el olor a flores frescas se extendió por la habitación. Solo le faltaban los zapatos. Se los puso, se los abrochó y luego se envolvió los hombros con el chal de seda celeste que se había comprado especialmente para la ocasión.

—¡Maria! —gritó Rina, golpeando de nuevo la puerta.

—Estoy lista —dijo Maria, abriéndola de par en par.

—Pero ¿cómo lo has hecho? —preguntó Rina, asombrada—. Pero si hace un momento ibas en camisón.

—Es que soy muy eficiente —respondió Maria, omitiendo que había dejado la habitación patas arriba. Tan solo esperaba que la pobre chica que tuviera que limpiar no se enfadara mucho con ella por que no le hubiera dado tiempo a ordenarla—. Solo me queda el abrigo.

Lo tenía colgado en el perchero que había junto a la puerta. Maria se lo puso y cogió también su bolso.

—Ya está. Vámonos.

Estaba tan nerviosa que ni siquiera se dio cuenta de que el bolso pesaba menos que la noche anterior.

Poco después, Maria se sentó entre Rina y Florence en un coche de plaza. Para no llegar tarde, le pidieron al conductor que acuciara a los caballos y salieron a toda velocidad hacia el ayuntamiento, el lugar en el que se celebraba el congreso. Después del recibimiento, tenían que hablar las delegadas de Alemania, Estados Unidos, Armenia, Dinamarca, Inglaterra, Francia, Finlandia, Países Bajos, Italia, Austria-Hungría, Persia, Portugal, España y Suecia.

A pesar de los intentos del cochero, no pudieron avanzar con fluidez debido al tráfico de tranvías y a la cantidad de personas que querían cruzar la calle. Maria no había visto jamás unas calles tan repletas de gente. Poco antes de las nueve y media el coche de plaza se detuvo delante del ayuntamiento. El gigantesco edificio de ladrillo rojo había sido erigido pocas décadas atrás, y en comparación con los viejos edificios romanos parecía nuevo. Las tres mujeres bajaron del coche. Rina y Florence avanzaron a paso ligero hacia la entrada, seguidas por Maria. Por una escalera accedieron a una gran puerta de madera de doble hoja. A derecha e izquierda había sendos carteles que anunciaban la celebración del congreso. Maria leyó en ellos su propio nombre, en lo más alto de la lista.

—¡Vamos, Maria! —exclamó Rina, urgiéndola a cruzar la puerta de una vez.

El interior del edificio ya estaba repleto de invitados. Frente al guardarropa se había congregado una verdadera multitud. Maria distinguió varias lenguas que no había oído hablar en la vida, pero no supo determinar si eran noruego, finés o islandés. Había dos mujeres vestidas de uniforme, una con una carpeta y la otra con una cesta repleta de broches distintivos. Buscaban a los nuevos visitantes para darles la bienvenida, por lo que también salieron a recibir a Maria, Rina y Florence. La más joven de las dos las saludó primero en alemán y luego, para gran alegría de Maria, también en italiano.

Por desgracia, aparte del saludo resultó que no sabía decir nada más en su lengua materna, por lo que luego tuvo que dirigirse a Rina para seguir conversando en alemán. Maria solo comprendió su propio nombre y el de una de las organizadoras, Henriette Goldschmidt. Tal vez la alemana deseaba conocerla antes de que diera su discurso. En la carpeta, la mujer uniformada buscó el nombre de Maria para trazar una cruz a su lado. La otra joven le entregó un broche con un disco de papel rojo con el nombre de Maria caligrafiado. Los distintivos de Florence y de Rina eran de color verde, mientras que las jóvenes que formaban parte de la organización del evento los llevaban azules. Al parecer servían para identificar a las oradoras, las visitantes y las organizadoras.

La joven de la carpeta, cuyo broche la identificaba como «Charlotte Knopf», le dirigió la palabra de nuevo a Rina. Hablaba deprisa, y Maria no estaba segura de que Rina comprendiera todo lo que le decía, aunque la vio asentir con diligencia y, cuando Fräulein Knopf se alejó con su colega, Rina se volvió hacia ella para traducirle el mensaje.

—La doctora Goldschmidt quiere conocernos, nos espera en el gran salón de fiestas.

Para calmar los nervios que empezaban a crecer en su interior, Maria se pegó el bolso contra el pecho como si fuera algo a lo que pudiera aferrarse. Sin embargo, el contacto con el cuero le provocó un sobresalto. El bolso no abultaba lo esperado. Se apresuró a abrir las correas que lo mantenían cerrado y miró en el interior. Durante unos instantes se le detuvo el corazón, y de pronto se sintió mareada. Aparte de un pañuelo, el monedero y una lata de caramelos de anís, no había nada en el bolso. Debía de haberse olvidado el discurso en el restaurante la noche anterior.

—Maria, ¿no te encuentras bien? —preguntó Florence con preocupación—. De repente te has puesto pálida como una vela.

Maria negó con la cabeza. Era incapaz de admitir que no tenía el discurso.

—Solo tengo el estómago un poco revuelto, seguramente porque no he desayunado —mintió.

—Tal vez en algún lugar puedan servirte una taza de café o de té —dijo Florence para intentar calmarla.

—No es necesario —replicó Maria con una sonrisa forzada.

Como si estuviera sumida en una especie de trance, se limitó a seguir a las dos mujeres pensando que su discurso sería un verdadero desastre, que al día siguiente todos los periódicos de Alemania, y poco después también los de Italia, contarían cómo la joven médica italiana había quedado en ridículo delante de quinientas participantes en el congreso. Deseó que la tierra se la tragara y no volviera a escupirla hasta que hubiera terminado aquella pesadilla. Sin embargo, el suelo de parqué oscuro no parecía dispuesto a apiadarse de ella, por lo que Maria entró con sus dos compañeras en el salón de actos, en el que había varias filas de sillas doradas y tapicería roja. Algunos de los espectadores ya habían tomado asiento. A derecha e izquierda del gran ventanal había pesadas cortinas del mismo tono rojo de la tapicería de las sillas, recogidas a ambos lados con suntuosos cordones dorados. En las paredes había colgadas varias pinturas de tamaño natural que representaban a políticos importantes y a militares de alto rango. Todos los oficiales y subtenientes llevaban el mismo tipo de casco, con una afilada punta en el centro.

A Maria los cascos prusianos le recordaban a una especie de hongo extraño. Normalmente le parecían divertidos, pero ese día no le apeteció lo más mínimo reírse. En esos momentos, el único que podría haberle subido el ánimo habría sido el camarero del Schwarzen Austernkeller. ¡Lo que habría dado a cambio de verlo entrar en la sala con el discurso en la mano! Y, sin embargo, ¿cómo iba él a sospechar que se trataba de un discurso escrito para el Congreso Internacional de la Mujer, si encima estaba escrito en italiano? Maria renunció a ese mínimo atisbo de esperanza que le quedaba.

Al frente de la sala había una especie de escenario con una tribuna y, junto a esta, un grupo reducido de mujeres charlando. Maria se fijó enseguida en una de ellas. Era corpulenta y de pelo cano, y debía de rondar los setenta años. Tenía el rostro surcado por las arrugas, pero irradiaba una gran vitalidad y determinación y despertaba una clara fascinación entre las demás.

—Esa es la doctora Goldschmidt —le susurró Rina al oído—, la que dará aquella conferencia que tanto te interesaba oír. La doctora Goldschmidt forma parte de la dirección de la ADF, la asociación de mujeres de Alemania.

No obstante, antes de que Maria pudiera llegar a la tribuna, Henriette Goldschmidt la reconoció. Con una agilidad sorprendente para su edad, fue a su encuentro.

—Usted debe de ser la *dottoressa* italiana —dijo, tendiéndole la mano a Maria en un gesto amistoso—. Hemos oído cosas muy buenas sobre usted, estamos impacientes por oír su discurso de apertura. Será usted la primera en hablar, seguro que su intervención nos animará a continuar.

Hablaba italiano con acento francés y Maria pudo comprenderla sin dificultad, pero al saber que sería la primera oradora del día sus rodillas amenazaron con fallarle. Tenía que desviar la mente del tema cuanto antes mejor.

—Muchas gracias por esos halagos anticipados —dijo, estrechando la mano de la anciana e intentando que no se le notaran los nervios—. Yo también espero con impaciencia su discurso, doctora Goldschmidt.

—Entonces ¿le interesa la etapa del jardín de infancia?

—Debo admitir que por ahora sé muy poco al respecto. Hoy en día hay pocas directrices pedagógicas para los niños que todavía no han iniciado la escolarización. En estos momentos trabajo con niños deficientes en una clínica psiquiátrica de Roma.

—Eso suena de lo más interesante.

—Sí, la verdad es que lo es —respondió Maria—. Estoy leyendo toda la obra de Séguin y de Itard e intento estimular y educar los sentidos de los niños. Hasta el momento, los pequeños han hecho grandes progresos.

Fue tan sencillo como eso, ya había encontrado un tema que consiguió distraerla de los nervios que le producía el discurso.

—No me sorprende nada —señaló Henriette Goldschmidt—. Seguro que ya conoce usted los regalos que propuso Fröbel.

—¿Regalos? ¿Qué regalos?

—El gran pedagogo alemán Friedrich Wilhelm August Fröbel, discípulo de Pestalozzi, se dedicó a fondo a la educación durante la primera infancia y desarrolló un material que permitió que los niños empezaran a desarrollar su intelecto jugando desde muy pequeños. A ese material lo llamaba «regalos».

A medida que se despertaba el interés de Maria, sus nervios se aplacaban cada vez más. Fröbel era el pedagogo sobre el que tantas ganas tenía de aprender más cosas.

—Entonces ¿existe la posibilidad de visitar uno de esos

centros en los que se enseña a los niños con ese sistema? ¿Cómo los llaman?

—Los llamamos *Kindergarten*, jardines de infancia —respondió Goldschmidt—. Son lugares en los que se espera que los niños crezcan como las plantas, sin forzarlos de manera innecesaria y sin una disciplina estricta, puesto que así deberían ser capaces de desarrollarse a su propio ritmo. Por desgracia, las ideas de Herr Fröbel no encajaron con las pretensiones educativas prusianas y acabaron clausurando y prohibiendo sus centros. Actualmente nos dedicamos a reconstruir poco a poco su obra.

—Suena como si fuera una ardua tarea —constató Maria, impresionada.

—Más que nada, es laboriosa —replicó Henriette Goldschmidt con una sonrisa—. Pero ciertas luchas requieren persistencia con tal de alcanzar el objetivo final. Piense si no en nuestra dura lucha por la igualdad de las mujeres. Seguro que tardamos años en conseguirla, hasta que se comprenda que las mujeres no deben verse reducidas a un papel pasivo e instintivo, sino que deben formar parte de la vida espiritual y científica —explicó, y su sonrisa se amplió aún más antes de proseguir—. Usted es el vivo ejemplo de ello.

Maria quedó fascinada con aquella mujer que, a pesar de su avanzada edad, seguía persiguiendo sus ideales con pasión. En ese momento deseó llegar a ser algún día como la doctora Goldschmidt y tener un ideal por el que luchar incluso cuando ya fuera una anciana como ella.

Entonces un periodista se acercó a ellas. En el broche llevaba escrito el nombre de un periódico alemán, el *Berliner Börsenblatt*. Le hizo una pregunta a la doctora Goldschmidt y, mientras esta la respondía, el reportero miró a Maria con curiosidad y anotó algo en su cuaderno de notas. La anciana contestó en alemán, pero luego se dirigió a Maria en italiano.

—Más tarde retomaremos esta conversación —le prometió mientras consultaba un pequeño y elegante reloj que llevaba colgado alrededor del cuello con una cadenita—. Oh, ¿tan tarde es ya?

Acto seguido se disculpó también ante el periodista. Maria miró a su alrededor y se dio cuenta de que la sala ya estaba prácticamente llena. Una de las jóvenes que había estado charlando con Henriette Goldschmidt antes de que ella llegara les hizo señas a Maria, Rina y Florence para que se sentaran en primera fila. Se presentó como Klara Grünbaum e informó a Maria de que se encargaría de traducir simultáneamente su discurso al alemán.

—Creí... —empezó a decir Maria, mirando a Florence.

Sin embargo, esta se encogió de hombros.

—Me acabo de enterar ahora —reconoció Florence, aunque lo cierto es que pareció aliviada de no tener que ser ella quien subiera a la tribuna para traducir sus palabras.

—Tiene que sentarse justo delante de la tribuna, de manera que pueda subir enseguida —prosiguió la señorita Grünbaum—. Yo me quedaré con usted y subiremos juntas al escenario en cuanto Frau Morgenstern la haya presentado.

Maria asintió. A partir de ahí, las cosas sucedieron muy deprisa. Sonó una campana y de pronto aumentó el volumen de los murmullos de la sala, hasta el punto de recordar al zumbido de un panal de abejas, con el frufrú de los vestidos, las sillas arrastradas y los pasos de la gente que seguía entrando en la sala. Maria tomó asiento delante de la tribuna. A su izquierda tenía a la señorita Grünbaum, y a su derecha, al periodista del *Börsenblatt*, que seguía mirándola con franca curiosidad. Maria se preguntó qué debía de estar garabateando en su bloc de notas. La campana sonó por segunda vez, y en esa ocasión el toque fue claramente más prolongado. Los ruidos comenzaron a perder intensidad y el aire del salón empezó a volverse sofocante. El perfume caro se mezclaba con el olor a sudor y maquillaje. Después, la campana sonó por tercera y última vez. Una mujer de la edad de Henriette Goldschmidt subió al escenario y se situó frente a la tribuna. Con los labios finos y unas gafas redondas, tenía un aspecto verdaderamente severo.

—Esa es Lina Morgenstern —le murmuró al oído el periodista—. No me gustaría nada encontrármela por la calle de noche.

Maria quedó tan desconcertada por el comentario que tardó unos segundos en darse cuenta de que le había hablado en italiano.

Cuando en el salón se impuso un silencio que habría permitido oír un alfiler cayendo al suelo, Frau Morgenstern comenzó a hablar con una voz cortante. Sus palabras sonaron como el fuego de artillería de un ejército. Maria se sobresaltó por dentro al oírla. Una de las jóvenes que iban de uniforme empezó a pasar por las filas para distribuir pilas de papeles entre los espectadores. Cuando el montón de papeles llegó a Maria, se dio cuenta de que se trataba de una traducción del discurso de bienvenida. Las palabras de Lina Morgenstern estaban impresas en una versión reducida traducida a tres idiomas: inglés, francés e italiano.

Maria le echó un vistazo rápido al texto italiano. Era un alegato beligerante a favor de los derechos de las mujeres. Maria habría elegido palabras muy diferentes, y de hecho cada frase que leía iba mutando dentro de su cabeza de inmediato. Le lanzó una mirada al periodista que tenía sentado a su derecha y pudo detectar con claridad su mirada de desaprobación. Todas las exigencias que reclamaba Frau Morgenstern eran legítimas, pero la manera de formularlas y el tono en el que lo hacía solo estimulaban la reticencia del sexo opuesto. El discurso era una declaración de guerra que, por su naturaleza intransigente, solo podía provocar conflictos.

La charla fue larga y algunos espectadores empezaron a bostezar. Maria notó cómo crecía la impaciencia en su interior. El tema era de gran importancia, y le dolía en el alma que Frau Morgenstern no fuera capaz de conseguir la implicación del público. El movimiento feminista todavía iba en pañales, necesitaba ganar partidarios, no más opositores. Inquieta, Maria no paraba de revolverse en su asiento. Y aunque no tenía su carpeta, estaba segura de que acabaría hablando con fluidez. De repente le vinieron a la memoria todas las anotaciones que había hecho, y se propuso que todo lo que quería decir sonara más conciliador que el discurso de su predecesora.

Por fin, Lina Morgenstern terminó su turno y le brindó el escenario a Maria. El público aplaudía mientras ella se levantaba. Estaba nerviosa, pero también entusiasmada por la oportunidad de hablar.

—¿No ha traído nada que leer? —le preguntó el periodista.

—Lo que vengo a decir es tan importante y tan significativo que siempre llevo las palabras dentro de mí —le respondió Maria con una sonrisa.

A continuación, subió a la tribuna con mucha calma. La señorita Grünbaum la siguió y se colocó a su lado mientras el público seguía aplaudiendo. Maria oyó algunos comentarios favorables sobre su aspecto. Hubo quien elogió su vestido, pero también su agradable figura. Maria se deleitó con ese nivel de atención, se sentía como la princesa de los cuentos de hadas de aquel cuentacuentos, o como la Duse, la gran actriz a la que tanto había venerado durante la infancia. Cuando los aplausos se apaciguaron, echó un vistazo a la sala. Todos los asientos estaban ocupados, e incluso había espectadores de pie, apoyados en las paredes. Todos los ojos estaban puestos sobre ella.

Maria se fijó en la expectación de aquellos rostros y de inmediato supo que sería capaz de convencer a esa gente. Con su discurso de apertura pensaba explicar la fundación de la asociación de mujeres de Italia, y cómo ese tierno brote iba creciendo poco a poco. Se dio cuenta de que no le costaría encontrar las palabras que la gente quería oír. Se había preparado el discurso a conciencia, por lo que no necesitaba leer ningún papel.

—Señoras, cuando la cuestión femenina por fin encontró una grieta entre las ruinas de los monumentos romanos y los prejuicios católicos, entró un agradable y moderno rayo de luz que dio lugar a la creación de la Associazione Femminile di Roma...

—Maria, estuviste fabulosa. Mira lo que dicen los periódicos. Se lanzan a tus pies —dijo Rina colocando un montón de periódicos recién impresos en la mesa del desayuno.

Estaban sentadas en el luminoso comedor del hotel, y por el amplio ventanal se filtraba una tenue luz de otoño que iluminaba los manteles blancos que cubrían las mesas en las que se servían los opíparos desayunos.

—«El mayor éxito del acto de inauguración de ayer llegó a cargo de la joven doctora italiana Maria Montessori. Su triunfo no se basó en nuevos pensamientos de corte profundo ni en una lógica aplastante, sino únicamente en su seductora personalidad... La blancura deslumbrante de sus brazos torneados, su voz cristalina, sus ojos llenos de vida y, por supuesto, su pelo negro como el azabache cautivaron a todo el auditorio, incluso al público femenino. Consiguió salvas de aplausos incluso antes de abrir su hermosa y rosada boca...» —leyó Rina antes de dejar el periódico a un lado y dar un bocado a su panecillo con mantequilla. Acto seguido, cogió otro diario y leyó unas palabras semejantes—. Te has convertido en la nueva celebridad de Europa. ¡La gente te adora! —exclamó con entusiasmo.

Esa mañana, Rina parecía algo desmejorada. Al parecer, Florence y ella se habían quedado bastante rato más en el bar del hotel, brindando con Herr Fritz por el éxito de Maria. Esta, en cambio, se había acostado temprano después de haber aprendido la lección la noche anterior, cuando habían cenado en el Schwarzen Austernkeller.

—En el discurso de hoy no quiero que me elogien solo por mi aspecto físico, sino por mis palabras —replicó Maria, muy seria. No obstante, no pudo evitar sentirse halagada.

—¿Esta vez lo llevarás escrito? —se burló Florence. Ya llevaba tres tazas de té negro con leche y empezaban a hacerle efecto.

—El de ayer también lo tenía por escrito —le recordó Maria—. Fue solo que no lo tenía conmigo en el ayuntamiento.

Cuando la noche anterior regresaron del congreso, Herr Fritz ya la estaba esperando en la recepción. Un empleado del Schwarzen Austernkeller les había traído la carpeta que Maria se había olvidado en el restaurante con el discurso de apertura. Al parecer, Florence o Rina habían mencionado en algún momento que se alojaban en el Hotel Victoria y solo habían tenido que encajar las piezas para saber dónde debían ir a devolverlo. Las tres mujeres se habían reído con tantas ganas al ver el desenlace de la historia que los clientes del bar del hotel les habían lanzado más de una mirada de desconcierto. Luego Florence y Rina se habían quedado a celebrarlo.

—Entonces ¿hoy piensas leer tu discurso? —quiso saber Rina.

—¡Ni hablar! —exclamó Maria con determinación.

Se había dado cuenta de que las palabras que había pronunciado de forma espontánea habían logrado seducir al público. Había sido la única delegada que no se había limitado a leer un papel, y los periódicos habían dejado constancia de su éxito. La gente había sabido valorar su autenticidad, por lo que ese día tenía que presentarse del mismo modo. El hecho de cometer algún que otro *lapsus linguæ* no reducía la calidad de su discurso, más bien al contrario: solo conseguía dotarlo de más vida. Maria no quería llevar nunca más un guion escrito cuando tuviera que subir a una tribuna. Sabía perfectamente cómo seducir al público, de eso estaba segura.

—Entonces ¿ya sabes cómo empezarás el discurso? —le preguntó Rina mientras se untaba otro panecillo con mantequilla.

—¿Queréis una muestra de lo que os espera?

Las dos asintieron con vehemencia.

—Señoras —empezó a decir Maria, con seriedad. Rina soltó una risita, pero Maria no dejó que eso la distrajera—. Hoy he venido a hablarles en nombre de las mujeres acomodadas de Italia, puesto que me han pedido que denuncie en este congreso una injusticia que deben afrontar precisamente por su condición adinerada.

—Creí que ibas a hablar sobre la brecha salarial entre hombres y mujeres —intervino Florence.

—Lo haré —aseguró Maria—, pero antes debo despertar el interés de las mujeres de clase alta que haya en el auditorio. ¿No os fijasteis en los vestidos de las espectadoras? Todas tenían el dinero suficiente para estrenar ropa tres veces al día. Solo se interesarán por los derechos de las clases menos privilegiadas si dedico poco tiempo a hablar de ello.

—Mmm —murmuró Florence mientras se rellenaba la taza una vez más, esperando a que Maria continuara.

—En Italia, y especialmente en determinadas provincias del país que en otros tiempos pertenecieron a Austria, antes de la unificación del país las mujeres tenían derecho a ganarse la vida por sus propios medios. Hoy en día, con el país ya unificado, se les ha arrebatado ese derecho incluso en los casos en los que la mujer se ha separado legalmente de su esposo. Esta es la peor forma de esclavitud para una mujer acomodada...

Maria le echó un vistazo a su plato. ¿Debería comerse otro de esos cruasanes dorados?

—Pero todavía no has dicho nada sobre la injusticia que pesa sobre los sueldos de las trabajadoras.

—Tened un poco de paciencia —les pidió Maria—. Después de esta digresión hablaré sobre las obligaciones de los hombres y las mujeres entre sí, y luego pasaré a los derechos que nos faltan. Las oyentes primero deben poder identificarse con nuestro propósito. Entonces llegará el momento de mencionar los problemas de los más pobres —explicó, y los ojos le brillaron al pensar en el desarrollo concienzudo de su discurso. Mordió uno de los cruasanes con determinación. Sabía a mantequilla, canela y azúcar.

—Maria, está claro que tienes un don natural para la oratoria —constató Florence francamente impresionada.

—Gracias —respondió Maria con la boca llena, algo nada habitual en ella.

No veía el momento de volver al ayuntamiento para mirar a los ojos del público una vez más. El día prometía ser tan emocionante como el anterior. Además, estaba impaciente por oír la charla de Henriette Goldschmidt. Esperaba que la alemana tuviera tiempo para ofrecer un discurso exhaustivo. Maria quería conocer el material que Herr Fröbel había concebido para que los niños jugaran. ¿Qué palabra había utilizado Frau Goldschmidt para referirse a ello? *Regalos*. A Maria le gustó. Era un nombre poético. Quizás podría llevarse alguna que otra idea suya a Roma.

—Siento mucho no poder mostrarle ningún jardín de infancia que funcione según la pedagogía de Herr Fröbel —se disculpó Henriette Goldschmidt—. Vivo en Leipzig, solo he venido a Berlín para el discurso y tengo que regresar enseguida.

La anciana se sentó en un sofá del distinguido salón de su sobrina Caroline Moser, que era propietaria de una vivienda en Mohrenstraße. Su marido era banquero, por lo que la familia podía permitirse una residencia realmente lujosa.

Estaban en uno de los barrios más señoriales de la ciudad. En la acera de enfrente había una sucesión interminable de comercios con los escaparates protegidos por toldos de colores. Al llegar, Maria había visto un fabricante de pelucas, una tienda de guantes y una de productos coloniales que ofrecía té, café y especias. Le habría encantado poder disfrutar paseando y observando aquellos comercios, pero por desgracia no tenía tiempo.

A diferencia de su tía, Caroline Moser no hablaba italiano, por lo que Frau Goldschmidt tenía que ir traduciéndolo todo. Tanto Rina como Florence habían decidido no aceptar la cita después de aquel día tan agotador en el congreso, de manera que se habían quedado cenando cómodamente en la cafetería del Hotel Victoria.

—Como ya he explicado por la tarde en mi discurso, Herr Fröbel revolucionó la educación durante la primera infancia en Alemania —explicó Frau Goldschmidt—. Pro-

247

movió que las guarderías y los parvularios se convirtieran en lugares en los que no solo se custodiara y alimentara a los niños, sino donde los niños también pudieran aprender y desarrollarse.

Maria retuvo todas y cada una de las palabras de Henriette Goldschmidt en su cabeza. Estaba fascinada por las ideas de ese pedagogo que se había propuesto ofrecer a los niños que sufrían perjuicios sociales una oportunidad justa de formarse. Con ese objetivo defendía que el aprendizaje no empezaba con la escolarización, sino el mismo día en el que llegaban al mundo. Maria se preguntó por qué el nombre de esa eminencia no era conocido en Italia. Una de las sentencias de Fröbel que Frau Goldschmidt había citado acompañaría a Maria durante mucho tiempo: «Educar es dar ejemplo y amor, nada más». Tenía que conseguir las obras de ese pedagogo como fuera, y necesitaría que alguien se las tradujera.

—¿Podría mostrarme los regalos de Fröbel? —preguntó María.

—Sí, claro. Caroline le encargó a un ebanista que confeccionara algunos para sus hijos.

Henriette Goldschmidt se volvió hacia su sobrina, le dijo algo en alemán y Caroline se dirigió a la habitación contigua. Poco después regresó cargada con una gran cesta. La joven se parecía mucho a su tía. Maria pudo hacerse una idea del aspecto de Henriette Goldschmidt cuarenta años atrás. Caroline Moser también tenía una mirada amable y bondadosa que irradiaba un entusiasmo contagioso. Mientras sacaba pelotas, bolas, cubos y cilindros y los iba dejando sobre la mesa, Henriette Goldschmidt se dedicó a ir explicando para qué servía cada cosa.

—Fröbel creó material para todas las edades. Cuando los niños son muy pequeños, se les da la más sencilla de las formas: una pelota blanda —explicó, mostrándole a Maria una pelota roja de tela rellena—. Luego se les dan formas simples de madera, para que puedan explorarlas con todos los sentidos —prosiguió, y dejó junto a la pelota blanda una esfera, un cubo y un cilindro, los tres de madera—. Los niños aprenden cosas como que un cilindro puede ser estático o rodar según cómo se coloca sobre una superficie.

Maria admiró el bonito acabado de la madera. Era completamente lisa, y a pesar de eso permitía apreciar las preciosas vetas naturales.

—Para Fröbel era muy importante la estética de los regalos —explicó Goldschmidt.

—Ya lo veo —dijo Maria.

—Cuando los niños aprenden las formas básicas, pasan a formas más complejas.

Henriette Goldschmidt señaló un cubo que podía armarse y desarmarse. También había dos medias esferas de madera con las que podía formarse una bola entera. Además de esos cuerpos geométricos, sobre la mesa había también unas cuantas formas planas. Todas estaban colocadas de manera que encajaran entre sí. Podían disponerse unas junto a las otras o también superponerse, y siempre daban como resultado formas geométricas nuevas. Así, los niños podían aprender el mundo de la geometría de un modo lúdico.

—¿Puedo? —preguntó Maria.

—Claro —respondió Henriette Goldschmidt, riendo.

Maria puso un círculo encima de un cuadrado y vio que encajaba perfectamente, tocando tangencialmente las cuatro aristas. A continuación, usó dos triángulos para formar un cuadrado.

—Todos estos regalos son maravillosos —comentó, fascinada.

—Sí, trabajar con ellos proporciona una gran satisfacción a los niños y las niñas —dijo Goldschmidt, asintiendo—. Los hijos de mi sobrina ya se han convertido en pequeños especialistas en el área de la geometría. Sebastian seguro que acabará siendo un gran ingeniero.

—¿Qué es eso? —preguntó Maria, señalando un papel de colores con cortes en toda su longitud. En las aberturas se entretejían tiras de papel de otros colores.

—Papel trenzado —contestó Herr Goldschmidt—. Sirve como ejercicio preparatorio para otras actividades manuales. Mediante la simetría y los colores también se trabaja el aspecto estético.

—¿Podría llevarme una hoja? Creo que los niños del manicomio podrían pasárselo muy bien con eso.

—¡Por supuesto! —exclamó Goldschmidt, y enseguida le tendió a Maria una de las hojas de color rojo intenso y unas cuantas tiras de papel de diferentes tonos de amarillo y verde.

—¡Muchas gracias! —exclamó Maria mientras se lo guardaba todo en el bolso—. ¿Y cómo lo hizo Herr Fröbel para estimular el lenguaje en los niños?

—Compiló una serie de canciones lúdicas para madres y educadoras. Estaba convencido de que las canciones y las rimas eran capaces de fascinar a los niños por la belleza del lenguaje utilizado.

—Muy ingenioso —dijo Maria, intentando ocultar su desilusión. Había albergado la esperanza de descubrir un material sencillo y al mismo tiempo tan genial como las piezas que tenía delante.

Caroline Moser empezó a guardar los materiales de nuevo en la cesta. Cuando hubo terminado, le dijo algo a su tía. Maria solo comprendió su propio nombre y esperó a que llegara la traducción correspondiente.

—A mi sobrina le gustaría felicitarla por el magnífico discurso que nos ha regalado hoy —explicó Henriette Goldschmidt—. Nos ha impresionado mucho a todas.

Maria se sonrojó ante el elogio. Todavía se conmovía al pensar en el éxito que había tenido. El público se había puesto en pie para dedicarle una larga ovación que había durado varios minutos. Ninguna de las demás oradoras había recibido tanta aprobación como ella. Todo habían sido alabanzas para la *dottoressa* italiana.

—Gracias —dijo Maria con timidez.

—Posee usted un don muy especial —prosiguió Henriette Goldschmidt—. Tiene la capacidad de cautivar a la gente. Estoy segura de que seguiremos oyendo su nombre a menudo en el futuro.

—Eso espero —admitió Maria—. ¿Cree usted que los niños deficientes podrían aprender a contar con el material de Herr Fröbel?

Henriette Goldschmidt se inclinó hacia delante con un gesto de complicidad antes de responder.

—Estoy convencida de que muy pocos de esos niños a

los que describe como deficientes lo son en realidad —contestó con total seriedad—. La mayoría de ellos son considerados como tales porque nunca han tenido la posibilidad de desarrollar su intelecto como es debido.

La anciana se lo dijo de todo corazón, y Maria pensó que merecía la pena demostrárselo al mundo. O al menos, para empezar, a la clínica psiquiátrica de Roma.

Maria disfrutó de tres fantásticos días más en Berlín. Junto con Rina y Florence, se dedicó a visitar los monumentos más destacables de la ciudad. Estuvieron paseando por el Reichstag y por el jardín del castillo de Charlottenburg, donde degustaron unos pasteles deliciosos en una cafetería llamados *Bienenstich*. Tomaron un coche de plaza para llegar hasta la puerta de Brandeburgo y pudieron contemplar la Ópera y el Teatro Real, al menos desde fuera. En una tienda de productos coloniales, Florence se compró un gran bote del té de Frisia oriental que tanto le gustaba tomar cada mañana para desayunar. Maria también adquirió una bolsita pequeña, con la esperanza de que a su padre le gustara el sabor de aquella mezcla tan intensa.

En la noche previa a su regreso envió un telegrama a sus padres para pedirles que no fueran a recogerla a la estación, puesto que no sabía con exactitud a qué hora llegaría el tren a Roma. Mientras que en Alemania se intentaban cumplir a rajatabla los horarios de llegada y de salida previstos, al sur de Múnich los trenes se regían más bien por un principio de casualidad. A partir de la frontera austrohúngara, era absolutamente imposible prever cuándo saldría un tren y cuándo llegaría a su destino. Pero eso no inquietaba lo más mínimo a Maria, ya que se tomó el viaje como una aventura. Se dedicó a disfrutar al máximo del trayecto sin darle importancia a la cuestión de la puntualidad. Si llegaba a Roma por la mañana, bien. Si llegaba por la noche, tampoco le parecería mal. Sin embargo, la idea de que su madre se pasara el día entero en la estación esperándola no le gustó. Renilde acabaría amargando a todos los empleados de la estación criticando su trabajo en voz alta, responsabilizando de los retrasos a los mozos de carga, a los trabajadores de las vías e incluso a las limpiadoras. Era mucho mejor que se quedara en casa, de esa forma su marido y Flavia serían las únicas personas que tendrían que sufrir la impaciencia de Renilde.

En la avenida Kurfürstendamm Maria se compró unos periódicos italianos. Llegaban a Berlín con tres días de retraso y costaban una fortuna que Maria pagó gustosa, porque en cada uno de ellos encontró algún artículo sobre ella. Al parecer, de la noche a la mañana se había convertido en la mujer más famosa de su país natal, «una atractiva *dottoressa* italiana que ha cautivado a toda Europa con su encanto y su inteligencia», según los periódicos.

Igual que en el viaje de ida, las tres mujeres hicieron parada en Trieste. En esa ocasión disfrutaron de más tiempo y no se limitaron a pasear por la ciudad, sino que se compraron unos billetes para la ópera de Verdi *Il Corsaro*, que se había estrenado allí unos años antes. Las obras del que tal vez fuera el compositor contemporáneo más famoso gozaban de una gran aceptación en Trieste. Cada pocas semanas había una ópera suya en el programa. La música parecía tener un papel de lo más importante en todo el Imperio Habsburgo. Maria, a pesar de no tener una sensibilidad especial para la música y de no saber tocar ningún instrumento, cantar ni bailar, disfrutó al máximo de la velada de todos modos.

Cuando por fin llegó a Roma, estaba agotada por el trajín que había conllevado el viaje, pero se sentía feliz. Nunca había vivido tantas cosas en tan poco tiempo ni había aprendido tanto como en los últimos quince días. Viajar le pareció la forma más agradable y emocionante de ampliar los propios horizontes.

Con un potente silbido, la locomotora entró en la estación. En comparación con las estaciones que Maria había visto en Alemania, la estación de Termini le pareció un poco provinciana. A pesar de eso, el corazón comenzó a latirle más deprisa y no veía el momento de volver a pisar su tierra natal.

—¿Qué te parece si cogemos un coche de plaza juntas? —propuso Rina cuando las tres hubieron descargado el equipaje en el andén.

—A nosotras nos queda bastante lejos la casa de Maria —contestó Florence, guiñándole un ojo a Rina y fijando su atención en un punto concreto por detrás de Maria—. Además, creo que no necesitará que la acompañemos.

Rina y Maria se dieron la vuelta. La primera esbozó una sonrisa, mientras que a Maria le dio un vuelco el corazón. Giuseppe Montesano avanzaba hacia ella a paso ligero por el andén con un ramo de flores en la mano derecha y una expresión radiante en el rostro.

—Sí, creo que volveremos las dos solas —dijo Rina

antes de darle a Maria un abrazo y un beso en cada mejilla.

Florence también se despidió de ella de un modo cariñoso.

—Nos vemos pronto —le dijo, y acto seguido le hizo una seña a un mozo de carga que cogió las maletas de las dos damas y empezó a recorrer el andén en dirección a la salida.

—¡Por fin! —exclamó Giuseppe con un suspiro.

Pareció titubear unos instantes, pero luego envolvió a Maria entre sus brazos. La estación era el único lugar de toda la ciudad en el que hombres y mujeres podían abrazarse sin provocar un escándalo. Ante las frecuentes despedidas y reencuentros que tenían lugar, la gente toleraba la proximidad física entre varones y damas. Giuseppe besó a Maria. No fue más que un beso fugaz, pero ella notó con claridad el anhelo y la pasión que encerraba.

Tardaron una eternidad en deshacer el abrazo.

—No sabía que vendrías —jadeó Maria, casi sin aliento.

—Pero te has alegrado, ¿no?

Ella se rio.

—¿No se ha notado?

Giuseppe la besó de nuevo.

—Claro que sí —susurró él en su pelo.

A continuación cargó con la maleta y recorrieron el andén hacia el vestíbulo. Fuera, ya la estaba esperando un coche de plaza. Primero subió Maria y luego, Giuseppe.

Durante todo el trayecto se estuvieron besando, ya con una pasión casi dolorosa. El camino hasta la casa de Maria se les hizo muy corto.

—Nos vemos mañana —dijo Maria con la voz apesadumbrada, puesto que no le apetecía separarse de Giuseppe. Nada en el mundo le habría gustado más que pasar el resto de la noche dentro de ese coche de plaza con él, circulando por Roma envuelta en el cariño de su amado Giuseppe.

—¡Sí! —exclamó él, y sus labios encontraron los de Maria una vez más antes de que ella bajara del coche.

Giuseppe se quedó dentro, e hizo bien, puesto que Renilde estaba asomada a la ventana y divisó a su hija. Nada más ver el coche, abandonó su puesto de vigilancia para acudir al encuentro de Maria y, al llegar abajo, el coche ya se había llevado a Giuseppe.

CLÍNICA PSIQUIÁTRICA
EN ROMA, OCTUBRE DE 1896

La pared del despacho del profesor Sciamanna presentaba una nueva incorporación. Junto al tigre había colgado un león, también con las fauces abiertas y mostrando unos dientes sorprendentemente blancos. Maria sintió lástima por aquel animal majestuoso que debería estar cazando gacelas en África, y no colgado sobre el escritorio del director de una clínica.

—Veo que se ha percatado de mi nuevo compañero de despacho —bromeó el profesor—. Estoy pensando en ponerle nombre. Mi hermano me lo trajo de África Oriental. Es oficial del ejército y lo han destinado allí.

Con el crecimiento de la industrialización, cada vez era más urgente la posesión de nuevas colonias. Igual que Inglaterra, Francia y Alemania, Italia intentaba suplir la necesidad cada vez mayor de obtener materias primas importándolas a buen precio de África. De allí llegaban también a Europa exóticos artículos de lujo, tesoros antiguos y algún que otro animal.

Maria intentó que no se notara lo que opinaba en realidad. Giuseppe, que estaba a su lado, también parecía tener dificultades para encontrar las palabras adecuadas.

—Sin duda estaría bien ponerle nombre —dijo ella, al fin.

—Me lo pensaré, pero tomen asiento, por favor. Querida *signorina* Montessori, doctor Montesano, ¿qué puedo hacer por ustedes?

Maria se sentó en una de las butacas tapizadas y Giuseppe se acomodó a su lado, mientras que Sciamanna se quedaba de pie junto a la ventana.

—La semana pasada ya le contamos los sensacionales progresos que están haciendo los niños desde que trabajamos con ellos —empezó a decir Giuseppe.

En realidad, era Maria la que se encargaba de los chicos y siempre llegaba con nuevas ideas para desarrollar materiales de juego y aprendizaje. Giuseppe simplemente supervisaba su trabajo y la evolución de los pequeños. Sin embargo, juntos eran los responsables de la mejora que habían experimentado los residentes.

—Es fascinante —lo interrumpió Maria—. La pequeña Clarissa ya ha aprendido a coser a la perfección. Al principio le dimos un bastidor para tejer y se dedicó a pasar un cordel grueso por unos agujeros, pero en cuanto hubo dominado el bastidor que descubrí en Alemania, pasó a intentarlo con hilo y aguja convencionales y ya ha conseguido unas puntadas tan pulcras como las de Serafina.

—Realmente resulta asombroso —convino Sciamanna sin dejar de mirar por la ventana con aire reflexivo.

—Algunos de los chicos son mucho más inteligentes de lo que creíamos —prosiguió Maria—. El pequeño Marcello, por ejemplo, ya sabe contar. De momento, solo hasta diez, pero estoy segura de que pronto conseguirá contar hasta cien.

—¿Qué le hace pensar que puede lograrlo?

Maria le habló de los carretes de hilo vacíos que le había llevado a Marcello. Juntos, los habían contado y los habían guardado en diez cajas. En cada uno de los recipientes había escrita una cifra del cero al diez. La caja con el cero quedó vacía, mientras que las demás las habían llenado con el número de carretes correspondiente a la cifra. Tras la segunda ronda, el muchacho ya había comprendido lo que Maria quería que hiciera y ordenó los carretes tan rápido que esta se había atrevido a pedirle que contara los carretes de las cajas tres y cuatro conjuntamente. Marcello había acabado contando hasta la séptima caja.

—Desde entonces no para de proponerse retos él mismo —explicó Maria—. Con la ayuda de los carretes, el chico logrará contar sin problemas.

—¿Cree realmente que contar carretes puede equipararse a contar de verdad?

—Sí, por supuesto. De momento necesita material para poder verlo, pero en cuanto se haya familiarizado más con las cifras, sabrá contar también sin la ayuda de los carretes —contestó Maria.

—¿Qué más pueden aprender esos niños? —preguntó Sciamanna—. ¿Cuál es el límite?

—No lo sé —admitió Maria de todo corazón—. Sin embargo, creo que algunos de ellos, con la ayuda adecuada, podrían conseguir el graduado escolar.

Sciamanna abrió los ojos con incredulidad. Se apartó de la ventana y se acercó a ella.

—¿El graduado escolar? ¿Nuestros pequeños dementes? —exclamó con perplejidad, y acto seguido se volvió hacia Giuseppe—. ¿Usted también lo cree?

Giuseppe no parecía tan convencido como Maria.

—Creo que algunos de los niños tienen ese potencial —opinó con cautela—. De vez en cuando comprenden lo que esperamos de ellos, aunque...

—No, Giu..., quiero decir, doctor Montesano —se corrigió Maria. Mantenían su relación en secreto, nadie podía enterarse de lo que había entre ellos dos. Si se llegaba a saber, perderían sus puestos en la clínica—. Los niños nos comprenden —prosiguió— cuando encontramos la manera adecuada de comunicarnos con ellos. Para ello, muchos precisan algún tipo de material especial. Necesitan cosas que puedan asir para comprenderlas. Y el deber de la ciencia consiste en descubrir cómo debe ser ese material.

Giuseppe ladeó la cabeza con escepticismo. Maria sabía que él solo compartía su opinión hasta cierto punto. Veía progresos en los niños, pero no tenía tanta fe como ella en lo que estaban haciendo ni de lejos.

—Los niños no tienen tan solo «un poco de potencial». Sin lugar a duda, algunos de ellos son tan listos que pueden conseguir el graduado escolar —insistió Maria.

—Con todos los respetos, *signorina dottoressa* Montessori. Ya sabe lo mucho que la valoro, pero me parece que se está haciendo demasiadas ilusiones al respecto —la contradijo Sciamanna, negando con la cabeza.

—De ninguna manera —replicó ella con empeño—. Hemos hecho grandes progresos —dijo mientras volvía la mirada hacia Giuseppe, que seguía en silencio.

—Puede que los niños aprendan a contar hasta diez, y

que consiga enseñarles a contar hasta cifras mayores con la ayuda de los carretes. Pero ¿cómo piensa lograr que esos niños deficientes aprendan a leer? —preguntó Sciamanna.

—De un modo parecido a como les he enseñado a contar —respondió entonces Maria—. Los niños necesitan objetos físicos que puedan percibir con todos los sentidos. Simplemente piense en el verdadero significado de la palabra *comprender*.

—¿Se refiere a letras que puedan manipular? —preguntó Sciamanna con escepticismo.

Giuseppe también parecía poco convencido.

No cabía la menor duda de que ambos estaban asombrados por la pasión que demostraba Maria, pero semejante asombro no se hacía extensible a sus teorías.

—Quiero disponer de un juego de letras de madera —explicó Maria—. Cada letra debería estar pulcramente recortada en madera. Aunque también se podrían encargar tres juegos de una, de manera que puedan trabajar con ellos varios niños a la vez.

—Eso costará una fortuna —dijo Giuseppe.

—Lo sé, por eso necesitamos urgentemente recibir dinero para la investigación.

—¿Y de dónde lo sacaremos? —preguntó Giuseppe.

—Del Ministerio de Educación —contestó Maria—. Imagínense la sensación si llegamos a tener éxito. Se hablaría de nosotros más allá de las fronteras italianas. Seríamos capaces de convertir a niños que se había creído necesario aislar en miembros útiles para la sociedad. Cualquier esfuerzo que pudiéramos hacer valdría la pena.

Maria no fue capaz de identificar lo que le pasaba por la

cabeza a Sciamanna, pero de reojo detectó que Giuseppe ya se había dejado convencer. La perspectiva de un éxito internacional consiguió derribar todas sus objeciones. Giuseppe era ambicioso, y Sciamanna también acabó queriendo saber más sobre sus ideas.

—¿Cómo puede estar tan segura de que tendrá éxito?

—Lo he visto en las caras de los niños —respondió Maria—. Hemos logrado que se interesen por el mundo que les rodea. Solo quieren aprender más cosas, y están dispuestos a hacerlo.

—Eso me lo puedo creer —dijo Sciamanna—. Pero el mero hecho de desearlo no basta ni mucho menos para conseguirlo. La capacidad intelectual de nuestros pacientes es limitada, precisamente por eso están aquí. No los aceptamos en la clínica porque sí, sino porque son deficientes.

—A muchos de los niños los traen porque de lo contrario no los atendería nadie —replicó Maria.

—¿Se ha fijado alguna vez en nuestro país, *signorina dottoressa*? ¿Sabe usted cuántos niños sanos se quedan a las puertas del graduado escolar y siguen siendo analfabetos el resto de la vida? Si muchos chicos sanos no llegan a conseguirlo, ¿cómo quiere que esos pequeños superen los exámenes?

—Creo que el hecho de que los niños sanos no obtengan el graduado no tiene nada que ver con la debilidad del intelecto. El motivo es el sistema educativo tan miserable que impera en Italia. En ninguna otra parte se cuida tan poco a los niños como en nuestro país. Aunque estamos atrasados desde el punto de vista técnico y económico respecto a países como Alemania, nos permitimos el lujo de dar por perdido el potencial intelectual de toda una generación simplemente porque los maestros no están dispuestos a ver más allá de sus narices.

—Eso son palabras mayores —constató Sciamanna, aunque tampoco la contradijo, puesto que era bien sabido que en las escuelas italianas reinaban unas condiciones lamentables. A menudo había más de cincuenta alumnos por clase, de diferentes edades y con un solo maestro que a duras penas sabía leer y escribir.

—No creo que todos nuestros niños sean capaces de obtener el graduado escolar —admitió Maria—. Pero alguno sí, no me cabe la menor duda. Y si además de ellos conseguimos ocuparnos de los niños más listos de otras instituciones mentales de Roma, tendremos un número suficiente de niños para llevar a cabo un experimento significativo. Si mis suposiciones son ciertas, podríamos demostrar al mundo que los niños deficientes pueden lograr muchas cosas si cuentan con la ayuda necesaria.

Sciamanna se frotó la nuca mientras pensaba en lo que acababa de decir Maria. Mientras reflexionaba, Giuseppe decidió intervenir.

—¿No se había propuesto de todos modos enviar a la *signorina* Montessori a todos los manicomios de Roma para asegurarse de que tratan a los niños de forma separada respecto a los adultos? —preguntó Giùseppe mientras le lanzaba una mirada a Maria. Había mantenido su palabra y la había propuesto para el cargo. A Maria la invadió una cálida sensación de gratitud—. Podría aprovechar para buscar a esos niños en los otros centros.

Maria lo tenía de su parte. Amaba a ese hombre con cada fibra de su cuerpo. Cuánto le habría gustado poder levantarse para besarlo. El anhelo en los ojos de él le reveló que compartía el mismo deseo.

Sciamanna se tomó su tiempo para responder.

—Dinero para investigación del ministerio... —murmuró en voz baja—. Si realmente consigue que un par de niños obtengan el graduado... De hecho, ¡aunque solo fuera uno!

Maria se lo quedó mirando mientras se estrujaba las manos, hecha un atajo de nervios.

—¿Cuánto cree que puede costar uno de esos juegos de letras de madera? —quiso saber Sciamanna.

—Tendría que consultárselo al *signor* Renzi. Ya ha elaborado los juegos de cilindros que tanto gustan a los niños.

—Bueno —dijo Sciamanna, al fin. Dio un paso en dirección a Maria y se dejó caer sobre la butaca vacía que quedaba bajo la cabeza de león—. Infórmese del precio de las letras de madera y encargue tres juegos. Intentaremos convencer al ministerio de lo que nos proponemos. Tendrá que ayudarme, doctor Montesano. Usted conoce a los cargos responsables del ministerio.

Maria tuvo que controlarse para no ponerse en pie de un salto y empezar a corretear en círculos gritando de alegría. En lugar de eso, se quedó sentada y aplaudió encantada.

—Eso no significa que vayamos a conseguir el dinero —matizó Sciamanna para intentar frenar tanto entusiasmo—. Si no recibimos ningún tipo de apoyo, tendremos que ahorrar en la comida o en la limpieza para financiar los materiales.

Maria sabía que las dos circunstancias eran horribles, puesto que la alimentación de los pacientes ya era lamentable y la limpieza de la ropa y de las sábanas de los chicos dejaba mucho que desear. Sin embargo, estaba convencida de que acabarían teniendo éxito.

—Y usted, *signorina* Montessori, comience a reunir a los niños deficientes más capaces de la ciudad —ordenó, tras lo que se aclaró la garganta—. La propia manera de formularlo ya parece una verdadera locura. Espero que desde el ministerio no nos traten como a idiotas cuando les contemos lo que nos proponemos.

Maria vio como Giuseppe empalidecía de repente a su lado. Tal vez habría preferido retirar su apoyo a la idea en ese momento, pero era demasiado tarde. El profesor Sciamanna se había interesado por el experimento. Quería que Maria enseñara a leer y escribir a los niños deficientes.

HOSPITAL PSIQUIÁTRICO DE OSTIA, CERCA DE ROMA, DICIEMBRE DE 1896

Los guardas le habían vuelto a quitar la camisa de fuerza a Luigi. No habían tenido que someterlo por segunda vez a las descargas eléctricas. Al parecer, el tratamiento había dado tan buenos resultados que consideraban que se había curado de los impulsos agresivos. Desde aquella dolorosa experiencia, Luigi se acurrucaba en su cama del gran dormitorio sin hacer ruido. Ya no se resistía a las duchas de agua fría ni rechazaba la repugnante comida. Procuraba tragar aquel caldo asqueroso como fuera y había aprendido a controlar las náuseas. Solo de vez en cuando la comida le regresaba a la boca, pero cuando eso ocurría se esforzaba en tragarla de nuevo.

Luigi ya no miraba por la ventana ni oía las campanas de la basílica. Le daba igual si era de día o de noche. En esos momentos estaba completamente solo en aquella sala gigantesca. Los otros niños estaban en el patio, estirando un poco las piernas a paso lento y en fila de dos.

Los guardias nunca habían llevado a Luigi a uno de esos paseos, le negaban incluso esa distracción. Consideraban que se había curado, pero su nombre seguía en la lista de pacientes peligrosos e imprevisibles.

Cuando se abrió la puerta del dormitorio, Luigi se quedó sentado como una estatua. Esperó en vano oír los ruidos de los niños regresando del patio. Los pasos se acercaron a su cama. Luigi reconoció la voz del director del centro. Había sido precisamente él quien había mandado someterlo a electroterapia, por lo que Luigi se estremeció. ¿Se lo llevarían otra vez? Le lanzó una mirada de reojo a su torturador. Junto a él había una mujer, una mujer bonita. ¿Qué hacía allí? La gente que trabajaba en ese lugar no tenía la mirada tierna y afable ni sonreía con tanta simpatía como lo hacía esa mujer.

—Este de aquí es un caso muy especial —explicó el director—. Llegó hace dos años y no hacía más que gritar a todas horas. Esta primavera se puso tan agresivo que decidí someterlo a una serie de descargas eléctricas a modo de terapia. Funcionaron bien, ya que desde la primera sesión del tratamiento su conducta ha mejorado de forma sustancial. Ahora está claramente más tranquilo, pero, como usted misma puede ver, es del todo incapaz de razonar.

—¿Cómo se llama el chico? —quiso saber la mujer.

—Ni idea, es que no habla. Nos lo enviaron desde un orfanato al que fue a parar después de que sus padres perdieran la vida en un incendio. Nadie sabe cómo se llama. De hecho, ni siquiera estamos seguros de que esa sea su verdadera historia, es posible que en realidad lo abandonara una prostituta. Ya sabe usted cómo son esas cosas. Un cliente las deja embarazadas y, cuando ya no pueden alimentar al crío, lo dejan frente a la puerta de cualquier convento.

—Pobre muchacho —dijo la mujer, sintiendo verdadera compasión.

El director se limitó a encogerse de hombros.

—La historia no debe de ser peor que la de los otros niños. Podría contarle situaciones de lo más conmovedoras.

—¿Y por qué no se quedó en el orfanato?

—Bueno, ya lo ve usted misma. Es deficiente. Y antes de la terapia, encima era agresivo. ¿Qué quería que hicieran con él en el orfanato?

La mujer se aproximó al muchacho y se sentó a los pies de su cama.

—Tenga usted cuidado, *signorina*. El chaval parece inofensivo, pero es peligroso. Por eso no puede salir al patio con los demás. Antes del verano mordió a uno de los guardas.

Sin embargo, la mujer no parecía preocupada por todas esas advertencias. Se acercó más a Luigi e intentó establecer contacto visual con él hasta que el chico levantó la vista hacia ella y se quedó mirándola a los ojos. Los tenía castaños, rodeados de largas pestañas. Aquellos ojos despertaron en Luigi vagos recuerdos, igual que lo habían hecho las campanas de la iglesia antes de que lo hubieran amarrado a aquella silla horrible. No obstante, las imágenes volvieron a desaparecer enseguida.

—¿Cómo te llamas? —le preguntó la mujer.

—No sabe hablar —dijo el director—. No se puede imaginar lo mucho que hemos intentado obtener algún tipo de respuesta, pero tiene la cabeza completamente vacía —sentenció, dándose golpecitos en la frente con un dedo.

La mujer se inclinó hacia delante y descubrió un arañazo que Luigi se había hecho durante el baño el día anterior. La celadora le había quitado la camisa por encima de la cabeza de cualquier manera y le había rasgado la piel con una uña. Desde entonces, la mejilla le dolía y le escocía.

—Esto parece infectado —dijo la mujer con preocupación.

Se sacó un pañuelo del bolsillo de la falda e intentó limpiarle la mejilla, pero Luigi retrocedió asustado y se quedó mirando el pañuelo. Tenía un bordado en una esquina.

—No te haré daño —le dijo ella con dulzura—. Solo quiero ver bien ese arañazo. Mira, el pañuelo está limpio. Lo utilizaré para secar la humedad de la herida.

Desplegó el pañuelo sobre la cama y lo alisó bien. Luigi no conocía las dos letras que decoraban la esquina del pañuelo, pero el insecto bordado que había al lado sí. Era un escarabajo de San Juan como el que había visto hacía poco en la celda. ¿O había pasado mucho tiempo desde entonces? Luigi había perdido toda noción del tiempo. La mujer, no obstante, percibió su interés.

—Son las primeras letras de mi nombre. M de Maria, porque me llamo así —le explicó en tono afable—. Y esto de aquí es un escarabajo de San Juan. ¿Conoces la canción sobre las luciérnagas y el escarabajo de San Juan?

Sin esperar respuesta, la mujer empezó a cantar en voz baja: «*Lucciola, lucciola, vien da me, ti darò il pan del re, pan del re e della regina, lucciola, lucciola, maggiolina*».

Luigi levantó la cabeza de repente. Conocía aquella melodía. Le había venido a la cabeza cuando el escarabajo de San Juan había salido volando desde la ventana hacia el cielo azul, hacia la libertad. Había pasado una eter-

270

nidad desde la última vez que le habían cantado aquella canción de cuna. Y desde que no vivía encerrado y se había sentido seguro, sin miedo a que alguien se lo llevara a la cámara de tortura cuando no se comportaba como se esperaba de él.

—Conoces la canción, ¿verdad? —preguntó aquella mujer tan simpática. En esos momentos ya se había acercado tanto a él que le pudo examinar la herida con detenimiento. Al verla, puso cara de preocupación.

Luigi asintió poco a poco.

Ella sonrió y se volvió hacia el director.

—Se equivocaba usted —constató—. El chico me ha comprendido.

—Tonterías. Está completamente loco.

Sin embargo, la mujer veía las cosas de otro modo. Se inclinó de nuevo hacia Luigi.

—Si me dices cómo te llamas, me ocuparé de que te lleven a otra clínica. Allí hay niños listos como tú, e igual que a ellos te enseñaré a contar, a leer y a escribir.

Luigi no tenía la menor idea de lo que significaba *leer*, *escribir* o *contar*, pero sabía que quería huir de ese lugar como fuera. Y no deseaba nada más en el mundo que volver a ver a aquella mujer tan amable.

—Está perdiendo el tiempo, *dottoressa*. No conseguirá arrancarle ni una sola palabra a este testarudo —dijo el director. Impaciente, empezó a desplazar el peso de un pie a otro, se sacó el reloj del bolsillo del chaleco y le echó un vistazo—. Deberíamos continuar. Este muchacho no es adecuado para su proyecto.

—¿Es verdad eso? —preguntó ella con ternura. Decididamente, tenía los ojos más bonitos que Luigi había visto desde hacía años.

Daba igual lo que quisiera enseñarle, estaba dispuesto a esforzarse y aprender.

—Luigi. Me llamo Luigi —dijo. Incluso él mismo se sorprendió al oír su propia voz.

Ella se le acercó todavía más y, aliviada, le puso una mano sobre el hombro.

—¡Qué bien, Luigi! ¡Me alegro mucho!

—¿Puedo ir contigo hoy mismo, Maria?

La mujer se volvió para mirar directamente al director, que se había quedado de piedra, como si acabara de ver a un guardia volando en círculos por el techo.

—Creo que es muy posible —dijo ella—. Sí, vendrás conmigo. En el cuarto de la clínica todavía nos queda una plaza libre.

ROMA, PRIMAVERA DE 1897

La ventana que daba al patio interior estaba abierta de par en par y el dulce aroma de los manzanos en flor entraba en el dormitorio. Una rama de flores blancas se vislumbraba a través del marco desde la cama en la que Maria y Giuseppe acababan de hacer el amor. No era la primera vez y con suerte tampoco sería la última, pero tenían que andarse con cuidado. Maria no podía quedarse embarazada por nada del mundo.

El caso es que nunca había estado tan enamorada. En presencia de Giuseppe se sentía completa, era como si por fin hubiera recuperado un fragmento de felicidad que siempre le había faltado hasta el momento.

—Giuseppe, ¿duermes? —susurró mientras le mordisqueaba el lóbulo de la oreja y le acariciaba la mejilla con suavidad. La tenía de lo más áspera, tendría que volver a afeitarse.

—Ya no —murmuró él medio adormilado. Como de costumbre después de hacer el amor, él se había quedado amodorrado y ella estaba rebosante de energía.

—¿Te apetece que vayamos a pasear junto al Tíber? —propuso ella.

Los dos tenían la tarde libre, algo poco habitual. Lo normal era que al menos uno de los dos tuviera que trabajar.

—Mis padres me han invitado a comer en casa —dijo Giuseppe, incorporándose—. Pero puedes venir, si quieres. Mi madre estaría encantada de conocerte, hace semanas que sospecha que hay una mujer en mi vida. Las madres tienen una especie de sexto sentido para estas cosas.

El entusiasmo de Maria se desvaneció de repente.

—Giuseppe, ya hemos hablado de ese tema muchas veces. Sabes perfectamente que debemos mantener nuestra relación en secreto.

Giuseppe puso los ojos en blanco. Él veía las cosas de otro modo, no le parecían tan complicadas como a Maria. Para ella el problema no era tanto la mácula de ese idilio extramatrimonial que tan fácilmente podían resolver contrayendo matrimonio, sino el hecho de que formalizar la relación, prometerse y luego casarse pondría punto final a la carrera de Maria. La sociedad italiana estaba convencida de que una mujer no podía ser esposa y científica al mismo tiempo. Las esposas debían dedicarse en exclusiva a velar por el bienestar de la familia. No se creía posible que las mujeres fueran capaces de conciliar ese deber con una carrera profesional. Al menos, no en Italia. Tal vez en países más desarrollados del norte del continente fuera distinto, pero en Roma era impensable.

Maria se apoyó en el hombro de Giuseppe.

—Antes de que valoremos la posibilidad de dar ningún paso, deberíamos terminar nuestro experimento en la clínica, y eso solo podemos hacerlo entre los dos —dijo ella—. Los niños son fantásticos. Ayer, Luigi consiguió unir letras por primera vez. Formó mi nombre y luego intentó escribirlo en una pizarra con tiza. Por desgracia, aún no tiene la habilidad manual necesaria, pero ya ha comprendido el principio básico de la escritura.

—Ese chico parece realmente despierto. Además, te aprecia mucho.

—Sí, es muy listo. Estoy segura de que conseguirá sacarse el graduado escolar.

Giuseppe se estiró y bostezó.

—¿Sabes si ya se ha publicado el artículo que escribimos con Vittorio Sergi? —preguntó Maria. Llevaba semanas esperando que se lo notificaran. El artículo, que trataba el tema de las alucinaciones, tenía que aparecer en una publicación especializada. Giuseppe le había pedido utilizar un extracto de su tesis y Maria había accedido encantada.

—El artículo salió ya hace unas semanas —respondió Giuseppe sin darle importancia al asunto.

—¿Puedo verlo? Seguro que lo tienes por aquí.

Giuseppe se levantó de la cama a regañadientes, se acercó a su escritorio y regresó con un ejemplar de la revista de medicina.

Maria la cogió con mucha curiosidad, la abrió y empezó a hojearla hasta que por fin encontró el artículo en cuestión. Descartó el contenido y fue a buscar directamente los créditos, donde no encontró su nombre.

—No mencionaste que una parte del artículo lo escribí yo —constató ella.

—No sabía que fuera tan importante para ti —se disculpó Giuseppe. Se tumbó en la cama de nuevo e intentó abrazarla, pero Maria lo rehuyó—. Ahora tu especialidad son los niños —prosiguió Giuseppe—. No pensaba que también te interesara distinguirte en el ámbito de los adultos. Además, estás luchando por los derechos de las mujeres. Desde que fuiste a Berlín, no pasa ni una semana sin que participes en alguna reunión de la Associazione Femminile di Roma.

Maria ignoró el tono de reproche de la voz de Giuseppe. Sabía que él también apoyaba la lucha por la igualdad de oportunidades entre hombres y mujeres. Sin embargo, en esos momentos se trataba de algo distinto.

—Quiero que la gente sepa que he participado en la redacción de este artículo —insistió Maria.

—Pero ¿de qué te serviría? —preguntó Giuseppe, que parecía no comprender el enojo de Maria—. El mundo entero ya te conoce. Eres la médica más famosa de Italia, incluso entre los médicos hombres no hay ninguno más famoso que tú. Reclamas mejores sueldos para las mujeres y das conferencias sobre el desarrollo de los niños deficientes.

—¿Y eso supone algún problema para ti? —inquirió Maria.

—No, por supuesto que no —contestó Giuseppe, titubeando un poco—. Pero no sospechaba siquiera que fuera tan importante para ti que tu nombre apareciera en ese artículo. Si hubiéramos escrito juntos algo sobre los niños deficientes te habría mencionado sin dudar ni un instante, pero ¿en un artículo sin importancia sobre las alucinaciones?

Maria dejó la revista a un lado. Giuseppe intentó abrazarla una vez más, y en esa ocasión ella se lo permitió.

—Estoy orgulloso de lo inteligente que es mi *dottoressa* —le susurró él al oído. Maria notó el calor que desprendía el cuerpo de Giuseppe. Tenerlo cerca despertó su anhelo y se pegó más a él—. Cuando los niños obtengan el graduado escolar y escribamos sobre ello, tu nombre aparecerá junto al mío, te lo prometo —dijo Giuseppe.

Maria se detuvo un momento.

—Ese artículo lo escribiré yo —repuso con determinación—. Soy yo quien les da clase. Yo redactaré los resultados para que puedan difundirse por todo el mundo. Este experimento es muy importante para mí.

—Lo sé, querida. Te veo implicada en ello cada día, soy testigo directo de tu trabajo con los niños. Y aunque estemos en la cama, sé que no paras de pensar en ellos.

—Eso no es cierto —se defendió Maria—. Y te lo pienso demostrar ahora mismo.

Acto seguido, se pegó completamente a él y lo besó con tanta pasión que ninguno de los dos pudo pensar en nada más durante los siguientes minutos.

CLÍNICA PSIQUIÁTRICA
EN ROMA, OTOÑO DE 1897

El cuarto de los niños había cambiado mucho a lo largo de los últimos meses. Las camas habían quedado relegadas al fondo de la sala, mientras que la parte anterior servía para jugar. Allí había estantes con todos los materiales, y cada semana se añadían cosas nuevas. Puesto que no había dinero para adquirir mesas, Maria trabajaba con los niños directamente sobre el suelo. Su madre le había comprado una alfombra barata en el bazar de la iglesia, de manera que podían enrollarla y desenrollarla en cualquier momento para que el lugar pareciera más acogedor.

Maria estaba fascinada con los progresos de los niños. Cada día la sorprendían con nuevas habilidades. Entre todos los niños, Luigi era el que demostraba más destreza con diferencia. El muchacho había aprendido a leer y a escribir en muy poco tiempo. Ya sabía contar hasta cien y leía textos complejos sin equivocarse y comprendiendo su sentido. Era como si todas esas capacidades hubieran permanecido dormidas, esperando a que alguien se las despertara con un poco de ternura. Luigi adoraba a Maria. En cuanto entraba en la sala, se pegaba a su lado y no se separaba de ella hasta que se marchaba a casa. Mientras estaba sentada junto a él en el suelo para explicarle un problema de aritmética o para enseñarle a utilizar el bastidor para tejer, él siempre posaba una mano en el antebrazo de Maria. Era como si necesitara asegurarse de que estaba allí y no se desvanecería en cualquier momento.

Siempre que les enseñaba cosas a los niños, Maria seguía el mismo principio: intentaba estimular tantos sentidos como fuera posible. Si un niño presentaba dificultades auditivas, podía compensar el déficit expresándose con las manos. Otros niños tenían problemas motores y no conseguían agarrar los objetos correctamente, de manera que los animaba a utilizar sobre todo los ojos para relacionarse con su entorno.

Maria tomaba nota de todas sus observaciones de un modo riguroso y Giuseppe la ayudaba en ese proceso de documentación. Como científico, él también estaba acostumbrado a ese nivel de meticulosidad en el análisis. A veces él detectaba cambios en el comportamiento de los niños que a Maria le pasaban por alto, o viceversa. Después de trabajar con ellos, se dedicaban a comparar sus impresiones y reflexionaban juntos acerca de las posibilidades que tenían de perfeccionar el método. A menudo pasaban horas enteras sentados en la pequeña sala de trabajo que había junto al suntuoso despacho de Sciamanna y discutían sobre la calidad de los nuevos materiales que iban desarrollando. En esas ocasiones perdían por completo la noción del tiempo, hasta el punto de saltarse las comidas. No era infrecuente que llegara el anochecer y no hubieran tomado nada desde el desayuno. Entonces Giuseppe iba corriendo a la *trattoria* de la esquina, regresaba con una cazuela de pasta humeante y se la zampaban entre los dos de una sentada.

Durante esas semanas y meses de trabajo intenso, a Maria le quedó poco tiempo para ver a su amiga Anna. Solo coincidían en reuniones del movimiento feminista o cuando Maria necesitaba que le tradujera algún texto especializado que solo había encontrado en inglés.

Las conversaciones con su madre también se volvieron más infrecuentes que nunca. Maria lo justificaba con el trabajo, pero su madre no era tan indulgente como Anna. No mostraba la más mínima comprensión hacia el comportamiento de Maria, por lo que una noche llegaron al punto de discutir. La madre se quejaba de que Maria ya no le hacía caso y la acusó de ser una desagradecida. Maria dio por terminada la conversación de inmediato. A la mañana siguiente, no obstante, se disculpó ante su madre por haberse comportado como una niña y Renilde la perdonó, pero eso abrió una primera brecha en una relación que había sido inmaculada hasta el momento. Al principio fue algo superficial, pero cada día que Maria no tenía tiempo para charlar con su madre la herida se hacía más y más profunda.

Al parecer, Renilde se dio cuenta de que debía de haber un hombre en la vida de su hija y eso la preocupó.

—No puedo prohibirte que hagas nada —le dijo en un tono sombrío—. Mientras no provoques ningún escándalo, no me entrometeré en tus asuntos. Al fin y al cabo ya eres una mujer adulta. Sin embargo, no pienso permitir que arruines tu futuro con ese comportamiento. El camino para llegar hasta aquí ha sido muy duro y lleno de obstáculos. Sería una verdadera insensatez renunciar a la gloria solo por un capricho.

Maria recibía cada vez más críticas de su madre, y fue solo gracias a los esfuerzos de Alessandro que las riñas no fueron más allá. Sin embargo, por debajo de aquella superficie aparentemente plácida, los conflictos seguían bullendo.

Maria continuó viéndose con Giuseppe a escondidas, pero también trabajaba con tesón. Poco después de Navidad inscribió a cuatro niños de la clínica en los exámenes de escolarización del Estado. Los requisitos eran los mismos que para los niños sanos. Tenían que leer un texto para luego responder a una serie de preguntas, escribir un breve dictado y resolver unas cuantas operaciones aritméticas de dos cifras. Maria estaba segura de que Luigi, Clarissa, Marcello y Vanessa aprobarían el examen.

En cuanto hubo anunciado lo que se proponía al Consejo Escolar, empezaron a aparecer los primeros artículos en los periódicos, algunos de ellos poniendo en duda el sistema educativo italiano. ¿Cómo era posible que unos niños deficientes fueran capaces de resolver problemas que no todos los niños sanos lograban solucionar? Dos periodistas acudieron a la clínica con la intención de entrevistar a Maria, pero ella les pidió que esperaran hasta que hubiera pasado el día del examen.

—Comprenderán que ahora mismo tengo que concentrarme plenamente en los niños —se excusó—. En cuanto hayan aprobado los exámenes, porque estoy convencida de que pueden lograrlo, estaré encantada de recibirles, charlar con ustedes y responder a todas las preguntas que quieran hacerme.

—¿Cómo puede estar tan segura de que esos niños deficientes conseguirán aprobar el examen?

—Con los estímulos adecuados, todos los niños son capaces de aprender.

A diferencia de Maria, Giuseppe habría estado más que dispuesto a hablar con la prensa. Sin embargo, él se quedaba cada vez más a la sombra por un motivo muy simple: Maria era la única que trabajaba con los niños y la que tomaba las decisiones importantes. Ella determinó quién podría presentarse a los exámenes y cuánto tiempo deberían dedicar los niños a prepararlos. Además, se aseguró de que su nombre no quedara eclipsado otra vez: cuando alguien escribía sobre el experimento, su nombre tenía que mencionarse. No quería que volvieran a ignorarla en ningún artículo, y Giuseppe también veló por que eso no sucediera de nuevo.

La noche previa al examen, los nervios eran más que evidentes en la clínica.

—No somos tan listos como los niños normales —se lamentaba Clarissa, desanimada.

La chica había cambiado completamente durante el último año. Llevaba el pelo bien trenzado y la cara limpia, así como ropa pulcra y de su talla. Cada vez que descubría un agujero en una prenda, la remendaba con tanto esmero que dejaba de ser visible. Serafina le había enseñado a tricotar y resultó que a la chica le encantaba tejer bufandas de colores. Le había hecho un chal de color rosa claro con encaje gris a Maria, y esta quiso ponérselo el día del examen.

—Tonterías —replicó Maria—. En realidad sois tan listos como cualquier otro niño, y mañana se lo demostraréis a todo el país.

—Pero tengo miedo —insistió Clarissa.

—¿De qué? —preguntó Maria—. ¿Del dictado? Pero si ya apenas cometes errores cuando escribes.

—Pero los cálculos no se me dan tan bien como a Luigi.

Durante los últimos meses, el chico había experimentado la transformación más sorprendente de todas. Aquel chico flaco y callado se había convertido en un muchacho seguro de sí mismo y hambriento a todas horas. Daba igual lo que hubiera de comer, Luigi se lo zampaba con verdadero entusiasmo. Y Maria daba mucha importancia a la alimentación. «Un cerebro solo puede desarrollarse cuando recibe los nutrientes necesarios», le había explicado al profesor Sciamanna, y desde entonces en la clínica siempre había verduras con pasta, arroz o polenta. Cada viernes les servían pescado fresco, mientras que los fines de semana a cada niño le tocaba una pequeña ración de carne. A Luigi le encantaba comer con los demás y llegaba al punto de ayudar a los niños físicamente impedidos para que pudieran sentarse a la mesa como el resto.

Solo en alguna ocasión en la que creía que nadie lo veía se había plantado frente a la ventana con aire melancólico. Maria sabía que no podía remplazar a los padres del chico, pero se ocupó de hacer que el paso del tiempo fuera más llevadero para él presentándole continuamente retos que le permitieran desarrollar su intelecto.

Fue Luigi quien le pasó un brazo por el hombro a Clarissa.

—Lo conseguiremos —afirmó con optimismo—. Maria nos ha preparado para ello.

Sin embargo, la niña no parecía muy convencida.

—Os prometo que no ocurrirá nada malo —dijo Maria—. Lo único que haréis será leer, escribir y contar, igual que habéis estado haciendo aquí desde hace semanas. Luego, los maestros del ministerio verán cómo lo habéis hecho. Y si lo hacéis tan bien como espero, vuestras fotografías aparecerán en los periódicos y todo el mundo se alegrará de vuestros progresos.

A pesar de las explicaciones, el rostro de Clarissa no perdió la seriedad.

—Y si aprobamos..., ¿qué será de nosotros? ¿Tendremos que marcharnos de aquí y vivir en un orfanato?

Entonces Maria comprendió al fin lo que la muchacha temía en realidad. No era el examen lo que le daba miedo, sino lo que pudiera conllevar aprobarlo. Clarissa había pasado sus primeros años de vida en un orfanato y, a juzgar por su actitud, las experiencias que debía de haber tenido allí no parecían positivas que se diga.

—Os podréis quedar aquí hasta que tengáis la edad suficiente para valeros por vosotros mismos —les prometió Maria.

—¿Aunque aprobemos el examen?

—Sí, por supuesto —aseguró Maria—. A los demás niños les vendrá muy bien vuestra ayuda. ¿Qué sería de Adriano si tú no le ataras los cordones de los zapatos? ¿O de Silvia, si no le echaras una mano a la hora de coser? Y Vittorio también tendría problemas si Luigi no le diera de comer.

Los niños aludidos se acercaron a ellos y se sentaron a su lado hasta formar un grupo. Eso probablemente fuera lo mejor que les había ocurrido en las últimas semanas y meses: saber que ya no estaban solos. Muchas veces no necesitaban la ayuda de Maria, porque se ayudaban entre ellos. Maria sintió de repente como la invadía una verdadera oleada de orgullo. Aquellos niños eran fantásticos.

—Durante las últimas semanas he sido vuestra maestra —dijo, emocionada—. Pero en realidad habéis sido vosotros los que me habéis enseñado cosas a mí.

—¿Nosotros te hemos enseñado algo? —preguntó Luigi con curiosidad—. ¿Y qué es?

—Me habéis enseñado que os podéis ayudar mutuamente —respondió Maria—. Lo único que he tenido que hacer como maestra ha sido demostraros que podéis hacer las cosas solos —explicó con lágrimas en los ojos—. Estoy muy muy orgullosa de vosotros —dijo abriendo mucho los brazos, y todos se apoyaron en ella para fundirse en un abrazo con algún que otro forcejeo. Maria se rio. Tardó un rato en conseguir que todos se desprendieran de ella.

—Mañana demostraremos a los maestros lo listos que somos —dijo Clarissa con una expresión seria y llena de determinación.

Maria no tenía la menor duda de que superarían la prueba.

La prensa se interesó mucho por el caso. Todos los periódicos del país querían informar sobre aquellos niños deficientes que participaban en unos exámenes oficiales absolutamente corrientes. Daba igual los resultados que obtuvieran, el mero hecho de que se presentaran al examen ya causó un enorme revuelo.

Maria había comprado uniformes escolares para sus alumnos, delantales blancos sobre batas azules, y ella se vistió con una de sus mejores galas y se peinó con esmero. Además, se puso el chal que le había tejido Clarissa por encima de los hombros.

—Crucemos los dedos —le había dicho Renilde por la mañana, y su hija le dio un beso en la mejilla.

La discordia que había tenido lugar entre ellas quedaba olvidada. Como siempre había ocurrido, la madre compartía los nervios de Maria, y su padre también le había deseado suerte de todo corazón.

—Gracias —había replicado Maria—. ¡Estoy segura de que los niños no me decepcionarán!

En esos momentos estaba sentada con sus cuatro alumnos, rodeada de otros estudiantes impacientes y de sus padres, en el pasillo de una escuela pública. Olía a zapatos viejos y a bocadillo rancio, a suelo fregado y a borrador de pizarra húmedo, una mezcla de olores que a Maria le recordó a su época de colegiala.

No había cambiado nada. Ni siquiera la desoladora distribución de las aulas. La escuela era un lugar concebido para los adultos, no para los niños. Los pupitres eran demasiado grandes y la pizarra estaba a la altura del profesor, de manera que los niños tenían que torcer la cabeza hacia atrás para ver lo que se escribía en ella. No había nada colorista ni acogedor, nada capaz de despertar el interés natural de los niños.

Sentada en el duro banco de madera del pasillo, Maria solo deseaba salir de aquel edificio frío y hostil. ¿Acaso una escuela no debería ser un lugar en el que los niños se sintieran a gusto?

Miró a Luigi, que estaba sentado a su lado. El chico, que había pasado varios años encerrado en celdas, parecía compartir las mismas sensaciones que ella. Estaba cabizbajo y tiritaba ligeramente.

—¿En qué piensas? —le susurró Maria.

—Quiero volver a la clínica.

—Todavía tardaremos un poco —le dijo Maria—. Pero en cuanto tengamos los resultados, iremos a un parque y os invitaré a todos a comer un buen pedazo de pastel.

La perspectiva del pastel pareció levantarle el ánimo a Luigi, porque enseguida esbozó una sonrisa.

En ese instante se abrió la puerta tras la cual los hombres del Consejo Escolar se habían retirado para comprobar los ejercicios. Un funcionario serio y malhumorado vestido con un traje oscuro salió al pasillo. Tenía una lista en la mano y miró a su alrededor con soberbia. Varios de los padres que estaban esperando se levantaron de sus asientos y se acercaron a él con curiosidad.

—¿Mi hija ha aprobado?

—¿Qué nota ha sacado mi hijo?

El funcionario los detuvo con un gesto de la mano.

—Un momento —les dijo. Tras él salieron dos examinadores más de la sala y los tres se acercaron a Maria.

—Tenemos que hablar con usted —susurró el hombre que llevaba la lista.

Maria se puso en pie.

—Claro —dijo—. ¿Puedo saber qué resultados han obtenido los niños?

—De eso se trata precisamente —dijo el hombre en voz tan baja que solo ella pudo oírlo—. Hay algo extraño en los resultados.

—¿Extraño? —repitió Maria.

El tipo se aclaró la garganta, algo abochornado. Miró por encima del hombro hacia el lugar en el que dos periodistas esperaban con impaciencia a que se hicieran públicos los resultados.

—Todos han superado todas las pruebas, salvo cuatro de los niños —dijo el funcionario, y levantó la voz para que todos los que estaban en el pasillo pudieran oírlo.

De inmediato, los periodistas empezaron a garabatear en sus cuadernos mientras un murmullo se alzaba a su alrededor.

—Sin duda deben de ser los deficientes —dijo un padre, aliviado.

Maria no podía creer lo que acababa de oír.

—¿Cuatro niños? —repitió, negando con la cabeza.

—Sí.

—Pero es imposible que sean los niños que he inscrito para el examen. Están sobradamente preparados para aprobar.

El volumen de los murmullos aumentó tras el comentario. La gente comenzó a cuchichear y alguien se rio de la joven *dottoressa*, tratándola de megalómana.

—¿De verdad creía que esos niños superarían las pruebas?

El funcionario que tenía la lista estaba visiblemente incómodo. Se tiró del cuello de la camisa, intentando aflojárselo un poco para poder respirar mejor.

Las voces de fondo cada vez se volvieron más sonoras y hostiles.

—Estaba clarísimo que suspenderían —dijo alguien—. No saben ni leer ni escribir, ¿y cómo quieren que sepan sumar si no les funciona el cerebro?

—Sí, no se podía esperar otra cosa de una mujer —soltó otra de las voces.

Maria intentó ignorar todos aquellos comentarios cargados de odio. Se quedó mirando a los cuatro niños que, apiñados como estaban, ofrecían una mísera estampa.

La ira empezó a bullir dentro de Maria. Se quedó mirando a los examinadores con verdadera rabia.

—¿Quién ha obtenido la mejor calificación? —quiso saber, impertérrita. Decidió dejar a un lado las cortesías y habló en un tono estrictamente académico.

Su intento de intimidar al tipo surtió efecto, porque el examinador se aclaró la garganta de nuevo.

—Es... Es un chico llamado... —comenzó a decir, titubeando.

—Revele de una vez quién ha obtenido la mayor puntuación.

—El chico llamado Luigi Tassilo.

Maria tardó unos instantes en asimilarlo. En la carpeta que había recibido del manicomio de Ostia habían escrito el apellido Tassilo con un signo de interrogación al final.

No era del todo seguro que Luigi se llamara de ese modo en realidad, pero Maria había tenido que indicar un apellido y se había decidido por ese. Luigi tampoco cayó en la cuenta enseguida. Sin embargo, en cuanto comprendió que se referían a él, se puso a saltar y a aplaudir. Maria se volvió hacia él y lo abrazó con efusividad.

—¡Luigi, les has demostrado a todos de lo que eres capaz!

Clarissa y los demás también empezaron a saltar y se colgaron del cuello de Luigi. Un fotógrafo inmortalizó el instante. El olor a azufre quemado se extendió por el pasillo mientras Maria y los niños se pusieron a danzar en círculos.

—Cuando se hayan calmado un poco podré informarles de los resultados de los otros tres niños —dijo el funcionario antes de lanzar una mirada de preocupación hacia el pasillo, donde había cada vez más padres ansiosos por saber la nota que habían obtenido sus hijos.

—¡Sí, por favor! —exclamó Maria, volviéndose hacia él.

—Los cuatro niños han aprobado el examen —dijo con absoluta seriedad, y acto seguido procedió a indicar las puntuaciones de cada uno, aunque Maria ya no le estaba escuchando. El grito de alegría que le salió del alma acalló todo lo demás.

—*Signorina*, por favor, intente calmarse —le pidió el funcionario, conmovido e incomodado por igual.

—¡Enseguida! —exclamó Maria con desenvoltura—. ¡Pero primero deje que lo celebre!

—¡Tiene motivos de sobra para hacerlo! —dijo uno de los periodistas—. Ha conseguido algo increíble, *signorina*.

Por favor, cuéntenos cómo ha logrado que cuatro niños deficientes aprueben el examen de escolarización.

Radiante de alegría, Maria se volvió hacia él.

—Los niños se han ayudado los unos a los otros —declaró—. Cuando las facultades son débiles, hay que estimularlas. Eso es todo.

—¿Ahora iremos a comer pastel? —preguntó Luigi.

—Por supuesto que sí.

Maria y los cuatro niños salieron del edificio cogidos de la mano. Atrás quedó el desconcierto de los funcionarios y de los padres. Maria solo era capaz de sentir una alegría sin límites. Pensaba permitirse una ración doble de profiteroles con una gran taza de chocolate caliente. Sin duda se lo había ganado.

—Ha sido un éxito sensacional, *signorina dottoressa*. Gracias a los resultados de los exámenes, su nombre se conoce ya más allá de las fronteras italianas. ¡Ha conseguido que se cuestione el sistema educativo de todo el país! —exclamó el profesor Sciamanna con las mejillas encendidas mientras andaba de un lado a otro de su despacho. Además de un tigre y un león, en la pared tenía también una cabeza de cocodrilo que todavía desprendía un olor ligeramente ácido.

Giuseppe se aclaró la garganta, pero, antes de que pudiera empezar a hablar, Maria se le adelantó.

—Recuerde que el doctor Montesano y yo hemos llevado a cabo el experimento juntos.

—Sí, sí —replicó el profesor, aunque al mismo tiempo

desestimó el comentario con un gesto de la mano. En los informes que le entregaban de forma regular aparecían los nombres de los dos, pero Sciamanna parecía saber muy bien quién era la verdadera responsable del éxito que habían tenido los niños en las pruebas—. Ni en el consistorio ni en el ministerio han sido capaces de obviar los resultados para centrarse en la orden del día —prosiguió—. Los reportajes que han aparecido en los periódicos no han dejado lugar a dudas. La prensa reclama una nueva forma de tratar a los pacientes deficientes en edad infantil.

—¿Y qué implica eso para nosotros? —quiso saber Maria. Llevaban media hora sentados frente a una taza de té y unos *cantuccini* en el despacho del director y todavía no sabían por qué los había congregado. Sciamanna los había convocado en su despacho porque quería comunicarles una novedad «de una importancia excepcional».

—En el ministerio se han dado cuenta de que, con los estímulos adecuados, los niños deficientes también pueden llegar a ser miembros valiosos para la sociedad. Por eso el ministro responsable ha decidido preparar a las educadoras dedicadas a ese tipo de pacientes de un modo más exhaustivo y eficiente.

Giuseppe y Maria se miraron sin comprender nada todavía.

—Crearán una escuela para educadoras —explicó el profesor—. Las mujeres como Serafina en el futuro recibirán una formación profesional. La escuela se llamará Scuola Ortofrenica y estará subvencionada por el ministerio. Las instalaciones se completarán con un centro de docencia y de investigación con el objetivo de desarrollar nuevos métodos. Y, por supuesto, gozarán de financiación para los materiales de clase.

—Eso es una noticia fabulosa —dijo Maria, incapaz de pensar en nada más.

—Entonces ¿aceptarán? —quiso saber Sciamanna, mirando primero a Maria y luego a Giuseppe.

—¿Que si aceptamos? ¿A qué se refiere? —preguntó. Giuseppe estaba igual de confuso que ella.

—Bueno, pues dirigir la escuela. Por eso estamos aquí sentados —dijo Sciamanna como si ya lo hubiera mencionado desde el principio—. Ustedes dos deberían encargarse de dirigir el centro: habrá un director y una directora.

Maria arqueó las cejas, sorprendida.

—¿Que nosotros dirigiremos una escuela?

—¿No se lo había dicho ya? —preguntó Sciamanna, confundido, antes de tomar un sorbo de su taza de té—. Han hecho un trabajo fantástico, merecen reconocimiento por ello. Además, se espera que de este modo muchos niños deficientes puedan abandonar la clínica y encuentren su propio camino en la vida laboral. De este modo el Estado podría ahorrarse una buena cantidad de dinero. Un obrero de fábrica competente le cuesta mucho menos a la sociedad que un deficiente al que hay que alimentar y controlar a todas horas en un centro especializado.

—Asumir la dirección de una institución así sería un gran honor —dijo Giuseppe, conmovido.

—Bueno, ha sido la consecuencia lógica de lo que usted y la *signorina* Montessori han logrado durante los últimos meses.

Maria miró a Giuseppe y tuvo que controlarse para no

levantarse de un salto y ponerse a danzar por el despacho. No era capaz de imaginar nada mejor que el hecho de seguir trabajando en su proyecto junto a Giuseppe. Además, dispondrían de fondos para investigar y podrían transmitir sus conocimientos a las educadoras. Giuseppe también parecía impresionado por la noticia. Se quedó mirando a Maria con una amplia sonrisa de pura alegría. Era una verdadera lástima que no pudieran abrazarse en ese mismo instante.

—Aparte de eso, tendría que viajar a Turín para explicar sus métodos —dijo Sciamanna—, porque en otoño se celebra un congreso nacional de pedagogía.

—Me encantará hablar para las pedagogas —contestó Giuseppe. Parecía estar preparándose ya mentalmente para la tarea. Era evidente que le hacía mucha ilusión.

—Usted no, doctor Montesano —aclaró Sciamanna—. Quieren que acuda la *signorina* Montessori, puesto que desean oírla a ella. Todo el mundo sabe que es una gran oradora capaz de meterse al público en el bolsillo. Representó a nuestro país en Berlín de un modo fantástico.

Maria se dio cuenta de que el rostro de Giuseppe empalidecía. Él se esforzó en seguir sonriendo como si nada, pero detrás de aquella fachada aparentemente serena el disgusto era patente.

—Podríamos ir los dos —sugirió ella—. Al fin y al cabo, también dirigiremos la escuela juntos. Un hombre y una mujer juntos en la tribuna de oradores tendría un gran efecto.

—Tonterías —dijo Sciamanna—. La organización ha sido explícita al respecto, quieren a la *dottoressa* Montessori. ¿Por qué deberíamos mandar entonces a Montessori y a Montesano? Todo eso no causaría más que un montón de gastos adicionales, y el dinero deberíamos invertirlo de una manera más sensata. No creo que las subvenciones del ministerio sean tan generosas como para enviar a un empleado más de viaje si no hay un motivo justificado.

¿Qué podía replicar Maria a esos argumentos? Se sintió halagada, pero temía que Giuseppe envidiara su éxito.

Él se volvió para mirarla y a ella le pareció detectar un atisbo de rabia, aunque Giuseppe enseguida controló sus emociones de nuevo.

—Estoy seguro de que podrá ofrecer el discurso sola sin ningún problema, *dottoressa*. Entretanto, yo me aseguraré de que el trabajo en la clínica siga haciéndose según su dictado.

Sciamanna se puso de pie y se estiró.

—¡Fabuloso! —exclamó, frotándose las manos con satisfacción—. Tendremos nuestro propio instituto de investigación, y se lo debemos a ustedes, a su ambición incondicional y a su tenacidad —añadió, dirigiendo los elogios a los dos, pero mirando únicamente a Maria.

Ella deseó que el director alabara también a Giuseppe de forma explícita, pero no lo hizo. Enseguida se dio cuenta de que tras la conversación con el director tendría que dedicar un buen rato a calmar la ira de Giuseppe y a convencerlo de que la reputación que adquiriría como científico estaría al nivel de la fama internacional que ella estaba consiguiendo.

Por desgracia, lo logró solo hasta cierto punto. Giuseppe quedó realmente dolido. Maria dejó pasar unos días para que pudiera lidiar con la frustración. Aunque cada mañana coincidían en la clínica y trabajaban juntos, apenas intercambiaron palabras de carácter privado durante ese período. Justo una semana después de la conversación con Sciamanna, no obstante, Maria no pudo soportarlo más. Tras una revisión rutinaria de los pacientes encontró una ocasión para abordar el tema. Esperó hasta que todos los colegas hubieran salido de la sala para hacerle una seña a Giuseppe y pedirle que esperara.

—Me estás evitando —le dijo Maria.

Giuseppe trató de mostrar sorpresa, pero solo demostró ser un actor terrible.

—¿Qué te hace pensar eso? —replicó antes de intentar rehuirla para salir como habían hecho los demás.

—Hace una semana que no me diriges la palabra. ¿Es por lo de Turín? A mí me trae sin cuidado. Por mí puedes ir tú en mi lugar.

Como de costumbre, Maria eligió el camino más directo y abordó el tema sin rodeos. Por unos instantes, Giuseppe pareció avergonzado. Se quedó callado, apretando los labios. Cuánto le habría gustado a Maria besárselos con ternura. Sin embargo, en la clínica resultaba demasiado arriesgado. No estaban solos en el edificio, en cualquier momento alguien podía entrar y sorprenderlos.

—Podríamos ir a ver a Sciamanna ahora mismo y darle cualquier motivo para justificar mi ausencia en Turín, de manera que seas tú quien acuda a ofrecer la conferencia.

Por unos instantes, Maria creyó que Giuseppe accedería. La idea pareció gustarle, pero luego surgió un surco profundo en su frente y su rostro se volvió más serio.

—No, Maria, eso no estaría bien. Quieren que vayas tú, deberías ser tú quien hable frente a las pedagogas.

—Pero para mí no es importante —replicó Maria, alzando la voz—. Mientras mi nombre se mencione en los estudios me sentiré satisfecha. Si a ti te apetece encargarte del discurso, para mí no supone ningún problema —aseguró, e hizo una pausa antes de continuar—. Pero no me castigues con tu silencio, por favor, eso me duele —añadió en voz más baja.

La última frase simplemente le salió del alma. En ese momento tomó conciencia de la importancia que tenía el afecto de Giuseppe en su vida. Lo quería más que a cualquier otra cosa.

Empezaba a temer que su insistencia pudiera inquietarlo, pero sucedió todo lo contrario. La fragilidad que acababa de mostrar pareció conmover a Giuseppe, que se acercó a ella y, a pesar del riesgo a ser descubiertos, la abrazó. Maria hundió la nariz en su cuello y aspiró su aroma. Esa fragancia tan conocida le arrancó un suspiro.

—Eres una gran científica —dijo él—. Y precisamente por eso te corresponde a ti dar el discurso.

—Pero yo quiero que me sigas dirigiendo la palabra. No soporto más que me trates como si no existiera.

Giuseppe le pasó una mano por el pelo. Aquel gesto tan cargado de ternura despertó el deseo de Maria, que solo ansiaba más muestras de cariño semejantes, por lo que se pegó todavía más a él.

—Los dos trabajamos mucho, eso es todo.

—Pasemos la noche juntos —propuso Maria. Sabía que Giuseppe tenía la tarde libre los miércoles. Hasta hacía poco, había sido el día de la semana que solían aprovechar para cenar juntos o pasear antes de terminar la velada en casa de él.

—Lo siento, hoy no puede ser —dijo Giuseppe—. Ya tengo una cita.

—¿Una cita? ¿Con quién?

Giuseppe se separó de ella.

—¿Qué es esto? ¿Un interrogatorio?

—No..., claro que no —tartamudeó Maria, avergonzada. Tenía la sensación de haber reaccionado igual que su propia madre y no le hizo ninguna gracia.

Giuseppe se rio.

—No le des más vueltas, *mia cara* —dijo él, aparentemente halagado por los celos de Maria—. Mi padre ha venido a la ciudad y he quedado para cenar con él.

—Ah, de acuerdo —contestó Maria, incapaz de ocultar su alivio—. ¿Y mañana por la noche? Puedo anular mi reunión en la asociación de mujeres.

—No es necesario —dijo Giuseppe—. Mañana saldré con unos antiguos compañeros de estudios.

—¿Toda la noche?

Giuseppe negó con la cabeza con cuidado antes de pasarle la mano por el pelo de nuevo. Ella apoyó la cabeza en su mano.

—El domingo será para nosotros, prometido.

Maria estaba a punto de alegrarse cuando recordó que el domingo tenía que acompañar a su madre a un bazar de beneficencia. Se lo había contado a Giuseppe varias semanas atrás. ¿Se le había olvidado o había elegido el domingo sabiendo que sería ella la que no podría acudir?

—Lo siento, pero el domingo no puedo. Ya encontraremos otro día —dijo Maria.

—Seguro que sí.

Giuseppe la besó con tanta pasión que Maria olvidó la decepción que se acababa de llevar por unos segundos. Simplemente disfrutó de la presencia de Giuseppe y le acarició los hombros y la espalda. Él también le acarició las caderas y se pegó a su cuerpo. Maria notó cuánto la deseaba. En ese instante se oyeron unos pasos acercándose por el pasillo, por lo que se separaron de súbito y retrocedieron unos pasos. Ella se dio un golpe contra una silla, que se tambaleó, y luego se recogió un mechón que se le había soltado y aguzó el oído para ver si oía algún ruido más fuera. Giuseppe también guardó silencio, pero no parecía tan atribulado como Maria.

Los pasos se alejaron. Cuando dejaron de oírse, Giuseppe cobró vida de nuevo.

—Tenemos que encontrar una solución —dijo, muy serio—. Empiezo a estar harto de ocultarme a todas horas.

Sin esperar la respuesta de Maria, abrió la puerta y salió. Maria se quedó como aturdida. No había solución alguna. Y no solo lo sabía ella, sino también Giuseppe.

ROMA, OTOÑO DE 1898

El sol de otoño bañaba la cúpula de la catedral de San Pedro con una suave luz anaranjada. El follaje de los árboles que bordeaban el Tíber y que poblaban los grandes parques de la ciudad empezaba a cambiar de color. El sol pasaba más cerca del horizonte y ya no calentaba de un modo despiadado las casas, las iglesias y los templos de la ciudad.

A Maria le encantaba ese espléndido juego de colores que se repetía cada año y sumía a Roma en un mar de tonos pardos y rojizos. La gran cantidad de matices distintos le recordaban a la caja de pinturas que su abuela le había regalado cuando era pequeña. Durante días y días se había dedicado únicamente a contemplar los colores, sabiendo que lo que pudiera crear sobre el papel nunca llegaría a satisfacer sus expectativas. Por miedo a que el resultado supusiera una decepción, Maria no había llegado a utilizar la caja de colores. Se había quedado intacta dentro del cajón de su escritorio.

Desde pequeña había sido muy consciente de sus fortalezas y sus debilidades. Ella era científica, amaba la exactitud. La creatividad era algo que dejaba para otros, como su amiga Anna, por ejemplo, que en ese momento estaba sentada a su lado. Maria se fijó en cómo representaba la silueta de la ciudad sobre el papel con movimientos elegantes y seguros. De vez en cuando paraba, se inclinaba hacia atrás, valoraba los trazos del lápiz y los perfeccionaba.

—Mmm —musitó—. ¿Qué te parece? ¿Se reconoce la catedral de San Pedro?

Maria ladeó la cabeza.

—Sí, sin duda. El dibujo está muy bien.

—¡Gracias!

Sin embargo, Anna ya había tenido bastante. Recogió sus utensilios, se guardó el papel y el lápiz en la cartera de cuero y plegó el taburete que había utilizado para sentarse.

—Vayamos al Caffè Greco —propuso—. Una taza de café y un pedazo de pastel de naranja nos sentarán de maravilla ahora mismo.

—Es una idea genial —convino Maria. Hacía semanas que no quedaba con su amiga. Fue entonces cuando se dio cuenta de lo mucho que había echado de menos aquellas tardes con Anna. La despreocupación de su amiga resultaba contagiosa.

—¿Qué te ocurre? —preguntó Anna—. Deberías ser la mujer más feliz de Italia.

—¿Por qué? ¿Por mi éxito profesional?

—Deja de subestimarte —replicó Anna, riendo—. Tu discurso en Turín fue magnífico. La prensa está a tus pies desde hace semanas, no paran de elogiar tu belleza y tu inteligencia.

Maria sonrió, cansada. El discurso de Turín había salido realmente bien. Una vez más, había sido capaz de sacar el máximo partido a la ocasión. Había sabido aprovechar la conmovedora noticia del asesinato de la emperatriz austríaca para transmitir lo que se había propuesto, y su línea de argumentación había sido de lo más acertada. En la conferencia había reivindicado su escuela para niños deficientes como un medio de promoción y de enseñanza. «Porque el asesino de la emperatriz de Austria también fue un niño una vez —había dicho—. Un niño deficiente que quizás jamás habría llegado al extremo de convertirse en asesino si en su momento hubiera recibido la atención necesaria.»

—Creo que trabajas demasiado —le dijo Anna—. Mírate en el espejo, estás ojerosa porque no piensas en nada más que en tus pequeños deficientes.

Maria negó con la cabeza. No era el trabajo lo que la angustiaba. Estaba acostumbrada a dar lo mejor de sí misma. Al contrario, la investigación, las clases... todo eso le servía de distracción.

Anna se detuvo y observó a Maria con los ojos entrecerrados.

—¿Es por tu *dottore*? ¿Realmente tienes que estar tan afligida por su culpa?

Como siempre, Anna había dado en el clavo. Era una de las pocas personas de confianza que estaban al corriente de su relación amorosa con Giuseppe.

—Creo que está viendo a otras mujeres.

—Entonces demuestra ser un imbécil —concluyó Anna—. Debería llevarte en volandas. En la vida encontrará a otra mujer como tú.

Maria se ajustó más el abrigo cuando el viento empezó a refrescar el ambiente.

—Es posible que incluso me esté engañando —dijo en voz baja.

Hacía unos días que la atormentaba la idea de que Giuseppe pudiera estar compartiendo lecho con otra mujer. Las imágenes que le venían a la mente le hacían perder la cabeza. Eran los celos los que la consumían como una enfermedad maligna. Él le había asegurado una y otra vez que solo quería estar con ella. ¿Qué había ocurrido con todas aquellas promesas? El caso era que seguía mirándola con la misma pasión de siempre, pero al mismo tiempo envidiaba su éxito. Maria estaba completamente segura de eso.

—¿Sabes con quién se está viendo?

Maria negó con la cabeza.

—No es más que una sospecha, puede que no sea así, pero creo que no ha sido capaz de alegrarse de lo bien que me fue en Turín.

Anna guardó silencio, y Maria se acordó de lo que le había dicho su amiga cuando le confesó su historia de amor con Giuseppe. Ya entonces Anna le había advertido que los hombres ambiciosos no soportaban que las mujeres tuvieran más éxito que ellos.

—Apenas nos vemos —prosiguió Maria—. Siempre que se lo propongo tiene algo que hacer.

—Pasáis al menos ocho horas al día trabajando juntos en la clínica y en la escuela.

—No me refiero a ese tiempo —puntualizó Maria con un suspiro—. Creo que por la noche simplemente ya está harto de mí. Porque me ve durante todo el día, siempre estoy con él.

—¿Y tú? —preguntó Anna—. ¿Después de trabajar preferirías ver la cara de otro hombre?

—¡No! —exclamó Maria, indignada—. No quiero a ningún otro hombre. Jamás. Él es todo lo que había soñado. Giuseppe es perfecto —concluyó, e hizo una pausa antes de continuar en voz baja—. Lo amo de veras, de todo corazón. Esto no es un simple coqueteo.

—¡Por el amor de Dios, Maria! —soltó Anna—. Eso son palabras serias.

—Es la verdad. Es tierno, inteligente, encantador y atractivo. Sabe cómo pienso y comprende la pasión que siento por la ciencia.

—¿Y sabe también lo que sientes por él?

Maria se quedó callada, mirándose las manos, ya enrojecidas de tanto amasárselas para calmarse los nervios.

—No estoy muy segura de ello.

—Entonces creo que deberías dejárselo claro —opinó Anna. Las cosas siempre parecían terriblemente sencillas cuando salían de su boca.

—¿Te refieres a que debería decirle que lo amo?

—¡Sí, por supuesto!

—Pero ¿y si luego no me corresponde? Quedaría en ridículo.

—Ridículo es lo que está haciendo él ahora. Eres una mujer fantástica —le aseguró Anna, pasándole un brazo por encima de los hombros—. Si él no te ama, será porque no te merece. Y créeme, hay otras madres con hijos atractivos.

Maria dio un paso hacia un lado para apartarse de ella.

—¡Anna! —exclamó. A veces, su amiga podía llegar a ser escandalosamente moderna. Tal vez justo esa fuera una de las razones por las que Maria la quería tanto.

305

ROMA, PRIMAVERA DE 1899

—Luigi, ¿te importaría acompañarme a ver al señor Renzi? Tenemos que recoger un juego de letras de madera.

El muchacho se levantó enseguida de su escritorio y se acercó a Maria corriendo. Hacía meses que asistía a clases en una escuela técnica, en la que todavía no había logrado sentirse cómodo. Los profesores lo describían como un alumno obstinado, vago e indiferente. Maria no lo comprendía. Había revisado sus ejercicios y siempre le habían parecido impecables. Tenía la impresión de que más bien no le estaban exigiendo lo suficiente. Por desgracia, los profesores lo veían de otro modo. En cuanto el muchacho entraba en la escuela, era como si perdiera todos sus conocimientos igual que un cubo agujereado pierde el agua que contiene. El director de la escuela quería bajar a Luigi a un nivel inferior, lo cual Maria opinaba que era un movimiento realmente insensato y contraproducente. Esa medida solo conseguiría desanimar al muchacho. Luigi había vivido amedrentado durante años, y ese sentimiento parecía estar bloqueando su mente. Cuando temía a alguien, se mostraba incapaz de aprender nada.

Los profesores de la escuela consideraban pedagógico

sembrar el miedo entre su alumnado. Confundían el respeto con el temor y cometían el error de creer que los niños callados eran los únicos que prestaban atención. Muchos alumnos tranquilos en realidad no se concentraban, sino que se limitaban a dejar de pensar en lo que se estaba impartiendo y tan solo esperaban que no los hicieran salir al encerado. Luigi tenía una mente avispada y creativa que le permitía encontrar sus propias soluciones a los problemas. Dos días antes había averiguado una nueva manera de resolver un problema de aritmética, pero el profesor no le había concedido ni un solo punto.

—Le he dejado muy claro cómo debía realizar el ejercicio y debería haberse ceñido a mis indicaciones. Nuestros alumnos han de formarse como técnicos capaces de seguir unas reglas. No formamos a librepensadores, anarquistas o artistas.

—Eso no tiene por qué ser una contradicción. Leonardo da Vinci, por ejemplo, fue científico, pintor y escultor —había argumentado Maria.

Aunque no había sido ella quien había acudido a la escuela a recogerlo, sino que se había encargado Serafina. Después de oír la crítica del profesor, a la maestra no se le había ocurrido nada mejor que soltarle un sermón al chico. Desde entonces, el pequeño Luigi ya no había querido regresar a la escuela. De hecho, empalidecía cuando alguien mencionaba esa posibilidad. Maria se había propuesto hacerle una visita al director la semana siguiente. No podía ser que un chico tan listo como él no pudiera aprender.

—Luigi, coge una cesta grande, por favor —le pidió

Maria—. De algún modo tendremos que transportar los materiales.

Luigi se encaramó a una escalera y cogió una cesta del estante, se puso el abrigo y estuvo preparado para salir antes incluso de que Maria se pusiera el bolso.

Poco después se dirigieron juntos en dirección al centro de la ciudad.

—¿Has estado alguna vez en una carpintería? —preguntó Maria.

Se había fijado en que Luigi manipulaba los objetos de madera con un cuidado especial. En ocasiones, cuando estaba muy inmerso en sus cavilaciones, acariciaba una pieza de construcción o un cilindro con las yemas de los dedos y luego se acercaba la pieza a la nariz para olerla. A continuación, cerraba los ojos y parecía como si recordara algo. Cuando le preguntó por ello, Luigi se encogió de hombros sin saber qué responder.

—No tengo ni idea, simplemente me gusta cómo huele la madera.

No tardaron en llegar al pequeño comercio de la Via Sacra. Encontraron al *signor* Renzi como siempre, encorvado tras el mostrador, atornillando una cajita de madera. Era un reloj de música que emitió un sonido cuando el carpintero lo dejó de nuevo sobre la mesa.

—*Signorina* Montessori, menuda alegría —dijo, y acto seguido reparó en Luigi—. ¡Veo que ha venido bien acompañada!

Maria hizo pasar delante al chico.

—Este es Luigi. Es uno de mis alumnos más listos y aplicados.

Avergonzado, Luigi clavó la mirada en el suelo.

—Bienvenido —le saludó el *signor* Renzi—. ¿Sabes qué es un reloj de música, Luigi? —preguntó, señalando la cajita que tenía delante, aunque no parecía esperar una respuesta.

Acuciado por la curiosidad, Luigi dio un paso adelante. Examinó el reloj de música muy concentrado, luego lo cogió con sumo cuidado y abrió la caja. Se oyeron dos sonidos. Luego empujó un resorte hacia atrás, tiró de otro e hizo girar con esmero una de las ruedecillas. De inmediato empezó a sonar una agradable melodía. Se atascó un par de veces, pero enseguida se reconoció el tema del compositor Wolfgang Amadeus Mozart. Luigi la escuchó con atención. Cuando la melodía llegó a su fin, volvió a cerrar la cajita despacio y se la quedó mirando con veneración, como si se tratara de un preciado tesoro.

—Eres un pequeño genio —dijo Renzi, riendo—. Igual que el pequeño Mozart, que fue quien creó la *Pequeña Serenata*.

—¿Es así como se llama la pieza?

—Así es —respondió el *signor* Renzi.

—Me encanta.

—A mí también. Por eso le doy tanta importancia a que el reloj vuelva a funcionar correctamente.

Luigi asintió con seriedad. A continuación, miró a su alrededor con una expresión de asombro en el rostro, fijándose en los numerosos objetos de madera que llenaban los estantes.

—Puedes tocarlos tú mismo —lo invitó el carpintero—. No hay ninguno que sea frágil.

—¿Puedo? —preguntó Luigi, buscando la aprobación de Maria.

Ella asintió, y el chico enseguida se acercó a uno de los estantes para coger una tabla de cortar. Acarició la superficie con la mano plana y luego se llevó la pieza de madera a la nariz para aspirar su aroma, como había hecho ya alguna vez con las piezas de madera. La expresión de su rostro se volvió curiosa, como si aquella fragancia le recordara algo que se había perdido en un pasado lejano.

—Luigi —le llamó Maria en voz baja—. ¿En qué piensas?

El muchacho levantó la mirada. En lugar de responder, le hizo una pregunta al carpintero.

—¿También tiene taller propio, *signor* Renzi?

—Sí, claro —contestó el anciano—. ¿Quieres verlo?

—Me encantaría.

—¡Ven conmigo, jovencito! —exclamó el *signor* Renzi, haciéndole señas a Luigi para que lo acompañara a la trastienda.

Maria los siguió. Nada más llegar a aquella sala grande y llena de luz, Luigi se acercó corriendo al banco de trabajo, sobre el que el carpintero había estado elaborando una pieza hacía poco. Por debajo del banco, el suelo estaba lleno de virutas de madera. Luigi se agachó y empezó a pasar las manos por las virutas esparcidas mientras se reía en voz baja.

—Realmente da la impresión de que no sea la primera vez que entra en un taller —constató el carpintero, volviéndose hacia Maria.

Ella se limitó a encogerse de hombros. No tenía ni idea del motivo por el que Luigi parecía sentirse tan bien allí.

Su talante habitual, temeroso e humillado, había desaparecido por completo. Tenía la cabeza en alto y sonreía. Era como si acabara de regresar a casa tras un largo viaje.

—¿Alguien de tu familia se dedica a la carpintería? —le preguntó el *signor* Renzi.

—No lo sé —admitió Luigi.

—¿Cómo te llamas, jovencito?

—Luigi.

—Me refiero a tu nombre completo. Tu apellido.

Luigi se quedó mirando a Maria, esperando que lo ayudara.

—En su historial ponía «Tassilo» —dijo—. Pero no sabemos con seguridad si es de veras ese su apellido.

—Es muy posible —indicó el *signor* Renzi—. Sé que en Ostia había un carpintero llamado Ricardo Tassilo. Su taller quedó calcinado por las llamas hace años. La familia entera perdió la vida en el incendio, aunque también puede ser que sobreviviera alguno de los hijos.

A Luigi se le cayó la tabla de cortar de los dedos, pero reaccionó con rapidez y volvió a agarrarla antes de que tocara el suelo.

—Es muy probable que seas hijo de Ricardo Tassilo —dijo el *signor* Renzi—. Por lo que sé, cuando tuvo lugar el incendio su hijo menor debía de tener unos seis años.

Luigi se quedó mirando boquiabierto al anciano.

—De hecho, a esa edad tendría que acordarse de sus padres —opinó el *signor* Renzi—. Pero eso debe de saberlo usted mejor que yo, *signorina* Montessori, que es quien ha estudiado Medicina.

Maria estaba absolutamente desconcertada. ¿Era posible que el incendio hubiera sido tan horrible para Luigi que su cabeza hubiera sin más borrado la experiencia de su memoria? En ese caso, Luigi no solo tendría apellido, sino que además habría crecido en el seno de una familia que lo amaba, y no como le había contado el director de la institución de Ostia, que lo había creído el hijo rechazado de una prostituta.

—Creo que vivía cerca de una iglesia —dijo Luigi—. Me acuerdo del sonido de las campanadas.

—Así es —confirmó el *signor* Renzi—. El taller de Tassilo estaba muy cerca de la iglesia. Y al lado había también una gran fuente pública, aunque eso no sirvió para evitar el incendio.

—Sí, había una fuente —ratificó Luigi, fascinado. La mirada se le iluminó de repente—. Esa imagen me venía a la mente cada vez que oía las campanas de la basílica de Santa Áurea.

La sombra que Maria conocía tan bien se cernió de nuevo sobre los ojos del joven. La mera mención de las campanas de la iglesia que había estado oyendo en el centro de Ostia le robó el color de la cara.

—La época del manicomio ya pasó —le dijo Maria para tranquilizarlo.

—Si quieres, puedo preguntarle a un colega mío sobre Ricardo Tassilo. Él lo conocía personalmente. Tal vez podría contarte cosas acerca de tu padre —propuso el *signor* Renzi.

—¿De verdad haría eso por mí? —preguntó Luigi, comiéndose al anciano con los ojos.

—Claro que sí —respondió el *signor* Renzi, algo cohibido ante la adoración que le demostraba el chico. Parecía estar reflexionando mientras Luigi seguía mirándolo fijamente. Al cabo de un rato, volvió a hablar—: Parece que te gusta la madera —señaló el anciano, y Luigi asintió enseguida—. Y seguro que no tienes ni un pelo de tonto. De lo contrario, la *signorina* no habría dejado que la acompañaras a comprar ni te habría alabado de ese modo.

Luigi no contestó. Todavía estaba impresionado por lo que acababa de descubrir.

—Estoy buscando un buen aprendiz —prosiguió el *signor* Renzi—. Aún no he encontrado ninguno que me satisfaga. ¿Qué te parece, Luigi Tassilo de Ostia? ¿Te gustaría trabajar aquí?

Maria se asustó, las cosas iban demasiado deprisa. Habría preferido que el carpintero hubiera hablado primero con ella, antes de calentarle los cascos al muchacho. Sin embargo, Luigi reaccionó encantado de inmediato.

—Pero ¿soy lo suficientemente mayor para ello?

—Sí, por supuesto que sí.

Maria sabía que la propuesta del *signor* Renzi era algo más que una simple oferta de trabajo, puesto que también implicaba el aprendizaje del oficio. Luigi podría trabajar con Renzi y vivir con él. La *signora* Renzi le cocinaría cada día platos deliciosos y lo tratarían como al hijo que nunca tuvieron.

—¿O tiene usted otros planes para el chaval? —le preguntó el carpintero a Maria, arrancándola de golpe de sus cavilaciones.

Luigi era tan inteligente que Giuseppe y ella lo habían imaginado en la escuela técnica y luego tal vez incluso más allá. La semana anterior, el profesor Sciamanna había hablado de la posibilidad de conseguir una beca para el joven cuando alcanzara la edad de ir a la universidad. Sin embargo, el propio Luigi parecía haber elegido un camino muy distinto.

—¿Puedo, Maria?

Ella tragó saliva. Desde el principio había tenido muy claro que Luigi acabaría abandonando la clínica, pero el hecho de que hubiera llegado ya el momento la cogió completamente por sorpresa. A partir de entonces solo vería al chico muy de vez en cuando, si tenía que recoger material o si iba a visitarlo. Aquella sensación de pérdida inminente le hizo ver con claridad el afecto que había llegado a sentir por Luigi.

—Es una decisión importante —dijo mirando al chico, que había vuelto junto al banco de trabajo y estaba acariciando el mango de madera de un cepillo de carpintero con el índice—. Tenemos que pensarlo con calma, Luigi. De momento sé que no quieres volver a la escuela porque los profesores te dan miedo. Pero eso no tiene por qué seguir siendo así. Puedo hablar con ellos.

Las comisuras de los labios del chico cayeron de repente bajo el peso de la decepción.

—Aunque, por supuesto, eres tú quien tiene que decidirlo —añadió Maria, sorprendida por lo mucho que le costó pronunciar esas palabras—. Estoy segura de que el *signor* Renzi tampoco esperaba que tomaras una decisión ahora mismo, ¿me equivoco?

El anciano se encogió de hombros. Era evidente que aquello era justo lo que había esperado.

—Dejaré la plaza de aprendiz libre durante un tiempo

más —anunció—. Me alegraría mucho que Luigi se decidiera a ocuparla.

Se notaba que el muchacho tenía ganas de ponerse a gritar que sí, pero Maria insistió en que consultara la decisión con la almohada. Luigi accedió a pensárselo, aunque en su rostro radiante de felicidad ya podía leerse claramente la decisión que acabaría tomando. El *signor* Renzi también parecía impaciente por empezar a enseñarle el oficio al joven, y Maria tuvo que admitir que Luigi sería mucho más feliz allí que en la escuela técnica, por mucho que ella estuviera dispuesta a enfrentarse a los profesores. Le habría encantado poder demostrar a aquella pandilla de engreídos que Luigi era más inteligente que muchos de ellos, pero tenía que informar a Giuseppe y a Sciamanna de lo ocurrido cuanto antes. Su mejor alumno había decidido seguir su corazón puesto que, al fin y al cabo, era precisamente eso lo que ella le había enseñado: que era capaz de labrarse su propio camino.

ROMA, 1901

Florence Piavelli había invitado a la élite intelectual de la ciudad a una velada musical en su casa. En la lista de invitados había pintores, músicos y actores famosos, así como científicos de renombre tanto del área médica como de la técnica. Por supuesto, los dos directores de la recién fundada Scuola Ortofrenica no podían faltar.

Puesto que eran colegas con estrechos lazos profesionales, Maria y Giuseppe pudieron acudir a esa cita juntos sin despertar suspicacias. Durante el camino de ida discutieron en el coche. El motivo fue el viaje a Londres que Maria tenía previsto hacer para asistir a un Congreso Internacional de Mujeres al que la habían convocado. Además, había recibido una invitación para conocer a la reina Victoria, lo que suponía un gran honor. Sin embargo, Giuseppe se quejó del hecho de que se ausentara de Roma.

—¿Quién se ocupará mientras tanto de hacer todo tu trabajo en la escuela? —le preguntó—. ¿Qué ocurrirá con las clases que tenías que dar en esas semanas a las maestras? ¿Quién te sustituirá?

—Creía que lo harías tú —respondió Maria con cautela. Cada vez que Giuseppe se iba de Roma para visitar a su familia, que vivía en el norte del país, ella se encargaba de sustituirlo sin el más mínimo inconveniente. Es cierto que nunca eran más de dos o tres días, pero habría hecho lo mismo si se hubiera tratado de un período más largo.

Giuseppe frunció los labios.

—No puedes esperar que siempre haga tu trabajo.

—Es que no lo espero, ni mucho menos —replicó Maria, indignada—. Simplemente tengo que viajar a Londres. Es una ocasión única, allí podré presentar nuestra escuela y anunciar nuestros últimos descubrimientos. Cuanta más gente conozca nuestras ideas, más apoyo recibiremos. En otros países también hay niños deficientes que necesitan ayuda.

—Siempre es una ocasión única —repuso Giuseppe—. Primero Berlín, luego Turín y ahora Londres. Además, esta vez tardarás un par de semanas en volver.

El anhelo era patente en la voz de Giuseppe, y Maria lo detectó enseguida. Le dijo que la echaría de menos, y que ese era el único motivo por el que estaba enfadado.

—Volveré —le aseguró ella para apaciguarlo mientras le daba un afectuoso apretón en la mano justo cuando llegaban a su destino y tuvieron que bajar del coche de plaza.

Maria estaba sentada con la anfitriona, Florence, junto al bufé. Charlaban sobre el tiempo que haría en Londres durante aquella época del año.

—Sobre todo no te olvides de llevarte unas cuantas chaquetas de punto gruesas —le aconsejó Florence.

A ese viaje la acompañaría su amiga Anna como intérprete, ya que Florence debía quedarse en Roma por motivos familiares y Rina tampoco tenía tiempo de viajar con ella.

—Y un paraguas tampoco estaría mal —añadió el anciano que estaba a su lado—. Cada vez que he estado en Londres ha llovido sin tregua. Me dio la impresión de que Inglaterra acaparaba toda la lluvia y no dejaba nada para el resto de Europa.

—En ciertos aspectos, parece como si no tuviéramos sentido de la mesura —comentó Florence, riendo. A pesar de haber pasado veinte años en Roma, continuaba sintiéndose británica, aunque si había algo que no echaba de menos era precisamente el mal tiempo de su país natal.

Maria seguía la conversación solo a medias. Nada más dejar el abrigo en el guardarropa, Giuseppe se había retirado al salón de fumadores. Estaba sentado al lado de una joven con la que conversaba animadamente. Era bonita, pero no tenía nada excepcional: era una muchacha de figura esbelta, con el pelo castaño bien recogido y vestida de forma elegante y discreta, aunque con tejidos caros. Tenía las facciones simétricas, pero al mismo tiempo eran tan anodinas que resultaba fácil olvidar que habías estado hablando con ella cuando no la tenías delante. Lo único que destacaba en su persona era una sonrisa cálida y agradable.

—¿Con quién está charlando el doctor Montesano? —preguntó Maria con la esperanza de que su curiosidad sonara despreocupada. No obstante, el hecho de que hubiera cambiado de tema a media conversación ya daba buena muestra del interés que le había suscitado.

Sorprendida, Florence se inclinó hacia delante para echar un vistazo al salón de fumadores.

—No sé cómo se llama —respondió—, pero es prima de un colega tuyo, el doctor Andrea Testoni.

El apellido despertó recuerdos desagradables en Maria. Giuseppe había ido a elegir a una pariente de Testoni para conversar. Justo como Maria siempre había sospechado, Testoni había terminado ocupando un puesto en el consistorio. Era el responsable de la financiación de los hospitales públicos, un cargo que lo obligaba a tomar demasiadas decisiones sobre los fondos públicos.

La joven se dio cuenta de que la observaban, levantó la cabeza y se encontró directamente con los ojos de Maria. Puesto que no se conocían, la intensidad de la mirada de esta la desconcertó. A Giuseppe tampoco le pasó por alto el interés que demostraba su amada, por lo que le susurró algo al oído a la joven y esta esbozó una sonrisa de decepción. Acto seguido, Giuseppe se puso en pie y se acercó a Maria.

—Me ha parecido que te lo estabas pasando estupendamente charlando —dijo ella en un tono más cortante del que se había propuesto.

—Quería evitar las conversaciones sobre Londres —admitió Giuseppe—. Solo me recuerdan que estarás mucho tiempo ausente.

Una vez más, Maria no consiguió enfadarse con él.

—Todavía no me marcho. Antes de partir aún tendremos unos días para nosotros —dijo ella en voz baja.

—Bah —resopló Giuseppe—. ¿Y cómo pinta ese tiempo? Trabajamos diez horas al día en la clínica, no nos sentamos juntos hasta el atardecer y en todo caso es para hablar sobre el próximo día de trabajo. No hacemos más que planificar y trabajar, trabajar y planificar.

—Cierto, pero es la única manera de que salgan bien las cosas —le recordó Maria.

—En ocasiones me pregunto si hacemos bien convirtiendo el éxito profesional en el único objetivo de nuestras vidas —comentó Giuseppe a todas luces descontento.

—Hasta ahora, nuestro trabajo siempre ha sido importante para nosotros.

—Y lo sigue siendo —admitió Giuseppe—. Pero de vez en cuando me gustaría simplemente pasar una velada agradable contigo.

—Pero si es lo que estamos haciendo ahora.

Los labios de Giuseppe se fruncieron para formar una sonrisa atormentada.

—¿Me estás diciendo que esto es una velada agradable?

Maria se sintió halagada. Al parecer, la conversación con aquella joven no había resultado ser especialmente animada. De lo contrario, se habría quedado charlando más rato con ella.

—Entonces ¿qué preferirías hacer? —le preguntó ella en voz tan baja que solo él pudo oírla.

En lugar de responder, él le dedicó una mirada tan llena de pasión y de anhelo que consiguió que Maria se sonrojara.

Poco después se despidieron de la anfitriona con el pretexto de que todavía les quedaba trabajo por hacer en la clínica. Ya en el coche de plaza, no dejaron de besarse en todo el trayecto. Más tarde, en casa de Giuseppe, Maria se quitó el vestido en el vestíbulo, mientras que el corsé acabó junto al perchero del dormitorio.

Se amaron con una intensidad renovada, como si se hubieran propuesto fundir sus cuerpos en uno. La proximidad entre ellos era prácticamente dolorosa. Se aferraron el uno al otro como una pareja destinada a separarse para siempre después de esa noche. Parecía como si cada beso fuera el último, por lo que se apresuraban a buscar otro enseguida. Contra todas las convenciones y reglas, Maria se quedó a pasar la noche con él. Cuando los primeros rayos de sol empezaron a iluminar los tejados de Roma, salió de puntillas de la cama, recogió su ropa y comenzó a vestirse.

—¿Maria? —dijo Giuseppe, parpadeando adormilado.

—¿Sí?

—¿Cuánto tiempo piensas seguir con este juego clandestino?

—¿A qué te refieres, Giuseppe?

—A esto de escapar de mi casa a hurtadillas en lugar de sentarte a desayunar conmigo como hacen las esposas.

Maria se estremeció. Ahí estaba de nuevo, el deseo de Giuseppe de mantener una relación oficial con ella.

—Giuseppe, ya sabes que no puedo casarme contigo. Debo terminar mi trabajo.

Sin embargo, al mismo tiempo pensó también que estaban hechos el uno para el otro, tanto si contraían matrimonio como si no.

—Creo que a la larga esto no bastará para mí —dijo Giuseppe de repente.

Aquellas palabras le sentaron a Maria como un puñetazo en la cara.

—¿Qué quieres decir con eso?

—Que quiero estar con una mujer que no se avergüence de mí.

—Pero yo no me avergüenzo de ti. ¡Te amo!

Era la primera vez que pronunciaba aquellas palabras. Giuseppe pareció sorprenderse tanto como ella. Por un momento se alegró y sonrió, aunque no tardó en ensombrecérsele de nuevo el rostro.

—Pero amas aún más tu trabajo.

—¡Eso es injusto! —exclamó Maria, indignada.

¿Realmente esperaba que abandonara su carrera para no tener que citarse de nuevo a escondidas?

Maria terminó de vestirse a toda prisa y salió de la casa sin despedirse siquiera.

LONDRES, 1901

Aunque el viaje a Londres fue claramente más largo y pesado que el que la había llevado hasta Berlín, Maria no pasó tantos nervios. Tal vez se debió al hecho de tener a su lado a su mejor amiga, Anna, o porque a esas alturas ya confiaba en sus dotes como oradora y no le imponía hablar en público. Maria había esperado disfrutar al máximo del viaje, pero acabó sucediendo todo lo contrario. Durante la semana anterior no había podido quitarse de la cabeza la discusión que había tenido con Giuseppe. No dejaba de pensar en lo que haría si ella no accedía a casarse con él, y el trayecto en tren no consiguió distraerla de esa idea.

Tres días después de partir de Roma Termini, llegaron a Londres. Habían pasado por Turín, un lugar que Maria ya conocía del último congreso; luego habían seguido hasta Calais, y desde allí habían cogido un ferry hasta Dover.

A Maria le encantaba el mar, pero mientras cruzaban el canal de la Mancha se mareó tanto que, a pesar del oleaje y de la aspereza del viento, tuvo que pasar buena parte del trayecto en cubierta. Con el estómago revuelto, se aferró a la barandilla para contemplar las olas de color gris oscuro coronadas de espuma blanca, que no paraban de danzar como trasgos descarados. Anna tenía demasiado frío para salir, por lo que se retiró al comedor para disfrutar de una taza de té con bollos de mantequilla. Cuando después de varias horas empezaron a divisarse los acantilados blancos de la costa inglesa, Maria sintió un gran alivio, aunque el mareo siguió acompañándola en tierra firme.

Anna y Maria tuvieron que esperar una eternidad antes de cumplir con todas las formalidades de entrada al país. Los niños lloraban y se aferraban a sus madres cansadas, y más de uno se acomodó sobre su enorme maleta para echar una cabezadita. A Maria le dolían los pies y la espalda cuando, por fin, un funcionario de aduanas estampó el escudo del imperio en su pasaporte italiano y las dos mujeres pudieron proseguir su camino y tomar el primer tren que las llevó directamente a Londres. Cuanto más se acercaba la locomotora a la capital británica, más se iban apiñando las hileras de casas. Los prados verdes cedieron terreno a fábricas enormes, de cuyas chimeneas salían humaredas espesas y negruzcas. Maria no había visto jamás una ciudad en la que hubiera tantos tonos distintos de gris como en Londres. Los tejados de los edificios desaparecían tras una densa cúpula de polvo y humo, por lo que el cielo tampoco parecía azul, sino gris. Maria tuvo que taparse la nariz con la mano para no toser continuamente a causa del picor en la garganta que le provocaba el hollín.

En la estación de Kings Cross intentaron coger un coche de plaza, pero les costó mucho encontrar uno libre. A Maria le dio la impresión de que en Londres había aún más gente por la calle que en Berlín. Por todas partes había coches de plaza, tranvías y ómnibus tirados por caballos.

Junto a un rótulo con la inscripción METRO, una escalera conducía a un nivel subterráneo al que descendían hombres y mujeres acuciados por la prisa. Allí debía de estar ese tren que transportaba a los viajeros de un lado a otro de la ciudad por debajo de la superficie. Maria pensó que tal vez lo probaría durante los días siguientes, aunque de momento solo quería echarse en una cama y dormir a pierna suelta.

Anna también estaba cansada, pero ni mucho menos tanto como Maria.

Al día siguiente, Maria todavía se encontraba mal. No consiguió librarse de aquella sensación de mareo ni siquiera después de desayunar. Todo lo contrario, cuando le sirvieron el beicon ahumado y los huevos fritos, el estómago se le cerró.

—¡Me encanta el desayuno inglés! —exclamó Anna, entusiasmada, antes de tomar un bocado de una tostada de pan blanco. Por los bordes de la rebanada goteaba la mantequilla salada fundida.

Maria tuvo que apartar la mirada y se limitó a mordisquear un bizcocho.

—No sabes cuánto me alegro de haber venido contigo —continuó Anna mientras se untaba otra tostada con mantequilla—. Me alegro mucho de que te incorporaras al movimiento feminista. Sin duda te has convertido en la integrante más célebre de todas. Italia entera está fascinada contigo.

—Mmm —musitó Maria. No era un buen momento para recibir grandes elogios, puesto que aún estaba luchando contra el mareo.

—Solo hay que recordar el gran discurso que diste en Berlín —prosiguió Anna.

—Ese discurso no sirvió de nada —se quejó Maria—. Te apuesto a que dentro de cien años las mujeres seguirán sin recibir el mismo sueldo que los hombres.

Anna volvió a dejar su tostada sobre el plato.

—Maria, por favor, no seas tan pesimista —la reprendió—. Me estás quitando el apetito. Es evidente que esa clase de cambios requieren tiempo, pero las injusticias deben señalarse y tú lo haces de un modo fantástico, único. Estoy orgullosa de ti.

Maria quiso protestar de nuevo, pero decidió callarse lo que iba a decir y darle un sorbo al excelente té negro que le habían servido. Tampoco quería arruinarle el día a Anna.

Por la tarde estaba previsto que compareciera ante la reina. Anna estaba impaciente, y se dedicó a probarse los tres vestidos que se había llevado para el viaje. Ninguno de ellos la dejó satisfecha, por lo que intentó convencer a Maria para salir de compras.

—En Knightsbridge están los grandes almacenes más grandes y modernos del Reino Unido. Son todavía más impresionantes que los grandes almacenes de París —explicó Anna, entusiasmada—. Las mujeres pueden recorrerlos y pedir que les enseñen artículos sin por ello tener que comprar nada.

—¿De verdad? —preguntó Maria, asombrada. Ella estaba acostumbrada a acudir a un comercio, dejarse aconsejar y comprar al menos una parte de lo que le hubieran mostrado. Se consideraba de mala educación marcharse sin adquirir nada.

—Harrods es el templo del lujo —prosiguió Anna con verdadero fervor—. Tenemos que ir a verlo. Allí se pueden comprar toda clase de cosas: ropa, artículos para el hogar, libros y todos los comestibles que puedas imaginar. Por desgracia, los grandes almacenes quedaron reducidos a cenizas hace unos años, pero desde entonces los han renovado y ya vuelven a estar abiertas prácticamente todas las secciones.

—No sé —dijo Maria, titubeando. Solo le apetecía retirarse a su habitación, echarse en la cama y pasarse el día entero durmiendo.

—¿Te encuentras mal? —preguntó Anna mientras le ponía una mano en la frente a su amiga—. Fiebre no tienes, claro que también hay enfermedades que no provocan fiebre. La médica eres tú, ¿qué te parece? ¿Crees que estás enferma?

Maria se encogió de hombros.

—Solo estoy cansada por culpa del viaje. Si no te importa, me acostaré un rato para tranquilizarme y así por la tarde ya estaré mejor.

—¿Y voy sola a Harrods?

—¿Te parecería muy mal?

Anna lo pensó unos instantes.

—No, en realidad no. Tomaré un coche de plaza y le diré que me deje frente a la puerta de los grandes almacenes. Una vez dentro podré recorrerlos con toda tranquilidad. Es otra ventaja de este tipo de comercios: las mujeres podemos acudir sin compañía.

Atraída por la idea de poder visitar sola un verdadero templo de las compras, se dirigió a la recepción del hotel enseguida y le pidió a un empleado que le consiguiera un coche de plaza.

Mientras tanto, Maria subió a su habitación. Tal vez sí que estaba enferma. Decidió examinarse la piel por si encontraba algún tipo de sarpullido. Nada más tenderse en la cama, no obstante, se quedó dormida al instante.

Después de echar una pequeña siesta se sintió mucho mejor, aunque ni de lejos tan enérgica como de costumbre. Estaba nerviosa por la recepción de la reina, para la que eligió su mejor vestido. Subió a un coche de plaza con Anna, que volvió de sus compras con un aspecto inmejorable, y se dirigieron al palacio de Buckingham, donde una multitud de curiosos esperaba ya la llegada de la reina Victoria. Anna y Maria bajaron del coche, pagaron al conductor y buscaron un hueco entre los espectadores.

Después de lo que pareció una verdadera eternidad, varios jinetes uniformados recorrieron el bulevar escrutando a la multitud. Tras ellos llegó un carruaje tirado por seis caballos en el que iba sentada la reina acompañada de otras cinco personas. Iba saludando a la gente con gesto altivo. La respuesta de la muchedumbre llegó en forma de gritos entusiastas y alegres saludos con pañuelos y banderitas. El carruaje pasó tan deprisa por su lado que Maria solo pudo vislumbrar a la reina fugazmente. Luego siguió avanzando hasta una entrada lateral que no quedaba a la vista del público. A continuación, se permitió el acceso por las puertas de forja negra a los que poseían una invitación, que procedieron a esperar en el patio interior.

Maria estaba helada a pesar del abrigo, puesto que su mejor vestido estaba confeccionado con un tejido más bien veraniego. Por si fuera poco, empezó a lloviznar, y ni Anna ni Maria llevaban paraguas. Al cabo de unos minutos, a Maria se le soltaron un par de mechones que le quedaron arremolinados en las sienes.

Por suerte, las puertas no tardaron mucho en abrirse, aunque después tuvieron que esperar de nuevo ya dentro del palacio de Buckingham, primero en un vestíbulo impresionante, decorado con retratos de la familia real, y luego en una sala destinada únicamente a esa clase de recepciones.

A Maria le dolían los pies, y sentía una gran impaciencia. Cualquier otro día habría dedicado ese tiempo a estudiar a los demás invitados y a pensar en cuántas personas importantes debían de haber esperado como ella en aquel lugar. Sin embargo, ese día todo aquello le traía sin cuidado y solo lamentaba las horas que estaba perdiendo allí. Puesto que no había comido nada desde el desayuno, las tripas empezaron a sonarle tan fuerte que pudieron oírlas todos los que esperaban a su alrededor. Maria se tapó el vientre con la mano para intentar mitigar las quejas de su estómago, pero no sirvió de nada.

—Deberías haber comido algo a mediodía —le reprochó Anna en voz baja.

—Todavía estaba mareada.

La mujer que estaba a su lado se volvió mosqueada hacia ellas y las instó a callarse con un siseo.

Maria se preguntó por qué. Al fin y al cabo, aún no había dado comienzo el acto de recepción. Seguían esperando en aquella sala suntuosa, decorada con estucos dorados en el techo y frescos de apariencia medieval en las paredes.

Cuando incluso los invitados más pacientes empezaron a inquietarse, por fin entró uno de los hombres uniformados. Con un bastón dorado golpeó el suelo y anunció la llegada de la reina. Habían pasado dos horas desde que la reina Victoria había bajado del carruaje hasta el momento en el que entró en la sala. Avanzó con pasos lentos que revelaban una cierta cojera hasta el estrado en el que se encontraba su sillón. No era el trono, pero tenía la misma opulencia.

La reina parecía aún más severa y triste que en las fotografías que circulaban de ella. Era una mujer seria que daba la impresión de no haberse reído desde hacía años. Tenía sobrepeso, llevaba el pelo ralo recogido por detrás y un vestido negro de cuello alto. Al parecer, desde la muerte de su esposo no se había vestido de ningún otro color. Tenía el rostro flácido y unos carrillos especialmente abultados.

La espera todavía no había llegado a su fin, puesto que fueron llamando a los invitados uno a uno. En cada caso se leía en voz alta el motivo por el que la persona en cuestión había sido convocada a la recepción de la reina, y luego el invitado podía acercarse y saludar a la monarca. Maria tuvo que guardar cola durante dos horas más hasta que le llegó el momento de estrechar la mano de la reina del Imperio británico. El procedimiento duró tanto porque cada persona invitada se hacía una fotografía con la monarca. Maria también recibiría una copia de su instantánea en casa. Había esperado poder intercambiar unas palabras con la reina Victoria, pero era algo que los encargados del protocolo no habían previsto.

Por un fugaz instante, tuvo la sensación de que la reina mostraba interés por ella al oír que Maria era médica, pero aquella impresión se desvaneció enseguida. Maria avanzó hacia la monarca, hizo la reverencia de rigor que ya había ensayado previamente y posó para el retrato. El fotógrafo pulsó el disparador, se encendió el azufre para iluminar la escena y el turno de Maria pasó, tras lo cual regresó con Anna y el resto de los invitados.

Cuando hubo llegado el turno de todos los que estaban esperando, la reina Victoria se marchó de nuevo. En una habitación separada se sirvió un refrigerio a base de canapés de pepino con mostaza.

—Quiero comer algo de verdad —se quejó Maria.

—¿Quieres que nos vayamos ya? —preguntó Anna, para la que apenas había empezado la diversión.

—¿No has oído mi estómago antes?

—Pero si hay canapés, Maria.

—¡Que tengo hambre!

Su amiga puso los ojos en blanco, indignada.

—De haber sabido lo pesada que te pones cuando viajas, me habría quedado en Roma —le espetó.

Durante los días siguientes, Maria se sintió extrañamente incómoda. Ofreció dos discursos ante un público internacional que mostró un gran interés, aunque las largas ovaciones que recibió no le provocaron ninguna satisfacción. En todo momento tuvo la sensación de estar a punto de vomitar, tanto si acababa de comer como si hacía horas que no tomaba nada, y encima tenía que sobrellevar ese cansancio tan impropio de ella.

Como cuando había dado la conferencia en Berlín, los periodistas de Londres dedicaron grandes elogios a la encantadora, bonita e inteligente médica italiana. Anna le iba traduciendo todos los artículos que aparecían, pero Maria no mostró más que indiferencia ante su propio éxito.

—¿Se puede saber qué te ocurre? —preguntó Anna con severidad. Sin embargo, ni la propia Maria lo sabía—. ¿Tienes la menstruación? —le preguntó.

Para Maria no era ningún secreto que Anna se ponía de lo más caprichosa cuando tenía el período. Era un tema del que solo hablaban las amigas más íntimas, pero al fin y al cabo ese era el nivel de confianza entre Anna y Maria.

Maria se puso a contar los días mentalmente y, de repente, abrió los ojos como platos, horrorizada.

—¿Qué sucede? —quiso saber Anna.

—Que debería haber tenido el período antes incluso del viaje.

Anna se limitó a encogerse de hombros.

—Los nervios del viaje pueden haberte alterado el ciclo. A mí a veces se me retrasa cuando paso varias semanas fuera, y la verdad es que no me importa nada.

Sin embargo, Maria negó con la cabeza con determinación.

—No, a mí no se me había retrasado nunca.

—Bueno, para todo hay una primera vez.

Eso no hizo vacilar lo más mínimo a Maria.

—Estoy embarazada —afirmó con una seguridad que no admitía réplica.

—Es demasiado temprano para saberlo —dijo Anna en un tono mucho menos firme que el de su amiga. Conocía a Maria desde la infancia y, cuando estaba convencida de algo, la realidad casi siempre terminaba dándole la razón.

—Estoy mareada, tengo los pechos hinchados y me duelen, no tengo el período. ¿Necesitas todavía más pruebas? —soltó Maria con los ojos llenos de lágrimas.

Anna le agarró las manos.

—¿Sería muy desastroso que tuvieras un hijo?

Maria retiró los dedos de mala manera.

—Sería el fin de mi carrera —afirmó, disgustada.

—Pero Giuseppe te ama. Seguro que estaría dispuesto a casarse contigo.

—¡Es que yo no quiero casarme! —exclamó Maria, y levantó tanto la voz que los otros comensales del restaurante miraron a su alrededor con curiosidad. Luego prosiguió en voz baja de nuevo—. Aunque me casara, tendría que abandonar mi actividad como médica. Toda mi carrera, tantas noches de duro trabajo, las horribles disecciones nocturnas... todo sería en vano.

Anna apretó los labios con fuerza y se mantuvo en silencio.

—No puedo tener este hijo —sentenció Maria con determinación.

—Esperemos unos días. Es posible que todo quede en nada, que simplemente se te acabe normalizando el período —dijo Anna para intentar apaciguar a su amiga.

Maria no la creyó, pero decidió guardar silencio de todos modos. Mentalmente fue repasando todos los escenarios posibles. El aborto no solo estaba prohibido, sino que era una práctica peligrosa, por no mencionar que su Dios no la perdonaría jamás y que nunca más sería capaz de mirarse al espejo si acababa con una vida humana. ¿Y qué diría Giuseppe de todo ese asunto?

Durante los días siguientes, Maria vivió inmersa en una verdadera pesadilla. Dentro de su cabeza no había más que un tema: ese niño que no deseaba. Exteriormente tenía que actuar con naturalidad y fingir que seguía con interés los discursos de las demás conferenciantes. Después de los compromisos del congreso se dedicó a recorrer las calles de Londres en compañía de Anna. Su amiga insistió en visitar todas las atracciones turísticas posibles con la esperanza de conseguir distraer a Maria, aunque no sirvió de nada. Contemplaron la Torre de Londres y cruzaron el Puente de la Torre. Fueron a ver el Big Ben y viajaron en barco por el Támesis hasta el Parlamento. Cuando Anna quiso ir también a la catedral de San Pablo, Maria se negó.

—Tengo que regresar al hotel —dijo.

—¿No quieres que nos acerquemos al menos a Hyde Park?

—¡No, quiero ir al hotel!

Así pues, regresaron y pasaron la última tarde en Londres encerradas en la habitación.

El viaje de vuelta resultó tan agotador como los días que había pasado en Inglaterra. Por mucho que a Maria le encantara viajar, en esa ocasión fue incapaz de disfrutar ni un solo segundo. A esas alturas ya estaba completamente segura de que estaba embarazada. Todos los indicadores lo confirmaban. Anna también había desistido de convencerla de lo contrario, aunque continuó intentando animarla y se mostró plenamente convencida de que todo problema tenía solución. Las dos amigas habían comprado un billete de primera clase para poder contar con más espacio y viajar con más comodidad y en asientos tapizados. Les sirvieron refrigerios con cierta regularidad y pudieron leer los periódicos de los países por los que iban pasando. Maria no comprendía lo que ponía en ellos, pero pudo reconocer su propio retrato en todas las portadas. Era una científica reconocida y, junto con la reina Margarita de Italia, sin duda alguna era también la italiana más famosa del mundo. Y aun así no era capaz de disfrutar de ese éxito porque estaba a punto de echarlo todo a perder.

Deprimida, se dedicó a mirar por la ventanilla y a contemplar sin interés el paisaje que iba pasando frente a sus ojos. ¿Debía contarle a Giuseppe lo de su embarazo? ¿Insistiría en casarse con ella? ¿Y qué les diría a sus padres? ¿Qué dirían ellos cuando se enteraran de su desliz? Tener un hijo ilegítimo sería un escándalo, una vergüenza para toda la familia. Maria cerró los ojos, apretó los puños y se presionó los párpados hasta que vio destellos. El malestar que no la había aquejado desde hacía un par de horas volvió a incordiarla. Durante unos breves instantes llegó a pensar que lo más sencillo sería saltar del tren en marcha, pero de inmediato la idea le pareció tan horrorosa que se asustó por el mero hecho de que se le hubiera ocurrido.

Tenía que hacer lo posible por controlarse y no dejar que la acuciaran de nuevo ese tipo de locuras. Anna estaba en lo cierto: para todos los problemas hay soluciones. La cuestión era encontrar una adecuada para su caso.

Cuando el tren llegó a la estación de Roma, cuatro semanas después de haber partido hacia Inglaterra, Maria echó un vistazo al andén con preocupación. Sin duda alguna Giuseppe debía de estar esperándola. Cada vez que había salido de viaje había ido a recogerla, y sabía exactamente cuál era el tren en el que regresaría. Sin embargo, por más que Maria escrutó el andén, no fue capaz de reconocer su cabellera oscura y rizada entre la multitud.

—Es posible que esté esperando en el vestíbulo de la estación. Es un lugar más agradable —murmuró.

Lloviznaba y, a pesar de la época del año en la que se encontraban, hacía bastante frío.

—Parece que nos hayamos traído el mal tiempo de Londres —comentó Anna, riendo.

Sin embargo, Maria no estaba para bromas. ¿Dónde estaba Giuseppe?

Bajaron las maletas al andén y llamaron a un mozo de carga que se ocupó de llevarlas hasta el vestíbulo de la estación, donde había un montón de viajeros y de gente esperando la llegada de sus seres queridos. Maria buscó de nuevo entre la multitud, pero no divisó a Giuseppe por ninguna parte.

—No está —dijo, decepcionada. Durante horas no había hecho otra cosa que pensar cómo le contaría lo de su embarazo, y al final resultaba que él no había acudido a recibirla. ¿Cómo había podido dejarla en la estacada de ese modo?

—Giuseppe es médico —señaló Anna en un intento de tranquilizar a su amiga—. Es posible que algún paciente enfermo haya requerido atención urgente. Tú también lo eres, sabes mejor que nadie lo deprisa que pueden saltar por los aires los planes cuando se produce una emergencia.

—Él sabía que llegaría hoy —insistió Maria, suponiendo ya que la ausencia de Giuseppe se debía a otro motivo.

—Tomaremos juntas un coche de plaza —propuso Anna—. Enseguida volverás a ver a tu Giuseppe.

Renilde llevaba horas esperando frente a la ventana del salón a que llegara su hija. Antes incluso de que Maria pudiera subir la escalera que llevaba hasta el salón, la madre bajó corriendo a recibirla con los brazos abiertos.

—¡Maria, por fin! —exclamó con alegría. Sin embargo, se detuvo de golpe, retrocedió un paso y se quedó mirando a su hija—. ¿Qué ha ocurrido? —le preguntó.

—Nada, solo estoy cansada —mintió Maria, y acto seguido intentó pasar por el lado de su madre para encerrarse en su habitación.

Renilde la retuvo. Nada más ver la mirada de preocupación de su madre, Maria se desmoronó como un frágil castillo de naipes. Se sintió incapaz de seguir conteniendo las lágrimas, la tensión acumulada durante las últimas semanas la desbordó por completo. Había mantenido la compostura delante de las participantes del congreso y los periodistas, mostrando en todo momento su mejor sonrisa, pero ya no podía más. Sollozando, se lanzó a los brazos de Renilde para llorar con amargura. Se sentía como una niña pequeña y solo deseaba que su madre pudiera solucionarlo todo con una bolsa de agua caliente y un poco de esparadrapo. De hecho, debería haber sido Giuseppe el encargado de consolarla, pero no se había presentado.

—Tengo que abandonar mi carrera —confesó entre lágrimas—. Todo ha sido en vano. Tanto trabajar para nada. Y la culpa es solo mía.

Renilde comprendió la situación de inmediato.

—Estás embarazada —dijo en voz baja.

Maria había esperado una reacción de decepción, de reproche o incluso una sarta de insultos. En lugar de eso, Renilde le pasó las manos por encima de los hombros y la abrazó con ternura.

—De momento, tómatelo con calma. He preparado chocolate caliente. Luego hablaremos tranquilamente de todo esto.

Maria tuvo la sensación de que en veinte años no había cambiado nada de nada. Volvía a ser la colegiala que regresaba a casa llorando y se quejaba de que sus compañeros de clase le habían puesto la zancadilla. Le sobrevino de repente un sentimiento de gratitud. Maria se apoyó en el pecho de su madre, que olía igual que siempre, y en ese instante se sintió segura, aun sabiendo que en esa ocasión el chocolate no bastaría para resolver sus problemas.

Por desgracia, aquella sensación de protección no duró mucho. Cuando Maria hubo terminado de llorar, Renilde le planteó sin tapujos la situación. Daba la impresión de que hubiera estado meses esperando una noticia semejante. El padre de Maria tampoco pareció sorprenderse mucho. Mientras el viejo reloj de pie marcaba el paso del tiempo con su tictac, Renilde le habló en voz tan baja que Flavia, que de vez en cuando aguzaba el oído tras las puertas, no fue capaz de oír lo que dijo.

—O te casas con el doctor Montesano y te limitas a ser mujer y esposa o te retiras a algún lugar, concibes a tu hijo en secreto y lo das en adopción. Conozco a la superiora de un convento de monjas de Bolonia en el que pueden ofrecerte ayuda para dar a luz.

—Nadie querrá adoptar a un hijo que haya crecido en un orfanato de Roma —objetó Maria pensando en Luigi y en todas las penurias que había tenido que soportar. De forma instintiva se llevó las manos a la barriga, como si quisiera proteger al hijo que todavía no había alumbrado.

—Entonces tendrás que renunciar a tu carrera. Tal vez el doctor Montesano acceda a que sigas trabajando en tu investigación sin que nadie lo sepa. Pero los méritos deberá atribuírselos él.

Maria sabía perfectamente de qué le estaba hablando. Había un gran número de mujeres que trabajaban con sus maridos sin que se les reconociera ningún mérito, de manera que cualquier éxito lo disfrutaba el hombre. Había ejemplos así tanto en el mundo del arte como en el de la ciencia. En muchas ocasiones no eran los maridos los responsables de esa injusticia, sino simplemente la sociedad, que no permitía que las mujeres casadas ocuparan posiciones elevadas dentro de una profesión. Seguía imperando la opinión de que las mujeres debían concentrarse o bien en la familia o bien en su carrera, pero jamás en ambas cosas a la vez.

—¿No podríais adoptar vosotros al niño? —preguntó Maria con cautela.

La idea se le había ocurrido durante el trayecto en tren, poco antes de cruzar la frontera italiana. Si podía concebir al niño en secreto y sus padres se hacían cargo de él, podría criarlo sin tener que renunciar a nada. Al fin y al cabo, eran una familia reducida pero feliz. Por el momento, nadie sabría quién era la verdadera madre del chico, y cuando el niño hubiera crecido, tal vez las reglas de la sociedad se habrían relajado lo suficiente para permitir que Maria reconociera a su hijo abiertamente. La solución era perfecta.

—Imposible —respondió Renilde con severidad—. No pienso convivir con un niño nacido del pecado. Has sido tú quien se ha metido en este lío y tendrás que ser tú quien lo resuelva.

Maria había temido la posibilidad de que su madre reaccionara así. Se acordó de la criada que habían tenido antes de que llegara Flavia. Renilde había despedido a la joven en un estado de avanzada gestación. Por suerte, había decidido actuar de otro modo con su propia hija.

—Sería tu nieto, mamá —insistió Maria.

—No —contestó Renilde con tanta vehemencia que Maria se dio cuenta enseguida de que no tenía sentido reiterar la demanda. Su madre estaba dispuesta a ayudarla a concebir a su hijo en secreto y a evitar el escándalo para que pudiera seguir trabajando, pero jamás accedería a ocuparse de un bebé ilegítimo, por mucho que fuera su propio nieto.

El padre no dijo nada en ningún momento. Para gran sorpresa de Maria, no le había hecho el más mínimo reproche. ¿Había tristeza en sus ojos? ¿Decepción? No, solo compasión. Tal vez él sí habría estado dispuesto a adoptar a su nieto, pero puesto que Renilde se había cerrado en banda ante esa posibilidad tampoco tenía sentido preguntárselo. Maria conocía lo suficientemente bien a su madre como para saber que no daría su brazo a torcer.

—Sea como sea, tienes que hablar con el doctor Montesano —concluyó Renilde—. Al fin y al cabo, no puede quedar al margen de todo este asunto.

Lejos de demostrar su determinación habitual, Maria optó por rehuir a Giuseppe. Sabía que debía hablar con él, pero al mismo tiempo le daba miedo hacerlo. Después de haber pasado juntos una noche maravillosa se habían peleado y Giuseppe seguía enfadado, de lo contrario habría ido a recibirla a la estación. ¿O acaso lo afligía algún otro asunto? Cuando se lo había encontrado por el pasillo de la clínica, acompañado por el profesor Sciamanna, había reaccionado con alegría, aunque también le había parecido un tanto avergonzado, como si le estuviera ocultando algo. Todo era demasiado complicado. Maria no habría pensado jamás que pudiera llegar a encontrarse en una situación semejante, y responsabilizaba a Giuseppe, porque había sido él quien había sugerido abandonar la velada para ir a su casa.

Maria tardó una semana entera en reunir el coraje necesario para mantener una conversación con Giuseppe. Se encontraron en el Caffè Greco. El camarero les asignó una mesa que quedaba recogida en un rincón de la pared, donde pudieron hablar protegidos de los ojos y los oídos de los demás clientes. Tras unas palabras insustanciales de cortesía acerca del congreso, la ciudad de Londres y el viaje, se produjo una pausa casi interminable. Giuseppe empezó a remover su café con nerviosismo y Maria cayó en la cuenta de que él tampoco estaba cómodo.

—Me ocultas algo —constató Maria al ver que no había intentado acercarse a ella en ningún momento, ni con la mirada ni con los gestos.

—Sí, bueno, hay... —empezó a decir con la vista clavada en su café, como si tuviera que encontrar en el fondo de la taza las palabras que no salían por sí solas. Maria lo comprendió enseguida. ¿Cómo había podido estar tan ciega?—. Hay otra mujer —anunció él con la voz ronca. Giuseppe parecía realmente abatido—. Fue una ocasión puntual —explicó—. No la amo, pero después de la última noche que pasamos juntos me quedé destrozado. Estaba seguro de que no querrías casarte conmigo jamás. Y esa perspectiva tan desoladora me robó el sentido.

De la boca de Giuseppe comenzaron a brotar explicaciones y pretextos que Maria no fue capaz de escuchar. La cabeza le daba vueltas y le zumbaban los oídos. Las paredes de color burdeos del café amenazaban con derrumbarse.

—¿Quién era? —preguntó ella.

—Eso no tiene importancia —repuso Giuseppe, avergonzado.

—¿Quién? —insistió Maria, creyendo saber ya la respuesta.

—No la conoces.

—¿La prima de Testoni?

Giuseppe asintió, afligido, y Maria cerró los ojos. Precisamente una pariente de Testoni. No podría haber tenido peor gusto.

Cuando él intentó cogerle las manos, Maria las retiró de inmediato.

—Creí que ya te habías enterado y que querías verme de todos modos —dijo Giuseppe.

—El motivo por el que quería hablar contigo era otro —aclaró ella con la voz gélida.

Giuseppe arqueó las cejas con una expresión interrogativa en el rostro.

—Estoy embarazada.

Ya lo había dicho. Maria observó la reacción de Giuseppe. Nunca lo había visto tan desconcertado. Se la quedó mirando un buen rato antes de esbozar una amplia sonrisa.

—Esto... esto es... —tartamudeó.

—Es con diferencia lo más horrible que me podía ocurrir —aseguró Maria.

—¿Te parece horrible estar esperando un hijo mío? —preguntó él, ofendido.

—¡Me has engañado! —exclamó Maria.

Por su mente no paraban de pasar imágenes de Giuseppe en la cama con la prima de Testoni, desnudándola y besándola, acariciándola... De repente sintió un gran asco y notó como si algo en su interior hubiera quedado hecho añicos para siempre.

Giuseppe la observó un buen rato. Luego se reclinó en su silla y se cruzó de brazos.

—¿Me estás diciendo que te habrías casado conmigo si no hubiera dado ese paso en falso?

—Es posible —dijo ella.

—Entonces escúchame, Maria —le pidió, inclinándose hacia delante y apoyando los codos sobre la mesita sin perder el contacto visual en ningún momento—. En mi vida he amado tanto a una mujer como te amo a ti. Eres inteligente, bonita y fascinante. Quiero casarme contigo y que podamos criar a ese hijo juntos. Lamento muchísimo haber pasado una noche con otra mujer, aunque solo fuera una. Te prometo que no volverá a suceder. No quiero a nadie más que a ti.

Dicho esto, esperó la respuesta de Maria mientras ella escuchaba con atención a su voz interior. Lo único que sentía era dolor. Giuseppe la había engañado. ¿Cómo podía confiar de nuevo en él? Estaba completamente segura de que no quería casarse con él.

—No quiero volver a verte —sentenció con la voz ronca.

—Eso será muy difícil, ¿o acaso has olvidado que dirigimos una escuela juntos?

Maria desvió la mirada y apretó los labios con fuerza.

—Maria, estás dolida y lo entiendo perfectamente —dijo Giuseppe en un tono más suave—. Piensa en ello con calma. Si nos casamos, podrás seguir trabajando en nuestros proyectos de investigación. No cambiará nada.

—Ya lo creo —dijo Maria, resoplando con indignación—. Yo trabajaría para ti desde las sombras y todos los éxitos de mi trabajo te los llevarías tú. Mi nombre como médica y científica desaparecería del mapa y en su lugar aparecería solo el del doctor Montesano. Estoy segura de que la solución te complacería.

—En todo caso, tú también llevarías ese apellido —dijo Giuseppe—. El matrimonio se basa en la solidaridad entre el marido y la mujer, que deben apoyarse el uno al otro —dijo, claramente herido—. Pero es evidente que consideras que tu carrera es más importante que cualquier otra cosa. Incluso más importante que ese hijo en común.

—¿Cómo te atreves a hablar de solidaridad? —refunfuñó Maria—. Eres un hombre, para ti todo resulta increíblemente fácil. Si te apetece, o si tu esposa o tu amada ya no te gusta, te buscas a otra y compartes la cama con ella, sin más.

—¿Qué tiene que ver el paso en falso que he dado con tu carrera o con nuestro hijo? Ya me he disculpado por mi error. Lo siento de verdad, Maria. Lo lamentaré el resto de mi vida.

—Espero que sí —dijo Maria, irreconciliable.

—¿Qué piensas hacer si no quieres aceptar lo que te ofrezco?

—Tendré a mi hijo en secreto.

—¿Y luego? —preguntó Giuseppe con el rostro enrojecido por la ira—. No permitiré que abandones a nuestro hijo en un orfanato.

—¿Ah, no? —dijo Maria con una carcajada agria—. ¿Y qué piensas hacer para evitarlo?

—Le daré mi apellido al niño —dijo Giuseppe—. Lo reconoceré como mi hijo y pagaré sus gastos.

—Sí, claro. Te limitarás a comprarlo, así de simple.

Giuseppe negó con la cabeza con tristeza.

—Sabes que no es cierto. Lo que me gustaría es que cambiaras de opinión y te casaras conmigo. Pero tal como estás reaccionando ahora mismo, no puedo contar con que eso llegue a suceder.

Maria desvió la mirada y se limitó a quedarse callada.

—Buscaré a una familia acomodada en el país que esté dispuesta a acoger al niño. Así podríamos visitarlo los dos. Tal vez incluso llegue el día en el que tú también quieras reconocerlo —prosiguió Giuseppe.

—No quiero que mi nombre se mencione en el acta de nacimiento —dijo Maria.

—Eso solo depende de ti.

Giuseppe le hizo una seña al camarero. Después pagó la cuenta, se levantó y se marchó del café.

En realidad, Maria debería haberse sentido aliviada, pero sucedió todo lo contrario. Las lágrimas empezaron a recorrerle las mejillas y le mojaron el cuello del vestido y parte del pecho. Cuando Maria reparó en las miradas curiosas de las mujeres que estaban en la mesa de al lado, sacó un pañuelo y se sonó. Luego salió del Caffè Greco. Continuaría siendo médica. Pero nada volvería a ser como antes.

Durante las semanas siguientes, Maria intentó centrarse en el trabajo para sobrellevar el dolor. Mientras ofrecía conferencias, atendía a pacientes y hacía horas extra en la clínica, estuvo esperando a que ocurriera un milagro. No había nada que deseara más que levantarse un día por la mañana y recuperar aquella vida que había dejado atrás para siempre.

Las náuseas acabaron remitiendo, pero su cuerpo comenzó a mostrar los primeros signos de embarazo y se vio obligada a ocultarlos. Se abrochaba el corsé con tanta fuerza que algunos días incluso le costaba respirar, y se mareaba cuando se ponía en pie de forma demasiado brusca. A pesar de sus esfuerzos, pronto empezó a tener el aspecto de una mujer excesivamente glotona. Intentó evitar a Giuseppe en la medida de lo posible, lo que resultó ser más difícil de lo que había creído, puesto que al fin y al cabo trabajaban codo con codo. Mientras ella lo esquivaba cada vez que se topaba con él por el pasillo o en una de las salas de conferencias, él intentaba todo lo contrario. Cada vez que la encontraba sola le pedía que reconsiderara su decisión y se casara con él.

—Es la mejor solución para los dos, y también la más elegante. Ya lo verás, el tiempo curará las heridas —le suplicaba él.

Sin embargo, Maria no prestó atención a todos esos ruegos. Al principio, las miradas culpables que le lanzaba él le proporcionaron cierta satisfacción, pero la situación no tardó en cambiar.

Cuando Giuseppe hubo aceptado que ella no se casaría con él, de la noche a la mañana decidió volver con la prima de Testoni. Empezó a verse con la joven y a cortejarla. Primero, Maria solo tenía sospechas acerca de la relación, pero un día se topó con ellos mientras paseaba con Rina Faccio por la ribera del Tíber.

Divisó a Giuseppe y a la pariente de Testoni escuchando atentamente la música de un organillero. Maria se quedó de piedra al ver a los dos enamorados y la imagen terminó de hacer añicos su corazón ya roto. Contra todas las reglas de la buena educación, Maria se disculpó ante Rina y la dejó allí plantada.

Regresó a casa de sus padres a pie, y al llegar se encerró en su habitación y se lanzó sobre la cama para llorar a moco tendido. No quería ver a nadie, se sentía terriblemente herida. Con los puños golpeó primero el colchón y luego su propia barriga, gritando: «¡No te quiero!».

Preocupada, Renilde intentó calmarla.

—¡Por favor, ábreme! —suplicó mientras llamaba a la puerta con los nudillos.

No obstante, Maria ignoró sus ruegos y no reaccionó ni siquiera cuando su padre se sumó a ella. Maria no quería ni comer ni beber. Se sentía maltratada, traicionada y herida. Giuseppe la había engañado. Incluso Renilde, que había estado toda la vida a su lado, la había dejado en la estacada al no querer hacerse cargo de su nieto.

Maria se dio la vuelta para quedar tendida sobre la espalda y miró fijamente el techo, con unos ojos desesperanzados. Intentó escuchar su voz interior y solo encontró un vacío insondable y aterrador. En ese momento de soledad comprendió que jamás podría volver a confiar en nadie de forma incondicional. La traición de Giuseppe había quebrado algo en su interior que nunca podría sanarse del todo.

Tardó varias horas antes de poder levantarse de la cama y salir de la habitación. Las preguntas consternadas de su madre quedaron sin respuesta, y durante los días siguientes apenas intercambió las palabras más imprescindibles con ella.

Dos días después del encuentro junto al Tíber, Giuseppe esperó a Maria frente a la clínica. Parecía como si llevara un buen rato aguardando, y a pesar de llevar puesto el abrigo se debía de estar helando de frío, porque no hacía más que desplazar el peso de una pierna a otra.

Maria no quería hablar con él. Estaba cansada tras un largo día de trabajo y debido a su avanzado estado de gestación, por lo que intentó evitarlo. Sin embargo, nada más verla, Giuseppe se acercó a ella y empezó a hablarle de forma apresurada.

—Maria, ya sé que no quieres hablar conmigo. Pero se trata de nuestro hijo.

Esas palabras sobresaltaron a Maria. El ser vivo que llevaba en la barriga no era de ninguno de los dos. Se detuvo, se cruzó de brazos y se quedó mirando a Giuseppe con unos ojos gélidos.

—He encontrado a una familia adecuada —le explicó con toda la calma que fue capaz de mantener—. Viven cerca de Florencia, en una buena finca. A cambio de un pago razonable, están dispuestos a acoger a nuestro hijo. En cuanto tenga la edad suficiente, buscarán una escuela apropiada. La hacienda está en una colina, un lugar de una naturaleza paradisíaca. ¿Quieres conocer a la familia?

—No.

Giuseppe reaccionó con evidente desconcierto. Tardó un rato en responder.

—No puedo creer que te traiga sin cuidado quién criará a nuestro hijo.

—Es que yo no quería tener un hijo.

—Pero estás embarazada, te guste o no.

—Gracias a ti.

Giuseppe soltó una carcajada exenta de humor.

—¿Me estás echando todas las culpas de tu embarazo solo a mí?

—¿A quién si no? Yo no me he acostado con otros hombres, de manera que el padre solo puedes ser tú.

Giuseppe tragó saliva.

—Sé que te hice daño, y ya me he disculpado varias veces por ello, pero estás cometiendo un gran error, Maria. Crees que podrás protegerte sabiendo tan poco como sea posible sobre el futuro de nuestro hijo, pero te equivocas. En cuanto haya nacido, no serás capaz de desvincularte de él. Cada niño que veas te recordará a tu propio hijo y te resultará inevitable preguntarte cómo le van las cosas.

—Me alegro de que sepas tan bien cómo me siento por dentro —contestó Maria, envolviéndose el cuerpo con los brazos.

—No quiero pelearme contigo —dijo Giuseppe en tono conciliador. Sacó una hoja de papel doblada del bolsillo de la chaqueta y se la tendió a Maria—. Aquí tienes la dirección. Ya lo he hablado todo con la familia. En cuanto nazca el niño, puedes llevárselo. Los dos tendremos derecho a visitarlo en cualquier momento —puntualizó, e hizo una pausa antes de continuar—. Por supuesto, estaría bien que conocieras a la gente que criará a nuestro hijo. Son campesinos honrados y respetables.

Maria titubeó. Se quedó mirando el pedazo de papel como si se tratara de un insecto repugnante. Tras lo que pareció una eternidad, lo aceptó y se lo guardó en el bolsillo del abrigo. Luego dio media vuelta y se marchó.

—¡Maria!

Algo en la voz de Giuseppe consiguió que se detuviera. Se volvió hacia él y vio la desesperación en su rostro.

—Lo siento muchísimo.

—Eso ya lo has dicho.

—Me gustaría que al menos accedieras a conocer a la familia. A nuestro hijo no le faltará de nada con ellos.

Maria no respondió. Se dio la vuelta de nuevo y se alejó corriendo. Decidió tragarse las palabras que había estado a punto de pronunciar. Por supuesto que a su hijo le faltaría algo, pero ni siquiera ella quería oír la respuesta que habría salido de sus labios.

Poco antes de Navidad, Maria acudió a la Via Sacra para recoger otro juego de letras de madera. A los niños les encantaba. Era asombroso lo rápido que aprendían a leer algunos con esas letras.

A pesar de lo mucho que se esmeraba abrochándose el corsé, su barriga empezaba a parecer un tonelete. Como mucho, después de Navidad tendría que retirarse al campo. Todo estaba ya preparado. Su madre había hablado con sus contactos en la iglesia. Maria encontraría refugio en un convento de monjas de Bolonia, donde podría dar a luz al bebé con toda tranquilidad. Había intentado demorar al máximo el momento, puesto que temía concentrarse únicamente en su embarazo y era consciente de que eso solo aumentaría el riesgo de desarrollar un vínculo emocional más estrecho con el bebé. En alguna ocasión se había sorprendido intentando calmar la creciente agitación de su barriga acariciándosela con ternura, y de vez en cuando tenía la sensación de que el bebé protestaba porque veía muy restringidos sus movimientos. Las pataditas remitían a una velocidad pasmosa cuando se ponía las manos en el vientre. Sin embargo, no quiso darle demasiada importancia a ese diálogo sin palabras. Maria sabía que debía protegerse en ese sentido. Tenía que comenzar a prepararse para la pérdida que la esperaba.

Sus cavilaciones quedaron interrumpidas de repente. El coche de plaza se detuvo frente a la carpintería y Maria bajó con cuidado del vehículo. Pagó el trayecto y entró en la tienda. La campanilla de la puerta anunció su llegada y, como de costumbre, percibió al instante el aroma de la madera recién cepillada.

—¡*Signorina* Montessori! —exclamó el carpintero—. ¡Se la ve muy lozana!

Maria frunció los labios, disgustada. No era más que una forma cordial de decirle que había engordado. Y el caso era que tampoco podía negarlo, era cierto que había ganado peso.

—¡Luigi, mira quién ha venido! —gritó el *signor* Renzi hacia el patio, tras el que se encontraba el taller.

—¿Cómo está el chico? —quiso saber Maria.

—Es lo mejor que nos ha ocurrido a mi mujer y a mí. Le estamos tremendamente agradecidos —dijo Renzi, acercándose más a Maria y agarrándole las manos. Tenía los ojos húmedos y parpadeaba para reprimir las lágrimas.

Maria no supo qué responder. En ese mismo instante, la puerta se abrió de par en par y Luigi entró como un vendaval, seguido por un perrito. El cachorro no debía de tener más de dos semanas. Entró en la tienda con torpeza y saltó sobre las piernas de Luigi en cuanto este se detuvo. Cuando el chico vio a Maria, se le echó encima y la abrazó de un modo tan impetuoso como breve, puesto que la soltó de inmediato.

—¡Maria, cuánto me alegro de que hayas venido!

Parecía sano y feliz. Tenía las mejillas sonrosadas y los ojos le brillaban de felicidad, rebosantes de energía. Había crecido desde la última vez que Maria lo había visto. Luigi se agachó y cogió en brazos al cachorro, que parecía un ovillo de lana negra y blanca. El perrito empezó a lamerle la frente.

—¡Eh, Cesare, para ya! —exclamó, riendo.

—La perra de nuestros vecinos ha tenido cachorros. Cuando Luigi vio al pequeño Cesare... fue amor a primera vista —explicó el *signor* Renzi—. He pensado que tal vez estaría bien que el muchacho tuviera un perro. Puede que eso lo distraiga un poco, porque echaba de menos a los otros niños de la clínica.

Maria se quedó mirando a Luigi. No daba la impresión de que echara nada de menos. No lo había visto jamás tan contento y relajado. El *signor* Renzi también parecía cambiado, su aspecto era mucho más jovial. Los profundos surcos de su frente se habían suavizado de nuevo.

—¿Te gusta trabajar en la carpintería? —le preguntó Maria.

—Mucho —respondió Luigi. De una cesta del estante sacó un objeto de madera y se lo entregó a Maria. Era una letra de madera: una M cortada a la perfección—. Es la M de Maria —dijo Luigi—. La he hecho para ti.

Maria recibió el regalo conmovida. La madera estaba muy pulida y tenía un tacto especialmente suave.

—¡Es preciosa!

—¡Gracias! —exclamó Luigi, satisfecho por la alabanza.

—El chico ha terminado las letras él solo. Es muy hábil. Ya me está ayudando mucho en el taller —dijo el *signor* Renzi. Como un padre elogiando a su propio hijo, le puso una mano en el hombro.

—Eso está muy bien —dijo Maria.

El chico había encontrado su lugar en la vida. Junto al *signor* Renzi podría recuperarse a su ritmo de todas las malas experiencias que había tenido que sufrir. Lo colmarían de cariño y aprobación y crecería como una planta regada tras un largo período de sequía. Maria no pudo evitar pensar en Fröbel, el pedagogo alemán que llamaba «jardines de infancia» a sus centros.

De repente, Maria se sobresaltó. El niño que llevaba en su seno le propinó una fuerte patada como si quisiera recordarle que, igual que Luigi, él también tenía derecho a crecer de forma sana. Y para ello no necesariamente precisaba a sus amados padres, sino solo un entorno cariñoso.

Maria supo de inmediato lo que debía hacer. Antes de retirarse al convento de Bolonia, viajaría a Florencia para visitar una granja. Se metió la mano en el bolsillo y encontró la hoja de papel con la dirección. Con la mano temblorosa, lo sacó y lo desplegó. Enseguida reconoció la caligrafía de Giuseppe, las letras pequeñas y minuciosamente colocadas, que casi parecían salidas de una imprenta. Maria intentó olvidar quién había escrito aquellas palabras. Con el corazón acelerado la leyó: Giovanni y Allegra Mancini. Tan solo esperaba que acogieran a su hijo con el mismo amor con que el *signor* Renzi y su esposa habían aceptado al pequeño Luigi.

FLORENCIA, ENERO DE 1902

El carruaje abierto avanzó traqueteando por el camino lleno de baches, y Maria no hacía más que resbalar de un lado a otro del banco de madera. Se puso las manos sobre la barriga en actitud protectora. El niño que llevaba dentro parecía estar disfrutando del trayecto, porque pataleaba como si quisiera seguir el movimiento de los baches.

Maria divisó la finca desde lejos. Un edificio bajo y alargado de paredes de piedra gris y tejado rojo. Unos altos cipreses bordeaban el camino que llevaba hasta la granja. El conductor detuvo el carro al lado de un pozo de garrucha.

—Ya hemos llegado —anunció.

Maria bajó del carruaje con torpeza. Tenía las mejillas enrojecidas por el frío viento del viaje a pesar de haberse envuelto la parte inferior de la cara con un chal. Se plantó frente a la casa sin saber muy bien qué esperar. Dos pollos corrían sueltos por el patio, y en algún lugar cantaba un gallo. Desde un establo abierto le llegaron los balidos de unas ovejas. La casa estaba rodeada por un huerto enorme. Junto a unos olivos de tronco nudoso había también naranjos y manzanos, todos pelados, aunque faltaban pocas semanas para que empezaran a brotar de nuevo.

—¿Es usted la *dottoressa*?

Maria se sobresaltó. Una mujer claramente mayor que ella había salido de un edificio adjunto sin hacer apenas ruido. Llevaba puesto un vestido muy sencillo pero limpio y una capa de punto. En un brazo tenía colgada una cesta con pan recién horneado. El aroma del pan campesino crujiente llegó a la nariz de Maria.

—Sí, soy yo. *Buongiorno* —saludó, tendiendo la mano hacia la mujer, que se la estrechó enseguida.

—La estábamos esperando —dijo la campesina—. Soy Allegra Mancini. Mi marido vendrá enseguida —anunció. No era precisamente guapa, pero había una calidez especial en su rostro—. La criada hoy ha horneado pan, ¿le apetece probarlo? ¿Tal vez con un poco de mantequilla fresca?

Agradecida, Maria aceptó el ofrecimiento y siguió a la campesina hasta el interior de la casa. La *signora* Mancini abrió una puerta baja de madera del lado izquierdo, tras la que se encontraba el salón. Las gruesas vigas de madera que soportaban el tejado estaban tan bajas que un hombre alto habría tenido que agachar la cabeza para pasar. A través de la pequeña ventana que se abría en el grueso muro de piedra entraban los rayos de sol, que se proyectaban sobre una mesa cuadrada que estaba colocada en el centro de la estancia. Estaba cubierta con el mantel de las grandes ocasiones, con bordados de flores en los cantos. Lo más probable era que la campesina lo hubiera puesto especialmente para recibir a Maria. Sobre la mesa había un ramo de flores secas, una jarra de leche y dos tazas.

—Siéntese, por favor.

—Gracias —dijo Maria, y acto seguido tomó asiento. Se abrió el abrigo, dudando si tenía que quitárselo.

La campesina dejó la cesta de pan delante de Maria, sobre la mesa, cogió la mantequilla, dos platos y un cuchillo del aparador y se sentó con ella.

—Veo que no le falta mucho —dijo, señalándole la barriga.

—Debería nacer en marzo —respondió Maria, poniéndose una mano sobre el vientre. Era un gesto que durante las últimas semanas había estado repitiendo cada vez con más frecuencia.

—Me encargaré de que mi marido baje la cuna del desván para poder limpiarla como es debido —dijo la campesina—. Ya han pasado unos años desde la última vez que se utilizó.

—Creía que usted también tendría un bebé —dijo Maria, desconcertada. Enseguida se preguntó cómo alimentaría al niño si sus pechos no producían leche.

—Nuestra Francesca alumbró a un niño hace dos semanas. Podrá darle el pecho ella. La muchacha tiene tanta leche que podría alimentar a una compañía de soldados entera.

—¿Quién es Francesca?

—Nuestra criada. Es un poco ingenua, pero está sana como un roble. No debe preocuparse en absoluto por su leche.

Tal como lo formuló, a Maria le pareció como si estuviera hablando de una vaca.

—¡Adelante, sírvase! —dijo la *signora* Mancini, tendiéndole la cesta de pan.

Maria obedeció gustosa.

—¿A qué se refería cuando ha dicho que era ingenua? —preguntó Maria con cautela.

—Bueno, muy lista no debe de ser si ha dejado que un muchacho cualquiera la haya dejado embarazada.

A Maria se le cayó el pan de la mano. Por suerte, fue a parar al plato que tenía debajo. La campesina no parecía consciente de la falta de tacto que había demostrado con el comentario.

—Pero no la hemos echado —prosiguió la *signora* Mancini—, jamás haríamos algo semejante. Francesca es muy trabajadora, y la verdad es que un niño más o menos no se notará en la granja.

Desde el jardín les llegaron voces y risas. Maria estiró el cuello y miró hacia fuera. Un grupo de niños correteaba por un campo en barbecho. Parecía que se lo estaban pasando en grande. Una muchacha soltó una carcajada de satisfacción. Dos trenzas oscuras revoloteaban tras ella.

—¿Todos son suyos? —quiso saber Maria.

—Los tres mayores sí, los dos más jóvenes son acogidos, igual que lo será el suyo —dijo mientras cortaba un trozo de mantequilla y se lo dejaba en el plato a Maria junto con un cuchillo—. Pero no hago distinciones entre ellos. No tienen por qué darle importancia a eso. Todos reciben el mismo trato, tanto si son míos como si no.

Maria untó el panecillo con mantequilla y tomó un bocado. Un sabor incomparablemente delicioso se extendió por su boca de inmediato. ¿Cuándo había sido la última vez que había degustado un pan tan sabroso?

—¿Le gusta? —preguntó la campesina, riendo.

362

Maria asintió con la boca llena.

—¿Dónde van a la escuela los chicos? —preguntó a continuación.

—En la aldea vecina hay una escuela —explicó la campesina—. Pero el doctor Montesano me dijo que su hijo, en cuanto termine la escolarización, tendrá que ir a un instituto. A mí me parece bien. Solo deben avisarme con tiempo.

En realidad, Maria debería haberse alegrado de que Giuseppe hubiera pensado en ello, puesto que ella no había sido capaz de planificar esa clase de cosas. Sin embargo, lejos de sentir gratitud, la idea solo consiguió agriarle el sabor de la mantequilla.

—El doctor Montesano le ha dicho que podré visitar a mi hijo en cualquier momento, ¿verdad?

—Si nos avisa antes de venir, no será ningún inconveniente —respondió la campesina antes de servirle una taza de leche—. Lo único que le pediré es que no le revele quién es usted en realidad.

—¿No podré decirle que soy su madre?

La campesina asintió.

—Eso solo lo entristecería. Por consiguiente, es mejor que el chico crea que ha muerto o que se marchó. De lo contrario, no parará de preguntarse por qué no quiso quedárselo y cuándo vendrá a recogerlo. Es lo que nos sucedió hace unos años con una niña. Sin duda no queremos que pase por eso, créame, *signorina*.

Maria tragó saliva.

—No es una cuestión de quererlo o no —replicó Maria, ligeramente irritada—. Si me quedara con el niño, ya no podría trabajar como médica.

La campesina se encogió de hombros. Le daban absolutamente igual los motivos por los que Maria no criaría a su hijo ella misma.

—De todos modos —prosiguió la mujer—, puede venir cuando quiera. Pero preséntese como su tía, y avíseme con antelación. No me gustan las sorpresas inesperadas.

La expresión de la *signora* Mancini no dejó lugar a dudas. En ese sentido no estaba dispuesta a ceder, por lo que Maria tampoco intentó convencerla de lo contrario. Una vez más, se oyeron las risas de los niños desde el salón. La niña y un muchacho estaban sentados en una carretilla y otros dos se encargaban de empujarla.

—Los dejaré un rato más fuera —dijo la campesina—. Luego los haré entrar para que coman algo antes de hacer los deberes. ¿Quién puede ponerse a hacer sumas sin antes haberse movido un poco? —comentó riendo—. Los pobres se pasan la mañana entera sentados en la escuela. Yo no lo soportaría.

Sin saberlo, con ese comentario consiguió eliminar parte de las dudas que asaltaban a Maria. Aquella granja era un lugar en el que se dejaba jugar a los niños, donde tenían toda la comida que necesitaban y donde se les animaba a aprender. Maria podía estar satisfecha. Y, a pesar de todo, no consiguió alegrarse, por mucho que lo intentara. Al niño siempre le faltaría algo: su madre.

BOLONIA, MARZO DE 1902

Maria llevaba unas semanas viviendo en una humilde celda del convento de monjas del Santuario della Madonna di San Luca. Allí pudo disfrutar del silencio que, tras años de duro trabajo, por fin le permitió concentrarse únicamente en ella misma. Las hermanas no hablaban ni durante las comidas. Solo susurraban en voz baja entre las oraciones, mientras trabajaban en el huerto o en la farmacia del convento. Maria pasaba la mayor parte del día sola en el jardín. Se sentaba bajo un alto ciprés y se limitaba a escuchar el viento que soplaba con suavidad entre las ramas. Los últimos meses le habían cambiado la vida por completo. Era el momento de reencontrarse a sí misma, porque la antigua Maria había muerto.

Giuseppe no paró de escribirle cartas, pero ella las rompía y las tiraba a la papelera sin leerlas siquiera. No quería saber nada más de él. Por su madre se enteró de que poco después de Navidad se había casado con la prima de Testoni. La joven había aceptado la propuesta de inmediato, y el alma de Maria se había llevado otro revés más.

Tras días de desesperación, por fin había conseguido sacar fuerzas de flaqueza para tomar ciertas decisiones. No podía continuar trabajando con él. Por consiguiente, solo había una solución: Maria debería dejar su trabajo en la clínica y en la escuela durante un tiempo. A Sciamanna le dijo que necesitaba un descanso, lo que no faltaba a la verdad. Realmente necesitaba unas semanas de tranquilidad.

¿Cuánto tiempo había pasado desde que había dado a luz a Mario protegida por los muros del convento? ¿Dos semanas? ¿O habían sido tres? Había perdido por completo la noción del tiempo. Y, sin embargo, los recuerdos del parto seguían tan presentes como si hubiera sido la víspera. Mario era el ser más precioso, tierno y perfecto que había visto en su vida. Tenía las mejillas suaves como la seda, una boquita diminuta y el pelo oscuro y rizado como Giuseppe. Tal como había solicitado, las hermanas habían llevado al retoño a sus padres de acogida de inmediato. Maria creyó que de ese modo le resultaría más sencillo renunciar a él. Cada minuto que pasara con el bebé solo habría complicado más la separación.

Sin embargo, se había equivocado. Fue de todas formas el paso más doloroso y amargo que había dado en su vida. Jamás olvidaría el momento en el que la hermana Bonifacia le había arrebatado al recién nacido dormido de los brazos y se lo había llevado de la celda. Maria había gritado tanto que no hubo monja en el convento que no la hubiera oído.

Se había pasado una semana entera llorando, completamente incapaz de comer o de hablar con nadie. Incluso había rehusado la compañía de su madre, cuya mirada le resultó insoportable. Cada vez que cerraba los ojos, veía a Mario, a aquel pequeño retoño indefenso, a merced de los adultos y desprovisto de su amor. Maria se sintió culpable por no poder ofrecerle su cariño. Sabía que la familia Mancini lo haría lo mejor posible. Mario pasaría con ellos una infancia feliz. Crecería rodeado de caballos, cabras, gallinas y cerdos. Tal vez incluso tendría un perro, igual que Luigi. Pero nunca llegaría a saber quién era en realidad su madre.

Giuseppe cumplió su palabra e inscribió a Mario en el registro civil con su apellido, mientras que no dejó constancia alguna del nombre de Maria en ninguna parte, de manera que nadie pudiera saber que ella era la madre. La prensa se habría mostrado encantada de publicar un escándalo semejante y de terminar con la brillante carrera de Maria. Lo bueno era que podría visitar al chico siempre que quisiera. Tendría que contentarse con eso, con ver a su hijo de vez en cuando. Si en algún momento tenía la sensación de que el niño no era feliz, se lo llevaría enseguida.

Ese era el precio a pagar por su libertad y por su futuro profesional. Maria albergaba la esperanza de que las generaciones futuras verían a las mujeres de otro modo. No pensaba dejar de luchar por un mundo más justo, en el que las mujeres pudieran gozar de los mismos derechos que los hombres.

Las campanas de la iglesia llamaron a la oración. ¿Y si Mario ya estaba en los brazos de su ama de cría, Francesca, y también oía las campanadas mientras succionaba el pecho? Las campanas siguieron repicando un buen rato y luego llegó ese silencio que Maria valoraba cada vez más, puesto que creaba un vacío absoluto. A veces incluso le permitía pasar unos minutos sin pensar absolutamente en nada. Su cabeza se evacuaba de imágenes, reproches y recuerdos. Maria inspiraba hondo y volvía a espirar el aire, se concentraba en su respiración y por unos instantes era capaz de olvidar aquella horrible pérdida que en ocasiones le impedía respirar.

Sin embargo, ese día ni siquiera pudo gozar de esos fugaces momentos de olvido. El silencio quedó interrumpido de repente cuando unos pasos se acercaron a su celda por el largo pasillo. ¿Quién sería? Unos tacones golpetearon el suelo de piedra, no podía ser una de las hermanas. Antes de que a Maria le diera tiempo a adivinar quién podría estar buscándola por allí, el ruido se detuvo frente a su puerta.

—¿Sí? ¿Quién es?

Poco a poco, la puerta se abrió y apareció el rostro redondo de la hermana Bonifacia.

—Tiene visita —anunció en voz baja.

Detrás de la menuda hermana de la orden, de rostro suave y brazos poderosos que no se amilanaban ante el esfuerzo físico, Maria distinguió un par de ojos azules. Era Anna. Una semana antes habría despachado a su amiga, pero en esos instantes no tuvo el ánimo suficiente para rechazar la visita. Anna había intuido que Maria ya estaría preparada para hablar y había elegido el momento más adecuado.

—Las dejaré solas —indicó la monja antes de cerrar la puerta con cuidado y alejarse de nuevo con la misma discreción con la que había llegado.

—Anna —dijo Maria abriendo los brazos, y esta se abalanzó sobre su amiga.

—¿Cómo estás? Quise venir antes, pero pensé que necesitarías algo de tiempo.

—Gracias, Anna. Has elegido el momento apropiado —contestó Maria.

Anna se zafó del abrazo y se quedó mirando a su amiga con detenimiento.

—Pareces triste —dijo.

—Lo estoy —admitió Maria—. He tenido que renunciar a lo más grande que he hecho jamás.

Anna entrecerró los ojos como solía hacer siempre que no veía del todo clara alguna cosa.

—Pero ya se te ve menos cansada —constató.

—Desde el punto de vista físico e intelectual estoy en plena forma —explicó Maria—. Es el alma lo que me duele.

Anna se descolgó el bolso de piel del hombro y lo abrió.

—Te he traído un regalo —anunció, y acto seguido le tendió a Maria un libro envuelto en papel marrón.

—¿Qué es?

—Compruébalo tú misma —la animó Anna.

Maria lo desenvolvió con cuidado y leyó el título: *Report on Education*, de Édouard Séguin.

—¡Anna! —exclamó, y por primera vez desde el nacimiento de Mario su voz no sonó triste—. ¡Has conseguido el libro de Séguin! ¿Dónde lo has encontrado? —preguntó en voz tan alta que los pájaros que había frente a su ventana levantaron el vuelo, asustados. No estaban acostumbrados a esos tonos de voz.

Anna esbozó una amplia sonrisa.

—Tengo mis contactos —respondió con aire misterioso—. Mi primo de Estados Unidos ha venido a Roma de visita. Le pedí que me trajera una copia.

—Tendrás que traducírmelo —le pidió Maria, perdiendo una parte del entusiasmo inicial.

La sonrisa de Anna se ensanchó aún más. Rebuscó en su bolso otra vez y sacó un grueso cuaderno de notas.

—Ya lo he hecho.

—Anna, eres mi ángel de la guarda —dijo Maria, conmovida.

—Eso espero.

—He estado reflexionando mucho durante las últimas semanas.

—Bueno, ¿qué puede hacerse aquí si no? —comentó Anna, contemplando la humilde celda con la nariz fruncida.

—Empezaré a estudiar de nuevo.

—¿Cómo dices? —preguntó Anna, buscando un lugar para sentarse. Descubrió un taburete y se dejó caer sobre él—. ¿No te basta con la carrera de Medicina? ¿Encima quieres ser arquitecta o capitana de barco?

—Estudiaré pedagogía y psicología aplicada.

—Pero ¿por qué? Eres una médica reconocida. Te conocen en toda Europa.

Maria no la contradijo.

—Ya lo sé, y el hecho de que me conozcan me ayudará a desarrollar un método completamente nuevo de enseñanza.

Anna abrió la boca para replicar algo. Tal vez quería preguntarle a Maria por qué había entregado a su propio hijo si lo que quería era dedicarse a la educación, pero en lugar de eso se limitó a quedarse mirando a su amiga con desconcierto.

—He trabajado con niños deficientes y he conseguido enseñarles a leer, escribir y contar —prosiguió Maria.

—Eso ya lo sabe toda Italia.

—Creo que si se aplican esos mismos métodos a los niños sanos podrían obtener mejores resultados —afirmó, pensando en Luigi. De haber tenido otra clase de profesores en la escuela técnica, habría podido sacarse una carrera sin ningún problema. Por suerte, había encontrado su propio camino, pero el itinerario no había sido claro en ningún momento.

—Ajá.

—Desarrollaré un método que se diferencie de los demás de un modo fundamental. Mostraré al mundo cómo hay que tratar a los niños y así reclamaré que todos sean tratados con respeto.

A Maria le brillaban los ojos de esa forma que Anna conocía tan bien y que no había vuelto a ver desde el congreso de Londres. Anna ya había empezado a temer que ese fulgor se hubiera perdido para siempre, pero en ese instante lo vio relucir de nuevo y con más intensidad que nunca.

—Y le pondré mi nombre al método —explicó Maria—. Los niños recibirán respeto, amor y cariño. Convertiré las escuelas en sitios en los que impere la alegría.

Durante unos instantes, las dos se quedaron en silencio.

—¿Qué te parece? —preguntó Maria al fin.

—Que es un plan realmente bueno —opinó Anna.

Acto seguido, se puso en pie y abrazó a Maria una vez más. Se alegraba de haber recuperado a su vieja amiga. Ya iba siendo hora de que abandonara aquella celda y regresara a la vida. Tenía visiones e ideas de sobra para hacerlo. Había llegado la hora de ponerlas en práctica.

¿CÓMO CONTINUÓ LA HISTORIA?

Maria acabó inscribiéndose de nuevo en la universidad. Aquella carrera le pareció mucho menos complicada que la de Medicina. Maria ya gozaba de reconocimiento como científica, y además se encontraba en el punto álgido de su carrera. Paralelamente siguió trabajando durante unos años como médica y se sirvió de sus contactos para llevar a cabo su gran plan. Escribió su primer libro, *Il metodo*, y fundó una nueva línea pedagógica que llevaba su propio nombre, el Método Montessori.

Debido a su popularidad y al éxito de su método, en 1907 se le ofreció un local para fundar un hogar para niños (la Casa dei Bambini) en el barrio pobre de San Lorenzo, en Roma. Tal como había profetizado Maria, al cabo de poco tiempo consiguió sacar a los niños de los obreros de las calles y, con la ayuda de su método, les enseñó a leer, a escribir y a contar. Muchas de las cosas que hoy en día nos parecen evidentes, como que el mobiliario de las guarderías esté adaptado a los niños, son ideas que desarrolló Maria a lo largo de su carrera como educadora. Durante toda su vida luchó por que los niños pudieran gozar de un entorno respetuoso y siempre partió de la idea básica de que todo niño desea aprender.

El 20 de diciembre de 1912 murió Renilde Montessori. Poco después de su muerte, Maria recogió a su hijo Mario y le reveló que en realidad no era su tía, sino su madre. Con contadas excepciones, Mario acompañó siempre a su madre en sus viajes y estuvo a su lado hasta su muerte. Tras el nacimiento de Mario, Maria dejó de mantener cualquier tipo de contacto con Giuseppe Montesano y no volvió a tener una relación con ningún otro hombre. Maria murió el 6 de mayo de 1952 a la edad de ochenta y un años en los Países Bajos. Su método sigue vigente en la actualidad. Setenta años después de su fallecimiento, en las guarderías de todo el mundo se utiliza el material que ella desarrolló y se enseña siguiendo su método.

EPÍLOGO

Cuando mi agente Franka Zastrow me llamó durante el verano del 2019 para preguntarme si me apetecía escribir una biografía novelada sobre Maria Montessori, enseguida acepté encantada. Habiendo estudiado pedagogía y siendo madre de tres hijos que han asistido a una escuela Montessori, estaba plenamente convencida de que era la persona adecuada para llevar a cabo este proyecto. Sin embargo, no podría haber estado más equivocada. En cuanto empecé con la investigación, me di cuenta de lo complicado que resultaría.

Existe un gran número de artículos sobre el método desarrollado por Maria Montessori y su obra en general, pero muy pocas fuentes revelan detalles sobre su vida privada. Por todas partes circulan las mismas anécdotas. El archivo custodiado por la Association Montessori Internationale (AMI) de Ámsterdam nunca ha estado a disposición del público. La única biografía que pude consultar fue la de Rita Kramer. Por ese motivo, a la hora de escribir me basé sobre todo en la información que ella proporcionó. Otro libro que también me ayudó fue el de Marjan Schwegman, que también trataba el tema de la vida privada de Maria.

Sin embargo, da igual qué libros o artículos se lean sobre Maria Montessori, la conclusión a la que se llega es siempre la misma: fue una mujer excepcional. Consiguió hacerse oír en un mundo dominado por hombres y adquirir una posición destacada primero como médica y, más adelante, como pedagoga.

Tenía una personalidad variopinta, de carácter luchador, y fue una gran oradora. No obstante, su biografía también contiene sombras, y la principal de ellas sin duda fue el nacimiento en secreto de su hijo Mario. Ella declaró que tuvo lugar en 1898, aunque tanto Rita Kramer como Marjan Schwegman dudan de la veracidad de esa fecha en sus libros. Durante el año 1898 Maria tuvo una presencia pública casi permanente, viajando por toda Europa y ofreciendo un gran número de conferencias. Fue en el año 1902 cuando se retiró durante una temporada a un convento con el pretexto de escribir su primer libro. Sin embargo, está claro que el nacimiento de su hijo fue el verdadero motivo de la estancia. El libro debió de escribirlo justo a continuación. Por consiguiente, esa es la hipótesis por la que he optado. Los saltos temporales que se producen hacia el final de la historia muestran lo difícil que resulta retratar esa época, ya que la vida de Maria entre 1898 y 1902 solo está documentada de un modo muy fragmentado y en ocasiones contradictorio.

El libro *Il metodo*, que tuvo su origen durante la clausura, rompió moldes y constituyó el punto de partida de una historia de éxitos extraordinaria. El método Montessori encontró adeptos no solo en Europa, sino también en Estados Unidos y, más tarde, en la India y África. Maria se sirvió de su popularidad y de sus contactos, siguió desarrollando su método continuamente y recibió una gran atención a nivel internacional. Las historias acerca de su vida tras el nacimiento de Mario, no obstante, parecen asimismo indicar que su mentalidad se volvió cada vez más rígida con la edad. Se cerró a las ideas nuevas y dio mucha importancia al hecho de proteger sus teorías y a evitar que se modificaran. Presentó como propias ideas que había tomado prestadas de otros pedagogos. También rompió lazos con mujeres que durante muchos años la habían acompañado, como Lili Roubiczek o Clara Grunwald. Las relaciones de colaboración, como la que se estableció entre la casa de los niños de la Rudolfsplatz de Viena y Anna Freud, siempre fueron un motivo de disgusto para ella, una actitud que entraba en contradicción con la pedagogía que ella misma predicaba, basada en la tolerancia, el respeto y la libertad.

Sin embargo, esas contradicciones me sedujeron. Quise explicar en mi novela cómo aquella Maria joven, curiosa y abierta al mundo se convirtió en una luchadora solitaria, capaz de abrocharse un corsé y priorizar su apellido y su método por encima del trabajo colaborativo. Por supuesto, una novela como la mía no puede pasar de ser una aproximación a los hechos reales, pero con mi intento quise acercarme tanto como fuera posible a la verdad. La mayoría de las figuras descritas existieron realmente. A algunas les he puesto nombres ficticios para evitar que sus descendientes pudieran sentirse ofendidos. Para dibujar una imagen genuina de la época conté con la ayuda de Barbara Ellermeier, que me proporcionó detalles fantásticos: desde el Schwarzen Austernkeller de Berlín con su carta de platos hasta el diccionario de viaje de Maria. Las citas del discurso de Maria están documentadas de forma histórica, así como los fragmentos publicados en periódicos.

Luigi y su trágica historia sí me los inventé por completo. Es una representación de todos los niños que consiguieron más libertad y una vida autónoma gracias a Maria Montessori.

Aunque muchos de los planteamientos de Maria Montessori pueden parecer más que superados, lo cierto es que buena parte de su material y de sus ideas siguen vigentes hoy en día.

Para mí fue un gran placer la redacción de este libro y espero que quien lo lea se lo pase al menos tan bien como yo escribiéndolo. Tal vez le permita descubrir una nueva cara de una mujer fuerte que, en la cumbre de su carrera como médica, decidió convertirse en pedagoga.

Para terminar, me gustaría dar las gracias a todas las personas que me han ayudado a llevar adelante este proyecto: a Franka Zastrow, por ponerme en contacto con la lectora de Piper, Anne Scharf, que es quien tuvo la idea original para el libro. A Barbara Ellermeier y a mi amiga Bettina Humer, de la Casa de Niños Montessori de Klosterneuburg, que me han proporcionado toda la información que necesitaba. A Annika Krummacher, que revisó el texto no solo en lo lingüístico, sino también prestando atención al contenido, y encontró algunas incoherencias que pudimos corregir. A toda mi familia, sobre todo a mi hija Ida, que leyó el manuscrito, y a mi marido, que ha mostrado la misma paciencia de siempre conmigo.

El último agradecimiento es para vosotros, lectoras y lectores, libreras y libreros, bibliotecarias y bibliotecarios, puesto que sin vuestro interés no quedarían libros.

Muchas gracias de todo corazón,

Laura Baldini